ruk 1989
herziene druk 1996

Peter Verstegen
yrights originele teksten zie bladzijde 411
fie Rudo Hartman
ntwerp Erik Prinsen, Inízio
ng voorplat Gustave Doré, 1869,
e bij *De hel* van Dante Alighieri
5713 026 2

NOO

NATUUR ZA
NOOIT BLIJVEN

DE WESTEUROP
IN HONDERD G

VERTAALD EN VAN C

VOORZIEN DOOR PETE

1996

Uitgeverij Ooievaar

Amsterdam

VOORWOORD

Deze bundel met honderd vertaalde gedichten wil een beeld geven van de Westeuropese poëzie door de eeuwen heen. Dat beeld moet wel onvolledig zijn. Toch zijn de beroemdste dichters merendeels vertegenwoordigd, naast enkelen die zelfs in kleine kring onbekend zijn.

Mijn keuze was mede afhankelijk van de vraag of een gedicht zich liet vertalen zonder al te groot verlies aan betekenis, in een vorm die een behoorlijke afspiegeling vormt van de muzikaliteit, de structuur en de expressieve kracht van het origineel.

De poëzie van West-Europa is primair de poëzie in het Duits, Engels, Frans, Italiaans en Spaans. De betreffende culturen hadden raakvlakken en beïnvloedden elkaar. Ze beïnvloedden ook het Nederlandse, Portugese en Skandinavische taalgebied, maar daarbij verliep het culturele verkeer voornamelijk in één richting. Huygens vertaalde Donne, maar niemand vertaalde Huygens. Een enkele Portugese dichter heeft dank zij vertalingen een internationale faam gekregen, maar Nederlandse dichters van formaat zijn daarvoor te zelden goed vertaald in de meer courante talen.

Van de honderd gedichten zijn er vijfentwintig vertaald uit het Engels en evenveel uit het Frans, twintig uit het Duits, vijftien uit het Italiaans en Spaans. Dat verschil in aantal heeft voornamelijk te maken met de gestelde grens van honderd gedichten en mijn te beperkte vertrouwdheid met de poëzie van Italië en Spanje. Van die honderd zijn er twee uit de veertiende eeuw, vierentwintig uit de zestiende en zeventiende eeuw die men literair als één periode kan zien, vijf uit de achttiende eeuw, toen de poëzie was verzand in steriel classicisme, waar de romantiek een eind aan maakte, zevenendertig uit de negentiende en tweeëndertig uit de twintigste eeuw.

De meeste van de veertig dichters in deze bundel zijn vertegenwoordigd met één gedicht, maar Auden, Goethe, Guillén, Heine, Leopardi, Montale en Quevedo elk met vier, Baudelaire, Rilke, Shakespeare en Verlaine elk met acht gedichten. De elf genoemde dichters behoren tot de grootsten in hun taalgebied, maar omdat andere grote namen niet of maar met één gedicht vertegenwoordigd zijn, moet die discrepantie een gevolg zijn van mijn persoonlijke smaak.

Van de meeste gedichten in deze bundel kan men zeggen dat ze behoren tot de klassieke traditie, in die zin dat ze gedachten overdragen, dat ze de emotie die de bron is van het gedicht vertalen in een gedachtengang die verstaanbaar is voor de lezer, hoe complex of intens persoonlijk het gedicht ook mag zijn, en van hoeveel beeldspraak of symboliek ook gebruik is gemaakt. Bij dergelijke gedichten is een harmonie tot stand gebracht tussen voelen en denken, het rationele en het irrationele, waarmee een beetje orde is geschapen in de chaos. De poëzie in deze traditie heeft dus een intellectuele kant, vormt een emotioneel-intellectueel medium.

Dat zal sommige poëzielezers misschien bevreemden, omdat de hedendaagse teneur is dat poëzie zich moet richten tot het onbewuste, moet appelleren aan het irrationele. Die opvatting is mijns inziens een uitvloeisel van de romantiek. Om de begrippen klassiek en romantisch duidelijk tegen elkaar af te zetten, kan men stellen — misschien iets gechargeerd — dat de klassieke traditie gericht is op de werkelijkheid en op een vorm van orde, beschouwelijk is en van een individuele maar veralgemeenbare geldigheid, terwijl de romantische traditie — daartegen rebellerend — gericht is op de fantasie, de droom, het irreële, het paranormale, de roes — allerlei vormen van escapisme uit de werkelijkheid, en bovendien uiterst subjectief is, sterk op het eigen ik gericht, niet zozeer op zoek is naar orde als wel naar de aantrekkelijke kanten van de chaos.

Maar de romantici uit de vorige eeuw hebben veel gedichten geschreven die geheel passen in de klassieke traditie. Bovendien maakten ze gebruik van één belangrijk klassiek element — de harmonische vorm. In zekere zin is de romantiek pas in onze eeuw echt doorgebroken — toen het loslaten van de ordenende vorm en de norm van verstaanbaarheid (in het ene land meer, in het andere minder) in zwang raakte.

Het commentaargedeelte van deze bundel geeft een biografische schets van iedere dichter en in kort bestek informatie over het gedicht, waar nodig ook een toelichting op de vertaling. Bij de vertalingen wordt daarnaar verwezen met een paginanummer rechts onder aan de bladzijde. Volgens de leer van het *New Criticism* moet een gedicht worden gezien als een autonoom kunstwerk, zodat biografische informatie van geen belang is. Maar ik geloof dat een gedicht extra diepgang krijgt als men het nodige weet van de dichter en, waar mogelijk, van de situatie waaruit het gedicht is ontstaan. Ik hoop dat de vertalingen en het commentaar samen bevorderlijk zullen zijn voor het begrijpen van de gedichten – en dat de vertalingen te genieten zijn als Nederlandse poëzie.

Twintig gedichten zijn eerder gepubliceerd in diverse bundels, vierentwintig andere in *De Tweede Ronde*. Deze eerder gepubliceerde versies zijn voor dit boek herzien. De overige vertalingen zijn nieuw. Vijf gedichten uit de Vertaalcompetitie van *NRC Handelsblad* (november-december 1987) zijn ook voor deze uitgave vertaald. Per taal is een chronologische volgorde aangehouden.

Ik dank al degenen die mij met suggesties en goede raad geholpen hebben, in het bijzonder Jan Bakker, Ike Cialona, Marko Fondse, Irmgard Heinemann en Jean Pierre Rawie. Vooral de hulp van de hispanist Jan Bakker is onmisbaar geweest.

PETER VERSTEGEN

DUITS

JOHANN WOLFGANG VON GOETHE

ÜBER ALLEN GIPFELN

Über allen Gipfeln
Ist Ruh,
In allen Wipfeln
Spürest du
Kaum einen Hauch;
Die Vögelein schweigen im Walde.
Warte nur, balde
Ruhest du auch.

OVER 'T GEBERGTE

Rust ligt over
't Gebergte, in 't
Hoge lover
Geen zuchtje wind;
De vogels zijn stil in het woud.
Wacht maar, nog even,
Dan wordt ook jou
Rust gegeven.

GOETHE 278 E.V.

RÖMISCHE ELEGIE V

Froh empfind ich mich nun auf klassischem Boden begeistert;
Vor- und Mitwelt spricht lauter und reizender mir.
Hier befolg ich den Rat, durchblättre die Werke der Alten
Mit geschäftiger Hand, täglich mit neuem Genuß.
Aber die Nächte hindurch hält Amor mich anders beschäftigt;
Werd ich auch halb nur gelehrt, bin ich doch doppelt beglückt.
Und belehr ich mich nicht, indem ich des lieblichen Busens
Formen spähe, die Hand leite die Hüften hinab?
Dann versteh ich den Marmor erst recht; ich denk und vergleiche,
Sehe mit fühlendem Aug, fühle mit sehender Hand.
Raubt die Liebste denn gleich mir einige Stunden des Tages,
Gibt sie Stunden der Nacht mir zur Entschädigung hin.
Wird doch nicht immer geküßt, es wird vernünftig gesprochen;
Überfällt sie der Schlaf, lieg ich und denke mir viel.
Oftmals hab ich auch schon in ihren Armen gedichtet
Und des Hexameters Maß leise mit fingernder Hand
Ihr auf den Rücken gezählt. Sie atmet in lieblichem Schlummer,
Und es durchglühet ihr Hauch mir bis ins Tiefste die Brust.
Amor schüret die Lamp indes und denket der Zeiten,
Da er den nämlichen Dienst seinen Triumvirn getan.

ROMEINSE ELEGIE 5

Hier op klassieke bodem voel ik mij blij en bevlogen;
  Voortijd en onze tijd krijgen meer tover, meer stem.
Goed advies volg ik op, doorblader het werk der klassieken
  Met bedrijvige hand, elke dag weer met plezier.
Maar in de nacht houdt Amor op andere wijze mij bezig;
  Leer ik daardoor maar de helft, dubbel is mijn geluk.
Trouwens, is het geen leren, als ik op de vorm van mijn liefstes
  Boezem studeer, als mijn hand strelend glijdt langs haar heup?
Dan begrijp ik het marmer pas goed: ik denk, vergelijk en
  Zie met een oog dat voelt, voel met een hand die ziet.
Ook al ontrooft mijn liefste mij dagelijks enkele uren,
  Menig uur van de nacht stelt ze me schadeloos.
Niet steeds wordt er gekust, er wordt ook verstandig gesproken;
  Overvalt haar de slaap: ik lig wakker en denk.
Vaak heb ik zelfs in haar armen gedichten bedacht en ik telde
  De hexametermaat, trommelend met mijn hand,
Zacht op haar rug en zij, ze ademt in lieflijke sluimer:
  Adem waarmee mijn gemoed tot in de grond wordt doorgloeid.
Amor snuit nu de lamp en denkt daarbij aan de tijden
  Dat hij zijn driemanschap net zulke diensten bewees.

GOETHE 278 E.V.

NATUR UND KUNST

Natur und Kunst, sie scheinen sich zu fliehen,
Und haben sich, eh man es denkt, gefunden;
Der Widerwille ist auch mir verschwunden,
Und beide scheinen gleich mich anzuziehen.

Es gilt wohl nur ein redliches Bemühen!
Und wenn wir erst in abgemeßnen Stunden
Mit Geist und Fleiß uns an die Kunst gebunden,
Mag frei Natur im Herzen wieder glühen.

So ists mit aller Bildung auch beschaffen:
Vergebens werden ungebundne Geister
Nach der Vollendung reiner Höhe streben.

Wer Großes will, muß sich zusammenraffen;
In der Beschränkung zeigt sich erst der Meister,
Und das Gesetz nur kann uns Freiheit geben.

NATUUR EN KUNST

Natuur en kunst lijken elkaar te mijden,
Maar eer je 't weet komen zij tot elkaar;
Ook mijn afkerigheid is niet meer waar,
Ze lijken mij gelijkelijk te verleiden.

Slechts de intentie telt! Zolang wij maar
Eerst aan de kunst een aantal uren wijden
Met geest en ijver, is het geen bezwaar
Als de natuur het hart weer komt bevrijden.

Zo is het met cultuur van elke rang:
Vergeefs zullen door niets gebonden geesten
Naar vervolmaking van het hoogste streven.

Naar grootheid streven vergt veel zelfbedwang;
In de beperking pas toont zich de meester,
En wetten slechts kunnen ons vrijheid geven.

GOETHE 278 E.V.

WARNUNG

Am Jüngsten Tag, wenn die Posaunen schallen
Und alles aus ist mit dem Erdeleben,
Sind wir verpflichtet, Rechenschaft zu geben
Von jedem Wort, das unnütz uns entfallen.

Wie wirds nun werden mit den Worten allen,
In welchen ich so liebevoll mein Streben
Um deine Gunst dir an den Tag gegeben,
Wenn diese bloß an deinem Ohr verhallen?

Darum bedenk, o Liebchen! dein Gewissen,
Bedenk im Ernst, wie lange du gezaudert,
Daß nicht der Welt solch Leiden widerfahre.

Werd ich berechnen und entschuldgen müssen,
Was alles unnütz ich vor dir geplaudert,
So wird der Jüngste Tag zum vollen Jahre.

WAARSCHUWING

De jongste dag, als de bazuinen schallen,
Als het gedaan is met het aardse leven,
Zijn wij verplicht om rekenschap te geven
Van elk woord dat ons zinloos is ontvallen.

Hoe wordt er dan geoordeeld over alle
Woorden waarmee ik teder aan mijn streven
Naar jouw gunst, liefje, uiting heb gegeven,
Als ze bij jou in slechte aarde vallen?

Ach! wil toch je geweten consulteren,
Bedenk in ernst hoe lang je nu al treuzelt;
Zulk leed hoor je de wereld te besparen.

Moet ik berekenen, én excuseren,
De tijd die 'k met jóu pratend heb verbeuzeld,
Dan wordt de jongste dag een zaak van jaren.

GOETHE 278 E.V.

FRANZ GRILLPARZER

ENTSAGUNG

Eins ist, was altergraue Zeiten lehren,
Und lehrt die Sonne, die erst heut getagt:
Des Menschen ewges Los, es heißt: entbehren,
Und kein Besitz, als den du dir versagt.

Die Speise, so erquicklich deinem Munde,
Beim frohen Fest genippter Götterwein,
Des Teuren Kuß auf deinem heißen Munde,
Dein wärs? Sieh zu! ob du vielmehr nicht sein.

Denn der Natur alther notwendge Mächte,
Sie hassen, was sich freie Bahnen zieht,
Als vorenthalten ihrem ewgen Rechte,
Und reißens lauernd in ihr Machtgebiet.

All, was du hältst, davon bist du gehalten,
Und wo du herrschest, bist du auch der Knecht,
Es sieht Genuß sich vom Bedarf gespalten,
Und eine Pflicht knüpft sich an jedes Recht.

Nur was du abweist, kann dir wieder kommen.
Was du verschmähst, naht ewig schmeichelnd sich,
Und in dem Abschied, vom Besitz genommen,
Erhältst du dir das einzig deine: Dich!

VERZAKING

Er is iets dat de voortijden ons leren
En ook de zon die net is opgegaan:
Het eeuwig lot der mensen is ontberen,
Je hebt alleen wat je kunt laten staan.

Was het gerecht dat zo goed smaakt of 't nippen
Van goddelijke wijn op een blij feest,
De kus der vriendschap op je hete lippen
Van jou? Of is het andersom geweest?

In de natuur zijn dwingende, aloude
Machten vol haat voor al wat vrij wil zijn,
Als werd dat aan hún eeuwig recht onthouden;
Ze sleuren het als buit naar hun domein.

Door al wat je bezit laat je je leiden,
En waar je meester bent, ben je ook knecht,
Behoefte ziet zich van genot gescheiden,
En plicht hecht zich meteen aan ieder recht.

Slechts wat je afwijst kan weer tot je komen,
Wat je versmaadt komt flemend steeds weerom,
En heb je afscheid van bezit genomen,
Je houdt: Jezelf! – je enig eigendom.

HEINRICH HEINE

DIE LORELEI

Ich weiß nicht, was soll es bedeuten,
Daß ich so traurig bin;
Ein Märchen aus alten Zeiten,
Das kommt mir nicht aus dem Sinn.

Die Luft ist kühl und es dunkelt,
Und ruhig fließt der Rhein;
Der Gipfel des Berges funkelt
Im Abendsonnenschein.

Die schönste Jungfrau sitzet
Dort oben wunderbar,
Ihr goldnes Geschmeide blitzet,
Sie kämmt ihr goldnes Haar.

Sie kämmt es mit goldenem Kamme
Und singt ein Lied dabei;
Das hat eine wundersame,
Gewaltige Melodei.

Den Schiffer im kleinen Schiffe
Ergreift es mit wildem Weh;
Er schaut nicht die Felsenriffe,
Er schaut nur hinauf in die Höh.

Ich glaube, die Wellen verschlingen
Am Ende Schiffer und Kahn;
Und das hat mit ihrem Singen
Die Lorelei getan.

DE LORELEI

Ik weet niet wat toch de reden
Is dat ik zo treurig ben;
Een sprookje van lang geleden,
Dat maalt maar steeds door mijn brein.

De lucht is koel en het donkert,
En rustig stroomt de Rijn;
Zie hoe de bergtop flonkert
In de avondzonneschijn.

De schone jonkvrouw zit er
Daarboven stralend bij,
Haar gouden opschik schittert,
Haar gouden haar kamt zij.

Ze kamt haar haren zingend,
Al met een gouden kam;
De melodie is dwingend
En wonderlijk aangenaam.

Een scheepje nadert, de schipper—
Of hem wilde weemoed bevloog—
Kijkt niet meer naar de klippen,
Hij kijkt alleen nog omhoog.

Ik meen dat ten slotte de schipper
En ook zijn boot vergaan;
En dat heeft met haar zingen
De Lorelei gedaan.

HEINE 286 E.V.

NACHTGEDANKEN

Denk ich an Deutschland in der Nacht,
Dann bin ich um den Schlaf gebracht,
Ich kann nicht mehr die Augen schließen,
Und meine heißen Tränen fließen.

Die Jahre kommen und vergehn!
Seit ich die Mutter nicht gesehn
Zwölf Jahre sind schon hingegangen;
Es wächst mein Sehnen und Verlangen.

Mein Sehnen und Verlangen wächst.
Die alte Frau hat mich behext,
Ich denke immer an die alte,
Die alte Frau, die Gott erhalte!

Die alte Frau hat mich so lieb,
Und in den Briefen, die sie schrieb,
Seh ich, wie ihre Hand gezittert,
Wie tief das Mutterherz erschüttert.

Die Mutter liegt mir stehts im Sinn.
Zwölf lange Jahre flossen hin,
Zwölf lange Jahre sind verflossen,
Seit ich sie nicht ans Herz geschlossen.

Deutschland hat ewigen Bestand,
Es ist ein kerngesundes Land,
Mit seinen Eichen, seinen Linden,
Werd ich es immer wiederfinden.

NACHTELIJKE GEDACHTEN

Denk ik aan Duitsland in de nacht,
Dan wijkt de slaap waarop ik wacht,
Ik lig maar met mijn ogen open
En hete tranen laat ik lopen.

De jaren komen en vergaan!
Een laatste maal zag 'k moeder aan
En sindsdien zijn twaalf jaar verstreken;
Steeds meer voel ik mijn weemoed spreken.

Mijn weemoed wordt steeds meer intens,
Ik ben behekst door 't oude mens;
Voortdurend denk ik aan mijn moeder,
Het oude mens dat God behoede!

Het oude mens heeft me zo lief,
Haar hand beefde bij elke brief
Die ze mij schreef en daaruit lees ik
Hoe zwaar de slag voor haar geweest is.

Twaalf lange jaren gingen heen
Zonder mijn armen om haar heen,
Twaalf lange jaren zijn vervlogen
En steeds heb ik haar beeld voor ogen.

Het Duitse land houdt eeuwig stand,
Het is echt kerngezond als land,
En met zijn eiken en zijn linden
Weet ik het altijd weer te vinden.

HEINE 286 E.V.

Nach Deutschland lechzt ich nicht so sehr,
Wenn nicht die Mutter dorten wär;
Das Vaterland wird nie verderben,
Jedoch die alte Frau kann sterben.

Seit ich das Land verlassen hab,
So viele sanken dort ins Grab,
Die ich geliebt – wenn ich sie zähle,
So will verbluten meine Seele.

Und zählen muß ich – Mit der Zahl
Schwillt immer höher meine Qual,
Mir ist, als wälzten sich die Leichen
Auf meine Brust – Gottlob, sie weichen!

Gottlob, durch meine Fenster bricht
Französisch heitres Tageslicht;
Es kommt mein Weib, schön wie der Morgen,
Und lächelt fort die deutschen Sorgen.

Ik smacht niet zo naar Duitsland, maar
Mijn moeder woont nu eenmaal daar;
Niets kan het vaderland verderven,
Maar 't oude mens kan morgen sterven.

Sinds ik mijn weg ging, daarvandaan,
Zijn er zoveel naar 't graf gegaan;
Als ik ze tel, van wie ik hield,
Voel ik mij zelf welhaast ontzield.

En tellen moet ik ze. Hoe meer
Ik tel, hoe meer doet het mij zeer;
Het is of op mijn borst de lijken
Rondwentelen. – Godlof, ze wijken!

Godlof! Door 't venster breekt zowaar
Vrolijk Frans daglicht en zie, daar
Verschijnt mijn vrouw, mooi als de morgen,
Haar lach verjaagt mijn Duitse zorgen.

HEINE 286 E.V.

MORPHINE

Groß ist die Ähnlichkeit der beiden schönen
Jünglingsgestalten, ob der eine gleich
Viel blässer, als der andre, auch viel strenger,
Fast möcht ich sagen viel vornehmer aussieht,
Als jener andre, welcher mich vertraulich
In seine Arme schloß—Wie lieblich sanft
War dann sein Lächeln und sein Blick wie selig!
Dann mocht es wohl geschehn, daß seines Hauptes
Mohnblumenkranz auch meine Stirn berührte
Und seltsam duftend allen Schmerz verscheuchte
Aus meiner Seel—Doch solche Linderung,
Sie dauert kurze Zeit; genesen gänzlich
Kann ich nur dann, wenn seine Fackel senkt
Der andre Bruder, der so ernst und bleich.
Gut ist der Schlaf, der Tod ist besser—freilich
Das Beste wäre, nie geboren sein.

MORFINE

Wat lijkt dat tweetal welgevormde knapen
Toch op elkaar, al ziet de een er wel
Veel bleker dan de ander uit, en ook
Veel strenger, en ik zou haast zeggen veel
Voornamer dan de ander die mij zo
Lief in zijn armen sloot—hoe mooi en zacht
Was dan zijn glimlach, en hoe blij zijn blik!
Dan kon het wel gebeuren dat de krans
Papavers om zijn hoofd, ook mij het voorhoofd
Beroerend, alle smart met hun vreemd geuren
Verbande uit mijn ziel—maar zulk vertroosten
Is maar kortstondig; echt genezen zal
Ik pas wanneer de andere broer, de bleke
En ernstige, zijn fakkel dalen laat.
Slapen is goed, dood zijn is beter—maar
Het beste is toch nooit geboren worden.

HEINE 286 E.V.

DAS HOHELIED

Des Weibes Leib ist ein Gedicht,
Das Gott der Herr geschrieben
Ins große Stammbuch der Natur,
Als ihn der Geist getrieben.

Ja, günstig war die Stunde ihm,
Der Gott war hochbegeistert;
Er hat den spröden, rebellischen Stoff
Ganz künstlerisch bemeistert.

Fürwahr, der Leib des Weibes ist
Das Hohelied der Lieder;
Gar wunderbare Strophen sind
Die schlanken, weißen Glieder.

O welche göttliche Idee
Ist dieser Hals, der blanke,
Worauf sich wiegt der kleine Kopf,
Der lockige Hauptgedanke!

Der Brüstchen Rosenknospen sind
Epigrammatisch gefeilet;
Unsäglich entzückend ist die Cäsur,
Die streng den Busen teilet.

Den plastischen Schöpfer offenbart
Der Hüften Parallele;
Der Zwischensatz mit dem Feigenblatt
Ist auch eine schöne Stelle.

HET HOOGLIED

Het vrouwelijf is een gedicht,
Door God de Heer geschreven
In 't grote boek van de natuur,
Toen hij de geest had gekregen.

Het was een gunstig ogenblik,
God was in hoger sferen,
Liet over de rebelse stof
Zijn kunstzin triomferen.

Voorwaar, hij wist het lijf der vrouw
Tot 't Hooglied der liedkunst te kneden,
Hoe liefelijke strofen zijn
Die slanke, blanke leden.

O wat een goddelijk idee,
Die blote hals waar 't kopje
Op wiegen kan, het hoofdmotief!
Gevat in golvende lokjes.

Hij wist de borsten met rozeknop
Op het puntdicht toe te snijden;
Onzegbaar zalig is de cesuur
Waar de boezem zich door laat scheiden.

De schepper heeft de parallel
Van de heupen fraai vormgegeven;
De tussenzin met vijgeblad
Is ook heel mooi geschreven.

HEINE 286 E.V.

Das ist kein abstraktes Begriffspoem!
Das Lied hat Fleisch und Rippen.
Hat Hand und Fuß; es lacht und küßt
Mit schöngereimten Lippen.

Hier atmet wahre Poesie!
Anmut in jeder Wendung
Und auf der Stirne trägt das Lied
Den Stempel der Vollendung.

Lobsingen will ich dir, o Herr,
Und dich im Staub anbeten!
Wir sind nur Stümper gegen dich,
Den himmlischen Poeten.

Versenken will ich mich, o Herr,
In deines Liedes Prächten;
Ich widme seinem Studium
Den Tag mitsamt den Nächten.

Ja, Tag und Nacht studier ich dran,
Will keine Zeit verlieren;
Die Beine werden mir so dünn –
Das kommt vom vielen Studieren.

't Is geen abstract, cerebraal gedicht!
Dit lied heeft vlees en ribben,
Heeft handen en voeten, het lacht en kust
Met heerlijk rijmende lippen.

Het ademt ware poëzie!
Elke wending is even bevallig,
En op het voorhoofd draagt het lied
Het waarmerk dat het áf is.

In 't stof wil 'k u aanbidden, Heer,
En u een lofzang zingen!
Naast u, de hemelse poëet,
Zijn wij maar zwakkelingen.

Verdiepen wil ik mij, o Heer,
In heel uw schitterend prachtlied;
'k Studeer bij dag niets anders meer
En zeker ook des nachts niet.

Ja, dáárvoor wil ik dag en nacht
Van ieder moment profiteren;
En als ik spillebeentjes krijg,
Dan komt dat van 't vele studeren.

HEINE 286 E.V.

HUGO VON HOFMANNSTHAL

ÜBER VERGÄNGLICHKEIT

Noch spür ich ihren Atem auf den Wangen:
Wie kann das sein, daß diese nahen Tage
Fort sind, für immer fort, und ganz vergangen?

Dies ist ein Ding, das keiner voll aussinnt,
Und viel zu grauenvoll, als daß man klage:
Daß alles gleitet und vorüberrinnt.

Und daß mein eignes Ich, durch nichts gehemmt,
Herüberglitt aus einem kleinen Kind
Mir wie ein Hund unheimlich stumm und fremd.

Dann: daß ich auch vor hundert Jahren war
Und meine Ahnen, die im Totenhemd,
Mit mir verwandt sind wie mein eignes Haar,

So eins mit mir als wie mein eignes Haar.

OVER VERGANKELIJKHEID

'k Voel nog haar adem op mijn wangen beven:
Hoe kan het dat die zo nabije dagen
Voorbij, voorbij zijn, dat niets is gebleven?

Er is geen mens die dit geheel verstaat,
't Is te schrikbarend om over te klagen:
Dat alles maar voorbijglijdt en vergaat.

En dat mijn eigen ik, door niets geremd,
Vanuit een klein kind naar mij overgleed,
Een kind, mij als een hond zo stom en vreemd.

Dan: dat ik er al was vóór honderd jaar
En mijn voorouders, in hun dodenkleed,
Met mij verwant zijn als mijn eigen haar.

Zo één met mij zijn als mijn eigen haar.

HERBSTTAG

Herr: es ist Zeit. Der Sommer war sehr groß.
Leg deinen Schatten auf die Sonnenuhren,
und auf den Fluren laß die Winde los.

Befiehl den letzten Früchten voll zu sein;
gieb ihnen noch zwei südlichere Tage,
dränge sie zur Vollendung hin und jage
die letzte Süße in den schweren Wein.

Wer jetzt kein Haus hat, baut sich keines mehr.
Wer jetzt allein ist, wird es lange bleiben,
wird wachen, lesen, lange Briefe schreiben
und wird in den Alleen hin und her
unruhig wandern, wenn die Blätter treiben.

HERFSTDAG

Heer, het is tijd. Het was een grootse zomer.
Leg nu uw schaduw op de zonnewijzers
en laat de wind over de velden komen.

Gebied de laatste vruchten vol te zijn,
verleen hun nog twee zuidelijker dagen,
stuw ze naar de voldragenheid en jaag
de laatste zoetheid in de zware wijn.

Wie nu geen huis heeft, bouwt het ook niet meer,
wie nu alleen is, zal het lang nog blijven,
zal waken, lezen, lange brieven schrijven
en rusteloos de lanen op en neer
gaan als de wind de blaren voort zal drijven.

RILKE 293 E.V.

DER PANTHER

Im Jardin des Plantes, Paris

Sein Blick ist vom Vorübergehn der Stäbe
so müd geworden, daß er nichts mehr hält.
Ihm ist, als ob es tausend Stäbe gäbe
und hinter tausend Stäben keine Welt.

Der weiche Gang geschmeidig starker Schritte,
der sich im allerkleinsten Kreise dreht,
ist wie ein Tanz von Kraft um eine Mitte,
in der betäubt ein großer Wille steht.

Nur manchmal schiebt der Vorhang der Pupille
sich lautlos auf–. Dann geht ein Bild hinein,
geht durch der Glieder angespannte Stille–
und hört im Herzen auf zu sein.

DE PANTER

In de Parijse Jardin des Plantes

Zijn blik is van het lopen langs de stangen
zo moe geworden dat hij niets meer ziet
dan stangen. Stangen houden hem gevangen,
duizenden stangen, en daarachter niets.

De zachtheid van zijn lenig sterke pas,
die altijd weer de kleinste kring beschrijft,
is als een dans van kracht rondom een as
waarin een machtig willen is verstijfd.

Soms nog maar trekt het scherm voor zijn pupillen
geluidloos op—. Dan gaat een beeld erdoor
naar binnen, glijdt door het van spanning stille
lijf naar zijn hart—en gaat teloor.

ORPHEUS. EURYDIKE. HERMES

Das war der Seelen wunderliches Bergwerk.
Wie stille Silbererze gingen sie
als Adern durch sein Dunkel. Zwischen Wurzeln
entsprang das Blut, das fortgeht zu den Menschen,
und schwer wie Porphyr sah es aus im Dunkel.
Sonst war nichts Rotes.

Felsen waren da
und wesenlose Wälder. Brücken über Leeres
und jener große graue blinde Teich,
der über seinem fernen Grunde hing
wie Regenhimmel über einer Landschaft.
Und zwischen Wiesen, sanft und voller Langmut,
erschien des einen Weges blasser Streifen,
wie eine lange Bleiche hingelegt.

Und dieses einen Weges kamen sie.

Voran der schlanke Mann im blauen Mantel,
der stumm und ungeduldig vor sich aussah.
Ohne zu kauen fraß sein Schritt den Weg
in großen Bissen; seine Hände hingen
schwer und verschlossen aus dem Fall der Falten
und wußten nicht mehr von der leichten Leier,
die in die Linke eingewachsen war
wie Rosenranken in den Ast des Ölbaums.
Und seine Sinne waren wie entzweit:
indes der Blick ihm wie ein Hund vorauslief,
umkehrte, kam und immer wieder weit
und wartend an der nächsten Wendung stand, –
blieb sein Gehör wie ein Geruch zurück.

ORPHEUS. EURYDICE. HERMES

Hier was de vreemde mijngroeve der zielen.
Als stille aderen van zilvererts
gingen zij door haar donker. Tussen wortels
ontsprong het bloed dat naar de mensen voert,
zwaar als porfier zag het eruit in 't donker.
Verder niets roods daar.

Er waren rotsen,
onwerkelijke bossen. Bruggen over leegte
en ginds die grote grijze blinde vijver
die hoog boven zijn diepe bodem hing
als donkere wolkenlucht boven een landschap.
En tussen weilanden, zacht en zo duldzaam,
verscheen de ene weg, een lichte streep,
als wasgoed op een rij dat ligt te bleken.

Die ene weg, daarover kwamen zij.

Vooraan de slanke man in blauwe mantel
die stil en ongeduldig voor zich uitkeek.
Zijn tred verslond de weg met grote brokken;
zijn handen, zwaar en in zichzelf gekeerd,
hingen vanuit de val der plooien neer,
zich niet bewust meer van de lichte lier
die in zijn linkerhand was ingegroeid
gelijk in een olijftak rozeranken.
En zijn zintuigen waren als gespleten:
terwijl zijn blik hem als een hond vooruitvloog,
omkeerde, terugliep en hem steeds, ver weg
bij de volgende bocht stond op te wachten, —
bleef zijn gehoor ten achter als een geur.

Manchmal erschien es ihm als reichte es
bis an das Gehen jener beiden andern,
die folgen sollten diesen ganzen Aufstieg.
Dann wieder wars nur seines Steigens Nachklang
und seines Mantels Wind was hinter ihm war.
Er aber sagte sich, sie kämen doch;
sagte es laut und hörte sich verhallen.
Sie kämen doch, nur wärens zwei
die furchtbar leise gingen. Dürfte er
sich einmal wenden (wäre das Zurückschaun
nicht die Zersetzung dieses ganzen Werkes,
das erst vollbracht wird), müßte er sie sehen,
die beiden Leisen, die ihm schweigend nachgehn:

Den Gott des Ganges und der weiten Botschaft,
die Reisehaube über hellen Augen,
den schlanken Stab hertragend vor dem Leibe
und flügelschlagend an den Fußgelenken;
und seiner linken Hand gegeben: sie.

Die So-geliebte, daß aus einer Leier
mehr Klage kam als je aus Klagefrauen;
daß eine Welt aus Klage ward, in der
alles noch einmal da war: Wald und Tal
und Weg und Ortschaft, Feld und Fluß und Tier;
und daß um diese Klage-Welt, ganz so
wie um die andre Erde, eine Sonne
und ein gestirnter stiller Himmel ging,
ein Klage-Himmel mit entstellten Sternen—:
Diese So-geliebte.

Soms leek het hem terug te reiken tot
het gaan, daarginds, van die twee anderen
die moesten volgen heel de weg omhoog.
Dan weer was achter hem alleen de naklank
van eigen klimmen, 't ruisen van zijn mantel.
En bij zichzelf zei hij: ze komen wel;
hij zei het luid en hoorde hoe het wegstierf.
Ze kwamen wel, al waren het er twee
wier stap vreselijk stil was. Als hij zich
een keer mocht omdraaien (maar omzien zou
juist het tenietdoen zijn van heel dit werk
dat nu volbracht wordt), moest hij ze wel zien,
het stille tweetal dat hem zwijgend volgt:

De god van 't gaan en van de verre tijding,
de reishoed boven zijn scherpziende ogen,
de slanke staf die hij recht voor zich uithield,
zijn enkels met de klapperende vleugels;
en aan zijn linkerhand toevertrouwd: *zij*.

De zó-geliefde dat er uit een lier
meer klagen klonk dan uit klaagvrouwen ooit;
dat zich een wereld uit dat klagen vormde
waar alles in herhaald werd: bos en dal,
en weg en buurtschap, veld, rivier en dier,
en dat er rond die wereld van geweeklaag
een zon, zoals rondom die andere aarde,
en een stille, besterde hemel draaide,
een weeklaaghemel met wanschapen sterren—:
Die zó-geliefde.

Sie aber ging an jenes Gottes Hand,
den Schritt beschränkt von langen Leichenbändern,
unsicher, sanft und ohne Ungeduld.
Sie war in sich, wie Eine hoher Hoffnung,
und dachte nicht des Mannes, der voranging,
und nicht des Weges, der ins Leben aufstieg.
Sie war in sich. Und ihr Gestorbensein
erfüllte sie wie Fülle.
Wie eine Frucht von Süßigkeit und Dunkel,
so war sie voll von ihrem großen Tode,
der also neu war, daß sie nichts begriff.

Sie war in einem neuen Mädchentum
und unberührbar; ihr Geschlecht war zu
wie eine junge Blume gegen Abend,
und ihre Hände waren der Vermählung
so sehr entwöhnt, daß selbst des leichten Gottes
unendlich leise, leitende Berührung
sie kränkte wie zu sehr Vertraulichkeit.

Sie war schon nicht mehr diese blonde Frau,
die in des Dichters Liedern manchmal anklang,
nicht mehr des breiten Bettes Duft und Eiland
und jenes Mannes Eigentum nicht mehr.

Sie war schon aufgelöst wie langes Haar
und hingegeben wie gefallner Regen
und ausgeteilt wie hundertfacher Vorrat.

Sie war schon Wurzel.

Maar zij liet zich geleiden door de god,
haar tred gehinderd door de lange windsels,
onzeker, zacht en zonder ongeduld.
In zich gekeerd, als in hoge verwachting,
dacht ze niet aan de man die voor haar uitging,
niet aan de weg die naar het leven opsteeg.
Zij was in zich gekeerd. Haar dood-zijn was
als een rijke vervulling.
Zoals een vrucht van zoet en donker vol is,
zo was zij van haar grote dood vervuld,
die nog zo nieuw was dat ze niets begreep.

Ze was tot een nieuw maagdendom geroepen
en onaanraakbaar: haar geslacht had zich
gesloten als een jonge bloem bij avond;
haar handen waren de gehuwde staat
zozeer ontwend dat zelfs 't oneindig zacht
sturend beroeren van de ranke god
haar hinderde als een intimiteit.

Ze was reeds niet de blonde vrouw meer die
in 's dichters liederen had meegetrild,
niet meer eiland en geur van 't brede bed
en van die man het eigendom niet meer.

Ze was ontbonden als een lange haardos
en prijsgegeven als gevallen regen
en als een rijke voorraad uitgedeeld.

Ze was reeds wortel.

RILKE 293 E.V.

Und als plötzlich jäh
der Gott sie anhielt und mit Schmerz im Ausruf
die Worte sprach: Er hat sich umgewendet—,
begriff sie nichts und sagte leise: Wer?

Fern aber, dunkel vor dem klaren Ausgang,
stand irgend jemand, dessen Angesicht
nicht zu erkennen war. Er stand und sah,
wie auf dem Streifen eines Wiesenpfades
mit trauervollem Blick der Gott der Botschaft
sich schweigend wandte, der Gestalt zu folgen,
die schon zurückging dieses selben Weges,
den Schritt beschränkt von langen Leichenbändern,
unsicher, sanft und ohne Ungeduld.

En toen opeens
de god haar staande hield en met een stem
vol pijn uitriep: Hij heeft zich omgekeerd—,
begreep ze niets en zachtjes zei ze: *Wie*?

En ver weg, donker voor de lichte uitgang,
daar stond iemand van wie 't gelaat niet goed
te onderscheiden was. Hij stond en zag
hoe op de streep van een smal weidepad
de god der tijding zich met droeve blik
woordeloos omdraaide om haar gestalte
te volgen die dezelfde weg al terugging,
haar tred gehinderd door de lange windsels,
onzeker, zacht en zonder ongeduld.

DAS EINHORN

Der Heilige hob das Haupt, und das Gebet
fiel wie ein Helm zurück von seinem Haupte:
denn lautlos nahte sich das niegeglaubte,
das weiße Tier, das wie eine geraubte
hülflose Hindin mit den Augen fleht.

Der Beine elfenbeinernes Gestell
bewegte sich in leichten Gleichgewichten,
ein weißer Glanz glitt selig durch das Fell,
und auf der Tierstirn, auf der stillen, lichten,
stand, wie ein Turm im Mond, das Horn so hell,
und jeder Schritt geschah, es aufzurichten.

Das Maul mit seinem rosagrauen Flaum
war leicht gerafft, so daß ein wenig Weiß
(weißer als alles) von den Zähnen glänzte;
die Nüstern nahmen auf und lechzten leis.
Doch seine Blicke, die kein Ding begrenzte,
warfen sich Bilder in den Raum
und schlossen einen blauen Sagenkreis.

DE EENHOORN

De heilige keek op en zijn gebeden
vielen, zoals een helm valt, van zijn hoofd:
stil naderde wat hij nooit had geloofd,
het blanke dier—: hinde die is geroofd,
met in de blik een hulpeloze bede.

Het elpenbenen onderstel der benen
bewoog zich in lichtvoetig evenwicht,
een witte glans gleed hemels langs zijn leden,
en op het dierenvoorhoofd, stil en licht,
stond als een toren door de maan beschenen
de hoorn, bij elke schrede opgericht.

Zijn lip, bekleed met grijs en roze dons,
week iets terug, waardoor een weinig wit
(niets dat zo wit is) van zijn tanden blonk;
zijn neusgaten waren gesperd, er klonk
zacht snuiven. Maar zijn onbegrensde blik
slingerde beelden in de ruimte,
een blauwe sagencyclus ten besluite.

RILKE 293 E.V.

SPANISCHE TÄNZERIN

Wie in der Hand ein Schwefelzündholz, weiß,
eh es zur Flamme kommt, nach allen Seiten
zuckende Zungen streckt—: beginnt im Kreis
naher Beschauer hastig, hell und heiß
ihr runder Tanz sich zuckend auszubreiten.

Und plötzlich ist er Flamme, ganz und gar.

Mit einem Blick entzündet sie ihr Haar
und dreht auf einmal mit gewagter Kunst
ihr ganzes Kleid in diese Feuersbrunst,
aus welcher sich, wie Schlangen die erschrecken,
die nackten Arme wach und klappernd strecken.

Und dann: als würde ihr das Feuer knapp,
nimmt sie es ganz zusamm und wirft es ab
sehr herrisch, mit hochmütiger Gebärde
und schaut: da liegt es rasend auf der Erde
und flammt noch immer und ergiebt sich nicht—.
Doch sieghaft, sicher und mit einem süßen
grüßenden Lächeln hebt sie ihr Gesicht
und stampft es aus mit kleinen festen Füßen.

SPAANSE DANSERES

Zoals een zwavelstokje, aangestreken,
rondom trillende tongen uit zal steken
aleer het echt ontvlamt—: zo krijgt haar dans,
door toeschouwers omstuwd, een helle glans,
een hitte die er trillend uit wil breken.

En plotseling is het een vlam die danst.

Want met één blik steekt ze haar haar in brand
en wervelend, nog onverhoeds gewaagd,
voedt zij die bronst van vuur met haar gewaad,
waaruit, als slangen die verschrikt wegwijken,
haar naakte armen waakzaam, klepperend, reiken.

En dan: als laat haar 't vuur geen armslag meer,
graait zij het bij elkaar en werpt het neer,
gebiedend, met hoogmoedige gebaren,
en kijkt: daar ligt het spartelend ter aarde
en gaat tekeer, nog verre van gedoofd—.
Maar zeker van haar zege, met de zoete
groet van een glimlach zelfs, heft zij het hoofd
en trapt het uit, met kleine, harde voeten.

RILKE 293 E.V.

EIN FRAUEN-SCHICKSAL

So wie der König auf der Jagd ein Glas
ergreift, daraus zu trinken, irgendeines, –
und wie hernach der welcher es besaß
es fortstellt und verwahrt als wär es keines:

so hob vielleicht das Schicksal, durstig auch,
bisweilen Eine an den Mund und trank,
die dann ein kleines Leben, viel zu bang
sie zu zerbrechen, abseits vom Gebrauch

hinstellte in die ängstliche Vitrine,
in welcher seine Kostbarkeiten sind
(oder die Dinge, die für kostbar gelten).

Da stand sie fremd wie eine Fortgeliehne
und wurde einfach alt und wurde blind
und war nicht kostbar und war niemals selten.

EEN VROUWENLOT

Zoals een vorst op jacht een glas aanvat,
omdat hij dorst heeft, 't geeft niet wat voor glas, –
zoals daarna degeen die het bezat
het wegbergt of het heel iets anders was:

zo heeft het lot misschien wel eens een vrouw
naar zijn dorstige mond gebracht, maar haar
klein leven heeft haar toen, bang dat zij zou
kapotgaan, veilig weggezet, daar waar

niemand haar kon beroeren, in de bange
vitrine waar zijn kostbaarheden staan
(of wat voor kostbaarheden door moet gaan).

Daar stond ze, vreemd als was ze van een ander,
tot ze eenvoudig oud en blind werd, maar
kostbaar of zeldzaam was er niets aan haar.

RILKE 293 E.V.

DIE KURTISANE

Venedigs Sonne wird in meinem Haar
ein Gold bereiten: aller Alchemie
erlauchten Ausgang. Meine Brauen, die
den Brücken gleichen, siehst du sie

hinführen ob der lautlosen Gefahr
der Augen, die ein heimlicher Verkehr
an die Kanäle schließt, so daß das Meer
in ihnen steigt und fällt und wechselt. Wer

mich einmal sah, beneidet meinen Hund,
weil sich auf ihm oft in zerstreuter Pause
die Hand, die nie an keiner Glut verkohlt,

die unverwundbare, geschmückt, erholt—.
Und Knaben, Hoffnungen aus altem Hause,
gehn wie an Gift an meinem Mund zugrund.

DE COURTISANE

De Venetiaanse zon zal in mijn haar
goud maken dat van alle alchemie
het glanspunt vormt. Mijn wenkbrauwbogen die
gewelfd zijn als de bruggen, zie ze daar

wegbuigen over 't zwijgende gevaar
der ogen, die door een geheim circuit
verbonden zijn met de kanalen, waar
het tij in stijgt en daalt en wisselt. Wie

mij eenmaal heeft gezien, benijdt mijn hond,
omdat mijn hand, die aan geen vlam zich brandt,
mijn niet te kwetsen, rijkgetooide hand,

soms achteloos blijft rusten op zijn vacht—.
Knapen, de hoop van menig oud geslacht,
gaan als aan gif te gronde aan mijn mond.

RILKE 293 E.V.

ARCHAÏSCHER TORSO APOLLOS

Wir kannten nicht sein unerhörtes Haupt,
darin die Augenäpfel reiften. Aber
sein Torso glüht noch wie ein Kandelaber,
in dem sein Schauen, nur zurückgeschraubt,

sich hält und glänzt. Sonst könnte nicht der Bug
der Brust dich blenden, und im leisen Drehen
der Lenden könnte nicht ein Lächeln gehen
zu jener Mitte, die die Zeugung trug.

Sonst stünde dieser Stein entstellt und kurz
unter den Schultern durchsichtigem Sturz
und flimmerte nicht so wie Raubtierfelle;

und bräche nicht aus allen seinen Rändern
aus wie ein Stern: denn da ist keine Stelle,
die dich nicht sieht. Du mußt dein Leben ändern.

ARCHAÏSCHE APOLLO-TORS

Wij hebben nooit zijn ongekend gezicht
gezien, de oogappels die rijpten. Maar
zijn torso gloeit nog als een kandelaar,
waarin zijn blik, met een getemperd licht

toch glanzen blijft. Anders zou ons de boeg
van zijn borst niet verblinden, en in 't zacht
draaien der lenden zag je niet die lach
naar 't midden dat de mannelijkheid droeg.

Anders leek deze steen beknot en stuk
onder de glasstolp van het schouderjuk
en zou niet glinsteren als roofdierhuid;

en zou niet als een ster losbreken uit
zijn grenzen: want met heel zijn wezen ziet
hij wie jij bent. Zo doorgaan kun je niet.

RILKE 293 E.V.

GEORG TRAKL

GRODEK

Am Abend tönen die herbstlichen Wälder
Von tödlichen Waffen, die goldnen Ebenen
Und blauen Seen, darüber die Sonne
Düstrer hinrollt; umfängt die Nacht
Sterbende Krieger, die wilde Klage
Ihrer zerbrochenen Münder.
Doch stille sammelt im Weidengrund
Rotes Gewölk, darin ein zürnender Gott wohnt
Das vergoßne Blut sich, mondne Kühle;
Alle Straßen münden in schwarze Verwesung.
Unter goldnem Gezweig der Nacht und Sternen
Es schwankt der Schwester Schatten durch den schweigenden Hain,
Zu grüßen die Geister der Helden, die blutenden Häupter;
Und leise tönen im Rohr die dunkeln Flöten des Herbstes.
O stolzere Trauer! ihr ehernen Altäre
Die heiße Flamme des Geistes nährt heute ein gewaltiger Schmerz,
Die ungebornen Enkel.

GRODEK

’s Avonds weerklinken de herfstige bossen
Van dodelijke wapens, de gouden vlakten
En blauwe meren, waarover de zon
Somberder voortrolt; omhelst de nacht
Stervende krijgers, het wilde klagen
Van hun gebroken monden.
Maar stil verzamelen in de grienden
Rode wolken waarin een toornende god woont
Het vergoten bloed, manige koelte;
Alle wegen komen uit op zwarte ontbinding.
Onder gouden takken van nacht en sterren
Gaat wankel de schimmige zuster door ’t zwijgend geboomte,
Om de geesten der helden te groeten, de bloedende hoofden;
En zacht klinkt in ’t riet het donker gefluit van de herfst.
O trotsere rouw! Gij ijzeren altaren
De hete vlam van de geest voedt heden een machtige pijn,
Nageslacht dat niet wordt geboren.

ALLE TAGE

Der Krieg wird nicht mehr erklärt,
sondern fortgesetzt. Das Unerhörte
ist alltäglich geworden. Der Held
bleibt den Kämpfen fern. Der Schwache
ist in die Feuerzonen gerückt.
Die Uniform des Tages ist die Geduld,
die Auszeichnung der armselige Stern
der Hoffnung über dem Herzen.

Er wird verliehen,
wenn nichts mehr geschieht,
wenn das Trommelfeuer verstummt,
wenn der Feind unsichtbar geworden ist
und der Schatten ewiger Rüstung
den Himmel bedeckt.

Er wird verliehen
für die Flucht von den Fahnen,
für die Tapferkeit vor dem Freund,
für den Verrat unwürdiger Geheimnisse
und die Nichtachtung
jeglichen Befehls.

ALLE DAGEN

De oorlog wordt niet meer verklaard,
maar voortgezet. Het ongehoorde
is alledaags geworden. De held
houdt zich ver van de strijd. De zwakke
is de vuurlinies binnengerukt.
Het uniform van de dag is het geduld,
het onderscheidingsteken de armzalige ster
der hoop boven het hart.

Het wordt verleend
als er niets meer gebeurt,
als het trommelvuur verstomt,
als de vijand onzichtbaar is geworden
en de schaduw van eeuwig wapentuig
over de hemel ligt.

Het wordt verleend
voor desertie, vlucht voor de vlag,
voor dapperheid in het aangezicht van de vriend,
voor het verraden van onwaardige geheimen
en het in de wind slaan
van elk bevel.

ENGELS

(144)

Two loves I have, of comfort and despair,
Which like two spirits do suggest me still;
The better angel is a man right fair,
The worser spirit a woman coloured ill.
To win me soon to hell my female evil
Tempteth my better angel from my side,
And would corrupt my saint to be a devil,
Wooing his purity with her foul pride.
And whether that my angel be turn'd fiend,
Suspect I may, yet not directly tell;
But being both from me, both to each friend,
I guess one angel in another's hell:
Yet this shall I ne'er know, but live in doubt,
Till my bad angel fire my good one out.

I (144)

Ik heb twee liefdes waar ik troost in vond
En wanhoop, als twee geesten die mij raden;
De goede geest, een man, is mooi en blond,
De boze geest, een vrouw, zwart als het kwade.
Mijn goede geest wordt door dat vrouwlijk kwaad van
Mij weggelokt, waardoor ik duivels lijd;
Liefst maakt zij van mijn heilige een satan,
Haar veil vertoon dingt naar zijn zuiverheid.
Of reeds mijn engel haar als duivel dient,
Mag ik niet zeggen, slechts veronderstellen;
Ze zijn, ver van mij, met elkaar bevriend,
Ik vrees, mijn engel vaart in haar ter helle:
  Al is het ongewis, mijn twijfel blijft,
  Totdat mijn boze geest mijn goede uitdrijft.

(34)

Why didst thou promise such a beauteous day
And make me travel forth without my cloak,
To let base clouds o'ertake me in my way,
Hiding thy bravery in their rotten smoke?
'Tis not enough that through the cloud thou break,
To dry the rain on my storm-beaten face,
For no man well of such a salve can speak
That heals the wound and cures not the disgrace.
Nor can thy shame give physic to my grief,
Though thou repent, yet I have still the loss;
Th'offender's sorrow lends but weak relief
To him that bears the strong offence's cross.
Ah, but those tears are pearl which thy love sheeds,
And they are rich and ransom all ill deeds.

II (34)

Waarom liet je mij uitgaan zonder jas,
En had je mij een mooie dag beloofd,
Toen ik door boze wolken werd verrast,
Wier kwade damp mij van jouw glans berooft?
Je breekt weer door, maar dat is niet genoeg,
Het droogt op mijn gezicht de regen niet,
Dankbaarheid voor zo'n balsem komt te vroeg
Die wel de wond herstelt, niet het verdriet.
Ook word ik niet getroost door jouw berouw,
Mij blijft toch het verlies, al toon je spijt;
Wroeging van wie misdreef, verlicht maar nauw
Het kruis gedragen om een zo zwaar feit.
  Maar parels zijn de tranen van je liefde,
  En rijke medicijn voor wat mij griefde.

(35)

No more be grieved at that which thou hast done,
Roses have thorns, and silver fountains mud,
Clouds and eclipses stain both Moon and Sun,
And loathsome cancer lives in sweetest bud.
All men make faults, and even I in this,
Authorizing thy trespass with compare,
Myself corrupting salving thy amiss,
Excusing thy sins more than thy sins are;
For to thy sensual fault I bring in sense,
(Thy adverse party is thy Advocate),
And 'gainst myself a lawful plea commence;
Such civil war is in my love and hate
  That I an accessory needs must be
  To that sweet thief which sourly robs from me.

III (35)

Berouw niet langer wat je hebt gedaan,
De roos draagt doorns, slik kleurt de zilveren bron,
De teerste knop lokt ongedierte aan,
Wolk en verduistering smetten Maan en Zon.
Een ieder faalt, zoals ik hierin faal,
Dat ik jouw daad met beeldspraak sanctioneer,
Mijzelf verderf met balsem voor jouw kwaal,
En meer nog dan jij zondigt excuseer;
Je fout uit zingenot geef ik zelfs zin,
(Je tegenstrever is je Advocaat),
Daar ik tegen mijzelf een pleit begin:
Zo'n tweestrijd voert mijn liefde met mijn haat,
  Dat ik mij medeplichtig weten moet
  Aan 't bitter roven van een dief zo zoet.

(40)

Take all my loves, my love, yea, take them all,
What hast thou then more than thou hadst before?
No love, my love, that thou mayst true love call,
All mine was thine before thou hadst this more.
Then, if for my love thou my love receivest,
I cannot blame thee for my love thou usest,
But yet be blamed if thou this self deceivest
By wilful taste of what thyself refusest.
I do forgive thy robbery, gentle thief,
Although thou steal me all my poverty;
And yet, love knows, it is a greater grief
To bear love's wrong than hate's known injury.
Lascivious grace, in whom all ill well shows,
Kill me with spites, yet we must not be foes.

IV (40)

Neem al mijn liefdes, neem ze, liefste vriend,
Wat heb je meer dan wat je al bezat?
Geen liefde, liefste, die de naam verdient,
Al 't mijn was dijn voor je ook dat nog had.
Wil je mijn lief als pand soms voor mijn liefde,
't Is wel, daar je mijn liefde in haar vindt,
Maar 't blijft verwijtbaar als je mij ontriefde
Om 't fel bezit van wat jou zelf niet bindt.
Ik zal je roof vergeven, lieve dief,
Al neem je heel mijn armoe van mij af,
En liefde weet: het onrecht van een lief
Is, naast wat haat vermag, een zwaarder straf.
  Jou, zinnenstreler, staat elk kwaad zelfs goed,
  Wij haten niet, al drink je ook mijn bloed.

(133)

Beshrew the heart that makes my heart to groan
For that deep wound it gives my friend and me;
Is't not enough to torture me alone,
But slave to slavery my sweet'st friend must be?
Me from myself thy cruel heart hath taken,
And my next self thou harder hast engrossed;
Of him, myself, and thee I am forsaken,
A torment thrice threefold thus to be crossed.
Prison my heart in thy steel bosom's ward,
But then my friend's heart let my poor heart bail;
Whoe'er keeps me, let my heart be his guard,
Thou canst not then use rigour in my jail.
And yet thou wilt, for I, being pent in thee,
Perforce am thine, and all that is in me.

v (133)

Ik vloek het hart dat mijn hart zuchten doet,
Zo diepe wond gaf het mijn vriend en mij.
Is 't niet genoeg dat jij mij pijnigt, moet
Mijn liefste vriend slaaf zijn van slavernij?
Jouw wreed oog heeft mij uit mijzelf gedreven,
Mijn tweede zelf nog feller opgeëist;
Verzaakt door hem, mijzelf en jou te leven,
Is driemaal lijden, driemaal zijn gekruist.
Kluister mijn hart in jouw staalhard gemoed,
Mits mijn arm hart mijn vriends hart borgtocht zij;
Mijn hart bewake wie mij herbergt goed,
Dan is mijn Kerker van jouw wreedheid vrij.
  Wreed blijf je, want in jouw gevangenis
  Ben ik van jou, met al wat in mij is.

SHAKESPEARE 302 E.V.

(41)

Those pretty wrongs that liberty commits,
When I am sometime absent from thy heart,
Thy beauty and thy years full well befits,
For still temptation follows where thou art.
Gentle thou art, and therefore to be won,
Beauteous thou art, therefore to be assailed;
And when a woman woos, what woman's son
Will sourly leave her till she have prevailed?
Ay me, but yet thou mightst my seat forbear,
And chide thy beauty and thy straying youth,
Who lead thee in their riot even there
Where thou art forced to break a twofold truth:
Hers by thy beauty tempting her to thee,
Thine by thy beauty being false to me.

VI (41)

Dat vrijheid jou tot teder kwaad bekoort,
Wanneer je mij niet tot je hart toelaat,
Is iets dat bij je jeugd en schoonheid hoort,
Verleiding volgt je immers waar je gaat.
Mooi ben je, daarom wordt op jou gejaagd,
Edel, en daarom kun je niet weerstaan;
Wanneer een vrouw een vrouwezoon belaagt,
Wie gaat dan eer hij zwicht bij haar vandaan?
Maar waarom, ach, zoek jij juist dat van mij?
Beheers je jeugdig schoon dat, vol tumult,
Jou meevoert naar die ene plaats waar jij
Tweeërlei trouw aan mij verraden zult:
  De hare, waar jouw schoonheid haar verleidt,
  De jouwe, waar jouw schoon haar van mij scheidt.

SHAKESPEARE 302 E.V.

(42)

That thou hast her, it is not all my grief,
And yet it may be said I loved her dearly,
That she hath thee is of my wailing chief,
A loss in love that touches me more nearly.
Loving offenders, thus I will excuse ye:
Thou dost love her because thou know'st I love her,
And for my sake even so does she abuse me,
Suffering my friend for my sake to approve her.
If I lose thee, my loss is my love's gain,
And losing her, my friend hath found that loss;
Both find each other, and I lose both twain,
And both for my sake lay on me this cross.
But here's the joy, my friend and I are one,
Sweet flattery, then she loves but me alone.

VII (42)

Dat jij haar hebt, is nog niet heel mijn smart,
Toch, mag men zeggen, hield ik veel van haar.
Dat zij jou heeft, dat raakt mij eens zo hard,
't Verlies van liefde treft mij dubbel zwaar.
Ik heb het, schuldig paar, zo goedgepraat:
Jij houdt van haar, daar je míjn liefde kent,
Al doet zij het om mij, zij doet mij kwaad,
Waar zij, om mij, de gunst duldt van mijn vriend.
Verlies ik jou, mijn liefste wint ermee,
Verlies ik haar, mijn vriend heeft haar gevonden,
Verlies ik beiden, zij zijn met z'n twee,
Het is om mij dat zij op 't kruis mij bonden.
  Maar dit maakt blij: mijn vriend en ik zijn één,
  Dus houdt zij (zoet gevlei) van mij alleen.

SHAKESPEARE 302 E.V.

(134)

So now I have confessed that he is thine,
And I myself am mortgaged to thy will,
Myself I'll forfeit, so that other mine
Thou wilt restore to be my comfort still.
But thou wilt not, nor he will not be free,
For thou art covetous and he is kind,
He learned but surety-like to write for me
Under that bond that him as fast doth bind.
The statute of thy beauty thou wilt take,
Thou usurer that put'st forth all to use,
And sue a friend came debtor for my sake,
So him I lose through my unkind abuse.
Him have I lost, thou hast both him and me,
He pays the whole, and yet I am not free.

VIII (134)

Hij is van jou, ik heb het toegegeven,
Ik die verpand ben aan jouw willekeur,
Maar wil mij toch mijn ander zelf hergeven,
Dat het mij troost, nu ik mijzelf verbeur.
Dat weiger jij, zijn vrijheid weigert hij,
Jij immers bent begerig, hij is goed;
Als borg slechts zette hij zijn naam voor mij
Onder die schuld waar hij nu zelf voor boet.
Jij eist de prijs voor je lieftalligheid,
Je woekert en je grijpt elk middel aan,
Dagvaardt een vriend, voor mij slechts in het krijt,
Die ik verlies door wat ik heb misdaan.
  Ik ben hem kwijt, jij hebt én hem én mij,
  Hij heeft betaald en toch ben ik niet vrij.

JOHN DONNE

HOLY SONNETS
(10)

Death be not proud, though some have called thee
Mighty and dreadful, for, thou art not so,
For, those, whom thou think'st, thou dost overthrow,
Die not, poor death, nor yet canst thou kill me.
From rest and sleep, which but thy pictures be,
Much pleasure, then from thee, much more must flow,
And soonest our best men with thee do go,
Rest of their bones, and soul's delivery.
Thou art slave to Fate, Chance, kings, and desperate men,
And dost with poison, war, and sickness dwell,
And poppy, or charms can make us sleep as well,
And better than thy stroke; why swell'st thou then?
One short sleep past, we wake eternally,
And death shall be no more; death, thou shalt die.

HEILIGE SONNETTEN
(10)

Dood, wees niet trots, want ook al kun jij doorgaan
Voor machtig en geducht, je bent het niet.
Zij die, naar jij denkt, door jouw werk teloorgaan,
Gaan 't, arme dood, niet; ook mij dood je niet.
De rust, de slaap, die beide je gelijken,
Geven ons vreugd, meer vreugde dus geef jij.
De besten zullen 't snelst aan je bezwijken,
Hun botten vinden rust, hun ziel komt vrij.
Jij, slaaf van Lot, Kans, vorsten en bandieten,
Geeft je met oorlog af, met gif en ziekten,
Ook heulbloem en bezwering doen ons slapen,
Meer dan jouw stuipen; dus waarom zo groots?
Een korte slaap en ons wacht eeuwig waken,
En dood wijkt; dood, jíj bent een prooi des doods.

GIDDINESSE

Oh, what a thing is man! how farre from power,
From settled peace and rest!
He is some twentie sev'rall men at least
Each sev'rall houre.

One while he counts of heav'n, as of his treasure:
But then a thought creeps in,
And calls him coward, who for fear of sinne
Will lose a pleasure.

Now he will fight it out, and to the warres;
Now eat his bread in peace,
And snudge in quiet: now he scorns increase;
Now all day spares.

He builds a house, which quickly down must go,
As if a whirlwinde blew
And crusht the building: and it's partly true,
His minde is so.

O what a sight were Man, if his attires
Did alter with his minde;
And like a Dolphins skinne, his clothes combin'd
With his desires!

Surely if each one saw anothers heart,
There would be no commerce,
No sale or bargain passe: all would disperse,
And live apart.

WISPELTURIGHEID

Wat is de mens iets mins! hoe ver van rust en duur,
    Van hechte vrede en van kracht!
Wel twintig mensen zijn in hem tezaamgebracht,
    Ieder wisselend uur.

Nu eens telt hij de hemel als zijn hoogste goed,
    Dan dient zich een gedachte aan
Die laf noemt wie uit vrees een zonde te begaan
    Genot ontberen moet.

Nu eens wil hij ten oorlog en hij zoekt de strijd,
    Dan weer eet hij zijn brood in vree
En rust genoegelijk; nu eens telt geld niet mee,
    Dan weer is 't zuinigheid.

Hij bouwt een huis dat aan een snel verval begint,
    Als heeft de kracht van een orkaan
Het bouwsel reeds ontwricht: deels zal het zo wel gaan,
    Want zo is hij gezind.

Wat schouwspel bood de Mens als zijn kledij vanzelf
    Veranderde al naar zijn geest,
Zodat men zijn begeerten aan zijn dracht afleest,
    Als bij Dorade-vel!

Als elk de medemens in 't hart zou kunnen lezen:
    't Is vast dat omgang dan verdween,
Geen handel was er meer, want elkeen zou alleen
    En ver van anderen wezen.

Lord, mend or rather make us: one creation
Will not suffice our turn:
Except thou make us dayly, we shall spurn
Our own salvation.

Herstel, hernieuw ons, Heer: dat Gij ons éénmaal maakte
    Is niet genoeg in onze tijd:
Hernieuw ons elke dag, of onze zaligheid
    Zullen wij zelf verzaken.

ANDREW MARVELL

TO HIS COY MISTRESS

Had we but world enough, and time,
This coyness, Lady, were no crime.
We would sit down and think which way
To walk and pass our long love's day.
Thou by the Indian Ganges' side
Shouldst rubies find; I by the tide
Of Humber would complain. I would
Love you ten years before the Flood,
And you should, if you please, refuse
Till the conversion of the Jews.
My vegetable love should grow
Vaster than empires, and more slow.
An hundred years should go to praise
Thine eyes, and on thy forehead gaze,
Two hundred to adore each breast,
But thirty thousand to the rest;
An age at least to every part,
And the last age should show your heart.
For, Lady, you deserve this state,
Nor would I love at lower rate.

But at my back I always hear
Time's wingèd chariot hurrying near:
And yonder all before us lie
Deserts of vast eternity.
Thy beauty shall no more be found,
Nor, in thy marble vault, shall sound
My echoing song; then worms shall try
That long preserved virginity,
And your quaint honour turn to dust,
And into ashes all my lust:

AAN ZIJN ZEDIGE GELIEFDE

Hadden wij volop wereld, volop tijd,
Uw zedigheid, Mevrouw, trof geen verwijt.
Wij zouden ons op ons gemak afvragen:
Waar slijten we onze lange liefdesdagen?
Gij aan de Ganges op robijnenjacht,
Terwijl ik aan de Humber klaag en wacht
En staar naar het getij: als het Hoogwater
Opkomt, is 't voor mijn liefde tien jaar later;
Ge mocht mij afwijzen, als dat u zint,
Tot ge het jodendom gekerstend vindt.
Mijn liefde zou weidser dan wereldrijken,
Maar als een plant en nog veel trager blijken.
Eén eeuw zou ik besteden om uw oog
Te prijzen, starend naar uw wenkbrauwboog.
Twee om uw beide borsten te vereren,
Driehonderd om de rest te celebreren;
Minstens een tijdperk voor zelfs 't kleinste part,
En 't laatste tijdperk toonde mij uw hart.
U bent het waard, Mevrouw, al die plichtpleging,
Zodat mijn liefde gaarne daarin meeging.

Maar 'k hoor de tijd die nadert achter mij
Met zijn gevleugeld span steeds dichterbij:
En voor ons uit ligt, gindse grens voorbij, de
Woestijn van eeuwigheid aan gene zijde.
Aldaar verzinkt uw schoonheid in het niet,
En in uw marmergraf weerklinkt geen lied
Van mij; wat gij zo zuinig moest bewaken,
Uw maagdenvlies, zal dan de worm wel smaken.
Stof wordt wat preuts en eerbaar aan u was,
En van mijn lust rest ook alleen maar as:

The grave's a fine and private place,
But none, I think, do there embrace.

Now therefore, while the youthful hue
Sits on thy skin like morning glew,
And while thy willing soul transpires
At every pore with instant fires,
Now let us sport us while we may,
And now, like amorous birds of prey,
Rather at once our time devour
Than languish in his slow-chapt power.
Let us roll all our strength and all
Our sweetness up into one ball,
And tear our pleasures with rough strife
Thorough the iron gates of life.
Thus, though we cannot make our sun
Stand still, yet we will make him run.

't Graf is een mooie plaats, en heel besloten,
Maar liefde wordt er, dunkt mij, niet genoten.

Dus nu uw jeugd, de frisheid die zij geeft,
Als ochtendglans nog aan uw leden kleeft,
En nu uw ziel uw poriën doet blaken
Van vuur dat u gewilliger moest maken,
Laat ons nu dartel zijn, zolang het kan,
En als gretige roofvogels (eer dan
Ons zuchtend in tijds trage muil te vinden)
Nu, nu meteen, al onze tijd verslinden.
Laat ons nu alle kracht in ons, en al
Ons lieflijks, samenballen tot één bal,
En ons genot een vaart en richting geven
Dwars door de ijzeren poorten van het leven;
Wij kunnen onze zon niet stil doen staan,
Wij zullen hem veeleer op hol doen slaan.

THE MARRIAGE OF HEAVEN AND HELL
Plate 14

The ancient tradition that the world will be consumed in fire at the end of six thousand years is true, as I have heard from Hell.

For the cherub with his flaming sword is hereby commanded to leave his guard at the Tree of Life; and when he does, the whole creation will be consumed, and appear infinite and holy, whereas it now appears finite & corrupt.

This will come to pass by an improvement of sensual enjoyment.

But first the notion that man has a body distinct from his soul is to be expunged. This I shall do by printing in the infernal method by corrosives, which in Hell are salutary and medicinal, melting apparent surfaces away, and displaying the infinite which was hid.

If the doors of perception were cleansed everything would appear to man as it is—infinite.

For man had closed himself up, till he sees all things through narrow chinks of his cavern.

HET HUWELIJK VAN HEMEL EN HEL
Blad 14

De oude traditie dat de wereld zal worden verteerd in vuur aan het einde van zesduizend jaar is waar, want ik heb het vernomen uit de Hel.

Want de engel met zijn vlammend zwaard krijgt hierdoor bevel zijn wacht bij de boom des levens te staken; en wanneer hij dit doet, zal de ganse schepping worden verteerd, en oneindig schijnen en heilig, waar zij nu eindig schijnt & voos.

Dit zal geschieden door een verbetering van het zinnelijk genot.

Maar eerst moet het denkbeeld dat de mens een lichaam heeft, los van zijn ziel, worden uitgewist; dit zal ik doen, door prenten te maken in de helse trant, door middel van bijtende stoffen, die in de Hel heilzaam en helend zijn, die schijnbare oppervlakken doen smelten en het oneindige dat verborgen was zichtbaar maken.

Zouden de deuren van inzicht worden gereinigd, elk ding zou aan de mens verschijnen gelijk het is – oneindig.

Want zo lang al sluit de mens zich op dat hij alle dingen ziet door nauwe kieren in zijn grot.

WILLIAM WORDSWORTH

My heart leaps up when I behold
A rainbow in the sky:
So was it when my life began;
So is it now I am a man;
So be it when I shall grow old,
Or let me die!
The Child is father of the Man;
And I could wish my days to be
Bound each to each by natural piety.

Mijn hart springt op wanneer zich aan
Mijn oog een regenboog ontvouwt:
Zo is het mij als kind vergaan;
    Zo gaat het mij als man;
Zo moge 't blijven, word ik nog zo oud,
    Of laat mij 't graf ingaan!
Het Kind is vader van de Man;
Moge dan wat mijn dagen houdt verbonden
Devotie zijn, in de natuur gevonden.

OZYMANDIAS

I met a traveller from an antique land
Who said: Two vast and trunkless legs of stone
Stand in the desert. Near them, on the sand,
Half sunk, a shattered visage lies, whose frown,
And wrinkled lip, and sneer of cold command,
Tell that its sculptor well those passions read
Which yet survive (stamped on these lifeless things),
The hand that mocked them and the heart that fed;
And on the pedestal these words appear:
'My name is Ozymandias, king of kings;
Look on my works, ye Mighty, and despair!'
Nothing beside remains. Round the decay
Of that colossal wreck, boundless and bare,
The lone and level sands stretch far away.

OZYMANDIAS

Ik trof een reiziger uit een oud land,
Hij zei: Twee hoge stenen benen staan
Romploos in de woestijn. Ernaast, in 't zand,
Ligt het gehavende gezicht, en aan
De frons, de kille machtsgrimas ervan
Ziet men: de maker las de passies goed
Die voortbestaan (op deze dode steen),
De hand vol hoon, 't hart dat ze had gevoed;
Op 't voetstuk ziet men deze woorden staan:
'Mijn naam is Ozymandias, opperheer:
Gij Groten, zie mijn werk en dispereer!'
Meer is er niet. En rond dit kolossaal
Verval strekt zich daar, alle kanten heen,
Het vlakke zand, oneindig, eenzaam, kaal.

SHELLEY 324

JOHN KEATS

LA BELLE DAME SANS MERCI

'O what can ail thee, knight-at-arms,
Alone and palely loitering?
The sedge has wither'd from the lake,
And no birds sing.

'O what can ail thee, knight-at-arms,
So haggard and so woe-begone?
The squirrel's granary is full,
And the harvest's done.

'I see a lily on thy brow
With anguish moist and fever-dew,
And on thy cheeks a fading rose
Fast withereth too.'

'I met a lady in the meads,
Full beautiful, a faery's child,
Her hair was long, her foot was light,
And her eyes were wild.

'I made a garland for her head,
And bracelets too, and fragrant zone;
She look'd at me as she did love,
And made sweet moan.

'I set her on my pacing steed
And nothing else saw all day long,
For sidelong would she bend, and sing
A faery's song.

LA BELLE DAME SANS MERCI

'Geharnast ridder, ach, wat scheelt je,
  Jij bleek en eenzaam zwerveling?
De biezen stierven af in 't meer en
  Geen vogel zingt.

Geharnast ridder, ach, wat scheelt je,
  Zo weggeteerd en diep gekweld?
De eekhoorn heeft zijn schuren vol en
  De oogst is van 't veld.

Je voorhoofd laat een lelie zien,
  Zo klam van angst, bedauwd door koorts,
En op je wangen staat een roos
  Die snel verdort.'

'In grazig land vond ik een vrouw,
  Zo schoon was zij, een feeënkind,
Haar haar was lang, haar tred was licht,
  Haar blik ontzind.

Ik vlocht van bloemen krans en band
  Voor om haar hoofd, haar leest, haar pols;
Zij keek mij aan, met zoet gekreun,
  Zo liefdevol.

Ik nam haar op mijn snelle ros,
  Oog voor iets anders had ik niet,
Zij boog zich steeds opzij en zong
  Een feeënlied.

'She found me roots of relish sweet,
  And honey wild and manna-dew,
And sure in language strange she said
  "I love thee true."

'She took me to her elfin grot,
  And there she wept, and sigh'd full sore,
And there I shut her wild wild eyes
  With kisses four.

'And there she lulled me asleep,
  And there I dream'd—Ah! woe betide!
The latest dream I ever dream'd
  On the cold hill's side.

'I saw pale kings and princes too,
  Pale warriors, death-pale were they all;
They cried—"La belle Dame sans Merci
  Hath thee in thrall!"

'I saw their starv'd lips in the gloam
  With horrid warning gaped wide,
And I awoke and found me here
  On the cold hill's side.

'And this is why I sojourn here
  Alone and palely loitering,
Though the sedge is wither'd from the lake
  And no birds sing.'

Zij vond mij wortels, fijn van smaak,
En honing wild en mannadauw,
En in een vreemde taal sprak zij:
"Ik hou van jou."

Zij bracht mij naar haar elfengrot,
En staarde maar en zuchtte zwaar:
Haar ogen wild, met kussen vier
Sloot ik ze daar.

Haar zingen suste mij in slaap,
Daar droomde ik toen—wee mijn ziel!
De laatste droom door mij gedroomd
Op de heuvel kil.

'k Zag bleke vorsten, prinsen bleek,
Strijders zo bleek, zo doods als 't graf,
Hun kreet: "La belle Dame sans Merci
Maakte jou slaaf!"

Bij schemer zag 'k hun dorre mond,
Bar waarschuwend, geopend wijd,
Werd wakker, op de heuvel kil
Bevond ik mij.

Dat is waarom ik hier verblijf,
Een bleek en eenzaam zwerveling,
Al stierf de bies in 't meer, terwijl
Geen vogel zingt.'

ROBERT BROWNING

MY LAST DUCHESS
(*Ferrara*)

That's my last Duchess painted on the wall,
Looking as if she were alive. I call
That piece a wonder, now: Frà Pandolf's hands
Worked busily a day, and there she stands.
Will 't please you sit and look at her? I said
'Frà Pandolf' by design, for never read
Strangers like you that pictured countenance,
The depth and passion of its earnest glance,
But to myself they turned (since none puts by
The curtain I have drawn for you, but I)
And seemed as they would ask me, if they durst,
How such a glance came there; so, not the first
Are you to turn and ask thus. Sir, 't was not
Her husband's presence only, called that spot
Of joy into the Duchess' cheek: perhaps
Frà Pandolf chanced to say, 'Her mantle laps
Over my lady's wrist too much,' or 'Paint
Must never hope to reproduce the faint
Half-flush that dies along her throat:' such stuff
Was courtesy, she thought, and cause enough
For calling up that spot of joy. She had
A heart—how shall I say?—too soon made glad,
Too easily impressed; she liked whate'er
She looked on, and her looks went everywhere.
Sir, 't was all one! My favour at her breast,
The dropping of the daylight in the West,
The bough of cherries some officious fool
Broke in the orchard for her, the white mule
She rode with round the terrace—all and each
Would draw from her alike the approving speech,

MIJN VORIGE HERTOGIN
(Ferrara)

Mijn voor'ge hertogin, daar op de wand
Geschilderd, of ze leeft zo echt. De hand
Van Fra Pandolf was één dag in de weer,
En zij verscheen. Een meesterstuk, mijn heer.
Ga zitten, zo ge wilt, en zie haar aan.
Niet zomaar noemde ik Fra Pandolfs naam,
Immers, iedere vreemde die haar zag—
De ernst en hartstocht in die oogopslag—
Heeft zich meteen tot mij gekeerd (want geen
Trekt dit gordijn opzij dan ik alleen),
Met op zijn lippen, als hij dorst, de vraag
Hoe zulk een blik daar kwam, dus 't is vandaag
Niet voor het eerst. Niet slechts haar echtgenoot,
Mijn heer, kon op haar wang dat vreugderood
Te voorschijn roepen: stel bijvoorbeeld dat
Fra Pandolf zei: 'Madame haar cape plooit wat
Te ruim over Madame haar pols,' of 'Nooit
Zal deze halfblos die haar halslijn tooit,
Zo stervend teer, te imiteren zijn
In verf,'—dan gaf die hoofsheid (dacht zij) mijn
Vrouw wéér die vreugdeblos. Zij had een ziel—
Hoe zeg ik dit?—waaraan te veel beviel;
Wat ook haar oog maar zag, 't maakte haar blij,
En niemand keek zo gretig rond als zij.
't Was alles één! Liefdesrozet van mij
Gekregen, stervend avondlicht voorbij
De westerkim, de kersetak voor haar
Geplukt door een onwijs bewonderaar,
Het witte muildier waarop zij 't terras
Rondreed—zij was met alles blij, zij was

Or blush, at least. She thanked men, — good! but thanked
Somehow — I know not how — as if she ranked
My gift of a nine-hundred-years-old name
With anybody's gift. Who'd stoop to blame
This sort of trifling? Even had you skill
In speech — (which I have not) — to make your will
Quite clear to such an one, and say, 'Just this
Or that in you disgusts me; here you miss,
Or there exceed the mark' — and if she let
Herself be lessoned so, nor plainly set
Her wits to yours, forsooth, and made excuse,
— E'en then would be some stooping; and I choose
Never to stoop. Oh, sir, she smiled, no doubt,
Whene'er I passed her; but who passed without
Much the same smile? This grew; I gave commands;
Then all smiles stopped together. There she stands
As if alive. Will 't please you rise? We'll meet
The company below then. I repeat,
The Count your master's known munificence
Is ample warrant that no just pretence
Of mine for dowry will be disallowed;
Though his fair daughter's self, as I avowed
At starting, is my object. Nay, we'll go
Together down, sir. Notice Neptune, though,
Taming a sea-horse, thought a rarity,
Which Claus of Innsbruck cast in bronze for me!

De mannen blozend dankbaar. Heer, ik denk
Geen kwaad van dankbaarheid, maar mijn geschenk
Aan haar—een naam van negenhonderd jaar—
Telde niet meer dan hun galant gebaar.
Wie zoiets laakt, verlaagt zich. Wie in taal
Zo vaardig is (niet ik) dat hij totaal
Geen twijfel laat aan wat hij wenst, en zegt:
'Dit staat mij in je tegen; dit is recht
En dat is krom in jou,'—en als zij daar
Begrip voor heeft, niet dwars is en voorwaar
Excuus vraagt zelfs—nóg ware dat niet vrij
Van zelfverlaging; ik verkoos om mij
Nooit te verlagen. Ach, ze lachte blij
Als ze me zag, 't is waar, maar lachte zij
Naar anderen niet net zo? Dit stak steeds meer;
'k Gaf mijn bevel; er lachte niemand meer.
Zo lévend als ze lijkt. Zullen wij gaan?
't Gezelschap wacht beneden. Ik neem aan
Dat mijn gerechte wens terzake van
De bruidsschat wordt vervuld. Daarvoor garant
Staat mij—'k herhaal—de graaf uw meesters wijd
En zijd bekende edelmoedigheid;
Al is zijn dochter zelf mijn doel. Komaan,
Daal af met mij. Ziet ge Neptunus staan
Die 'n zeepaard temt? Het stuk is zeer gezocht,
Door Claus van Innsbruck voor me in brons gewrocht!

EMILY BRONTË

PLEAD FOR ME

Oh, thy bright eyes must answer now,
When Reason, with a scornful brow,
Is mocking at my overthrow;
O thy sweet tongue must plead for me
And tell why I have chosen thee!

Stern Reason is to judgment come
Arrayed in all her forms of gloom:
Wilt though my advocate be dumb?
No, radiant angel, speak and say
Why I did cast the world away;

Why I have persevered to shun
The common paths that others run;
And on a strange road journeyed on
Heedless alike of Wealth and Power—
Of Glory's wreath and Pleasure's flower.

These once indeed seemed Beings divine,
And they perchance heard vows of mine
And saw my offerings on their shrine—
But, careless gifts are seldom prized,
And mine were worthily despised.

So with a ready heart I swore
To seek their altar-stone no more;
And gave my spirit to adore
Thee, ever present, phantom thing—
My slave, my comrade, and my King!

DOE 'T WOORD VOOR ME

Oh, antwoord met uw stralend ogenlicht,
Nu mij de Rede met smalend gezicht
Bespot, omdat ik voor u ben gezwicht;
Uw zoete tong, ach, moet het woord doen voor me,
Zeggen waarom ik u heb uitverkoren!

Als Strenge Rede hier een oordeel velt,
In heel haar somberheid tentoongesteld,
Zwijgt gij toch niet die als mijn pleiter geldt?
Stralende engel, spreek toch en laat horen:
Waarom heb ik de wereld afgezworen?

Wat dreef mij koppig om de levensbaan,
Gangbaar voor anderen, uit de weg te gaan;
Wat koos ik mij een vreemde weg voortaan,
Waar ik gelijkelijk Rijkdom en Macht en
De krans van Roem, de bloem van Vreugd niet achtte?

Die leken mij eens Godheden te zijn;
Ze hoorden mijn geloften, zagen mijn
Gaven misschien ook op hun offersteen—
Maar wat je zomaar weggeeft, telt maar zelden,
Zo ook *mijn* gift, waar zij geen prijs op stelden.

Toen wist ik wat te doen en zwoer een eed:
Dat ik hun altaar in de toekomst meed;
En geestelijk maakte ik mij gereed
U te aanbidden, steeds aanwezig droomding—
Mijn slaaf, mijn kameraad en ook mijn koning!

A slave because I rule thee still;
Incline thee to my changeful will
And make thy influence good or ill—
A comrade, for by day and night
Thou art my intimate delight—

My Darling Pain that wounds and sears
And wrings a blessing out from tears
By deadening me to earthly cares;
And yet, a king—though prudence well
Have taught thy subject to rebel.

And am I wrong to worship where
Faith cannot doubt nor Hope despair
Since my own soul can grant my prayer?
Speak, God of Visions, plead for me
And tell why I have chosen thee!

Een slaaf daar ik u doen laat wat ik zeg,
U mijn veranderlijke wil opleg;
Míjn toedoen maakt uw invloed goed of slecht—
Een kameraad: bij dag en ook bij nachte
Mag ik innig genoegen van u wachten—

En Liefste Pijn waarvan de wond verzengt,
En die zelfs tranen nog tot zegen brengt,
Daar ze voor aardse zorg verdoving schenkt;
Een koning toch—al leek het wijs wanneer de
Onderdaan tegen u soms rebelleerde.

Is dan die eredienst verkeerd waardoor 't
Geloof niet meer twijfelt en de Hoop steeds gloort,
Omdat mijn ziel zelf mijn gebed verhoort?
Spreek, God van Beelden, wil het woord doen voor me,
En zeg waarom ik u heb uitverkoren!

THE VOICE

Woman much missed, how you call to me, call to me,
Saying that now you are not as you were
When you had changed from the one who was all to me,
But as at first, when our day was fair.

Can it be you that I hear? Let me view you, then,
Standing as when I drew near to the town
Where you would wait for me: yes, as I knew you then,
Even to the original air-blue gown!

Or is it only the breeze, in its listlessness
Travelling across the wet mead to me here,
You being ever dissolved to wan wistlessness,
Heard no more again far or near?

Thus I; faltering forward,
Leaves around me falling,
Wind oozing thin through the thorn from norward,
And the woman calling.

DE STEM

Vrouw die ik mis, die zo roept naar me, roept naar me,
Zegt dat je nu niet meer bent als voorheen,
Toen je een vreemde werd voor mijn gemoed, maar de
Zelfde als eens, toen de zon voor ons scheen.

Kun jij het zijn die ik hoor? Laat je zien dan toch—
Als ik de stad inkwam, zag ik je staan
Waar je zou wachten op mij: en misschien nu nog
Heb je, als toen, je lazuren jurk aan!

Of is het enkel het briesje dat lusteloos
Door natte beemden doorreist naar hier?
Ben jij ontbonden, voor altoos bewusteloos,
Niet meer te horen, dichtbij of ver?

    Sprak ik; stommelde voort en
    Rond mij vielen blaren,
  Wind leekte dun door de doorns, uit het noorden,
    En de vrouw riep naar me.

LEDA AND THE SWAN

A sudden blow: the great wings beating still
Above the staggering girl, her thighs caressed
By the dark webs, her nape caught in his bill,
He holds her helpless breast upon his breast.

How can those terrified vague fingers push
The feathered glory from her loosening thighs?
And how can body, laid in that white rush,
But feel the strange heart beating where it lies?

A shudder in the loins engenders there
The broken wall, the burning roof and tower
And Agamemnon dead.
Being so caught up,
So mastered by the brute blood of the air,
Did she put on his knowledge with his power
Before the indifferent beak could let her drop?

LEDA EN DE ZWAAN

Opeens wiekslagen: wankelend voelt zij
Zijn snavel om haar hals, haar meisjesdijen
Gestreeld door donker zwemvlies, dan drukt hij
Haar hulpeloze borst tegen de zijne.

Vingers—bang, vaag—kunnen die verenpracht
Niet weren van haar dijen die meegeven.
Haar lijf, onder die witte drift gebracht,
Moet zijn vreemd, kloppend hart wel voelen leven.

Een huivering vaart door zijn lenden, teelt er
Toren en dak in brand, de muur geslecht
En Agamemnon dood.
Zo buitgemaakt,
Door bruut bloed uit de lucht zo overmeesterd,
Ontving zij zo zijn kennis, met zijn kracht,
Voor—onverschillig—haar zijn snavel slaakt?

THOMAS STEARNS ELIOT

JOURNEY OF THE MAGI

'A cold coming we had of it,
Just the worst time of the year
For a journey, and such a long journey:
The ways deep and the weather sharp,
The very dead of winter.'
And the camels galled, sore-footed, refractory,
Lying down in the melting snow.
There were times we regretted
The summer palaces on slopes, the terraces,
And the silken girls bringing sherbet.
Then the camel men cursing and grumbling
And running away, and wanting their liquor and women,
And the night-fires going out, and the lack of shelters,
And the cities hostile and the towns unfriendly
And the villages dirty and charging high prices:
A hard time we had of it.
At the end we preferred to travel all night,
Sleeping in snatches,
With the voices singing in our ears, saying
That this was all folly.

Then at dawn we came down to a temperate valley,
Wet, below the snow line, smelling of vegetation,
With a running stream and a water-mill beating the darkness,
And three trees on the low sky.
And an old white horse galloped away in the meadow.
Then we came to a tavern with vine-leaves over the lintel,
Six hands at an open door dicing for pieces of silver,
And feet kicking the empty wine-skins.
But there was no information, so we continued
And arrived at evening, not a moment too soon
Finding the place; it was (you may say) satisfactory.

REIS VAN DE DRIE KONINGEN

'Een koude tocht was het zeker,
Net de slechtste tijd van het jaar
Om te reizen, en dan nog zo ver:
Het gaan zwaar en het weer guur,
Echt hartje winter.'
  En de kamelen vol schaafwonden, pijn aan hun hoeven, weerspannig,
Gingen er bij liggen in de smeltende sneeuw.
We dachten met spijt soms terug aan
De glooiende zomerpaleizen, de terrassen,
En de zijdezachte meisjes die sorbets serveerden.
Toen het vloeken, het woedend gemor van de drijvers
Die er de brui aan gaven, hun drank en vrouwen verlangden,
En de vuren gingen 's nachts uit, en er was onvoldoende beschutting,
En de steden waren vijandig en de kleinere plaatsen afwerend
En de dorpen vuil en inhalig:
Een zware tijd was het zeker.
Uiteindelijk reden we liefst de hele nacht door,
Nu en dan een uur slaap,
Met in onze oren de stemmen die zongen
Dat het allemaal dwaasheid was.

Toen bereikten we, vroeg in de ochtend, een minder koud dal,
Nat, onder de sneeuwlijn, de lucht van begroeiing,
Een stromende beek, een waterrad beukte het donker,
En tegen een lage hemel een drietal bomen.
En een oud wit paard in de wei in galop ervandoor.
Toen kwamen we bij een herberg met wingerd boven de deur,
Zes handen in 't gat van de deur die gokten om zilver,
En voeten die tegen de lege wijnzakken trapten.
Maar niemand wist iets te vertellen, dus gingen we verder
En vonden de plaats die wij hadden gezocht, net op tijd,
Die avond; het gaf (kun je zeggen) voldoening.

All this was a long time ago, I remember,
And I would do it again, but set down
This set down
This: were we led all that way for
Birth or Death? There was a Birth, certainly,
We had evidence and no doubt. I had seen birth and death,
But had thought they were different; this Birth was
Hard and bitter agony for us, like Death, our death.
We returned to our places, these Kingdoms,
But no longer at ease here, in the old dispensation,
With an alien people clutching their gods.
I should be glad of another death.

Dit alles was lang geleden, ik weet het nog goed,
En ik zou het opnieuw doen, maar noteer
Dit noteer
Dit: bracht de ster ons zo ver voor
Geboorte of Dood? Er was een geboorte, stellig,
Dat stond vast en we twijfelden niet. Ik kende geboorte en dood,
Maar ik hield ze toen voor verschillend; deze Geboorte was
Een hard, bitter lijden voor ons, als de Dood, onze dood.
We keerden naar eigen land terug, deze Koninkrijken,
Maar voelen ons hier niet meer thuis, in de oude leer,
Bij een volk van vreemden dat klit aan zijn goden.
Ik zou blij zijn met nog een dood.

THE OLD BRIDGE

One night between sunset and river
On the old bridge we stood, you and I.
Will you ever forget it, I queried,
—That particular swift that went by?
And you answered, so earnestly: Never!

And what sobs made us suddenly shiver,
What a cry life emitted in flight!
Till we die, till tomorrow, for ever,
You and I on the old bridge one night.

DE OUDE BRUG

Een rivier, 't laatste avondrood,
Jij en ik, op de oude brug.
Vergeet je dit nooit, vroeg ik gretig,
—Die zwaluw in volle vlucht?
Je zei ernstig: Niet tot mijn dood!

Wat een hevige kreet gaf het leven,
Een huiver doorvoer ons, een snik!
Tot we sterven, tot morgen, voor eeuwig,
Die avond, de brug, jij en ik.

MUSÉE DES BEAUX ARTS

About suffering they were never wrong,
The Old Masters: how well they understood
Its human position; how it takes place
While someone else is eating or opening a window or just walking
dully along;
How, when the aged are reverently, passionately waiting
For the miraculous birth, there always must be
Children who did not specially want it to happen, skating
On a pond at the edge of the wood:
They never forgot
That even the dreadful martyrdom must run its course
Anyhow in a corner, some untidy spot
Where the dogs go on with their doggy life and the torturer's horse
Scratches its innocent behind on a tree.

In Brueghel's Icarus, *for instance: how everything turns away*
Quite leisurely from the disaster; the ploughman may
Have heard the splash, the forsaken cry,
But for him it was not an important failure; the sun shone
As it had to on the white legs disappearing into the green
Water; and the expensive delicate ship that must have seen
Something amazing, a boy falling out of the sky,
Had somewhere to get to and sailed calmly on.

MUSÉE DES BEAUX ARTS

Ze vergisten zich nooit in het lijden,
De Oude Meesters: hoe goed kenden zij de
Plaats ervan bij de mens; hoe het zich voordoet
Terwijl een ander eet of een raam openzet of domweg verder loopt;
Hoe, als de ouderen eerbiedig, hartstochtelijk wachten
Op de wonderbare geboorte, er altijd een paar
Kinderen moeten zijn voor wie het niet hoeft,
Die schaatsen op de vijver aan de zoom
Van het bos: zij wisten maar al te goed
Dat zelfs het stuitend martelaarschap zijn weg
Moet gaan, hoe dan ook, in een rommelige hoek,
Waar de hond zijn hondeleven leidt en het paard van de folteraar
Zijn onschuldig achterste schurkt aan een boom.

Neem Brueghels *Icarus*: zoals iedereen
Zich gemoedereerd van de ramp afkeert; de ploeger zal
De plons wel hebben gehoord, de verlaten schreeuw,
Maar dat falen deed hem niet veel; de zon scheen,
Zoals ze moest schijnen, op de witte benen die in het groen
Water verdwenen; en het breekbaar, kostbaar schip dat wel
Iets vreemds moet hebben gezien, een jongen die viel
Uit de lucht, zeilde kalm voort, moest ergens heen.

AUDEN 336 E.V.

THE MODEL

Generally, reading palms or handwriting or faces
Is a job of translation, since the kind
Gentleman often is
A seducer, the frowning schoolgirl may
Be dying to be asked to stay;
But the body of this old lady exactly indicates her mind;

Rorschach or Binet could not add to what a fool can see
From the plain fact that she is alive and well;
For when one is eighty
Even a teeny-weeny bit of greed
Makes one very ill indeed,
And a touch of despair is instantaneously fatal:

Whether the town once drank bubbly out of her shoes or whether
She was a governess with a good name
In Church circles, if her
Husband spoiled her or if she lost her son,
Is by this time all one.
She survived whatever happened; she forgave; she became.

So the painter may please himself; give her an English park,
Rice-fields in China, or a slum tenement;
Make the sky light or dark;
Put green plush behind her or a red brick wall.
She will compose them all,
Centring the eye on their essential human element.

HET MODEL

Meestal is handlezen, net als een handschrift of gezichten lezen
  Een soort vertaalwerk, want er is menig verleider geweest
    Die een heer leek te wezen,
  Dat fronsende schoolmeisje snakt misschien wel naar
    Een invitatie; maar
't Fysiek van deze oude dame geeft een scherp beeld van haar geest.

Ook zonder Rorschach of Binet ziet zelfs een dwaas aan haar
  Dat het goed met haar gaat, dat ze leeft;
    Want als je tachtig jaar
  En daarbij, al is 't nóg zo'n beetje, hebberig bent,
    Ben je een zwaar patiënt,
Iemand aan wie één dag van wanhoop al meteen de doodklap geeft.

Of de stad ooit schuimwijn dronk uit haar schoentjes of dat
  Ze gouvernante was, goed aangeschreven
    In christelijke kring, of ze een man heeft gehad
  Die haar verwende, of een zoon die niet meer leeft,
    Dat is nu alles één. Zij heeft
Wat er ook is gebeurd overleefd; ze wérd; ze heeft vergeven.

Dus de schilder kan doen wat hij wil, haar een Engels park geven,
  Rijstvelden in China, of een afbraakpand,
    Een lichte of donkere lucht, dat is om het even,
  Groen pluche als achtergrond of een rode baksteenmuur.
    Zij geeft de dingen eenheid, duur,
Door haar zie je hun wezenlijke, menselijke kant.

AUDEN 336 E.V.

IN SCHRAFFT'S

Having finished the Blue-plate Special
And reached the coffee stage,
Stirring her cup she sat,
A somewhat shapeless figure
Of indeterminate age
In an undistinguished hat.

When she lifted her eyes it was plain
That our globular furore,
Our international rout
Of sin and apparatus
And dying men galore,
Was not being bothered about.

Which of the seven heavens
Was responsible her smile
Wouldn't be sure but attested
That, whoever it was, a god
Worth kneeling-to for a while
Had tabernacled and rested.

BIJ SCHRAFFT

Haar maal gedaan met de Dagschotel Speciaal
En nu aan de koffie toe, zat ze
Te roeren in haar kop,
Een wat vormeloos soort vrouw,
Qua leeftijd moeilijk te schatten,
Met een heel gewoon hoedje op.

Toen ze opkeek zag je meteen aan haar
Dat onze furieuze planeet,
Onze mondiale afgrond
Van zonde en zwaar materieel
En stervenden bij de vleet
Voor haar gewoon niet bestond.

Welke hemel het was van de zeven
Die zo'n glimlach bracht op haar gezicht,
Zag je niet, maar je werd je bewust
Dat een god, welke god ook, voor wie het
Goed knielen is, haar had bezocht,
In háár tempel had uitgerust.

LINES TO DR. WALTER BIRK ON HIS RETIRING FROM GENERAL PRACTICE

When you first arrived in Kirchstetten, trains had
long been taken for granted, but electric
light was still a surprise and as yet no one
had seen a tractor.

To-day, after forty-five years, as you leave us,
autobahns are a must, mid-wives are banished,
and village doctors become museum pieces
like the horse-and-buggy.

I regret. The specialist has his function,
but, to him, we are merely banal examples of
what he knows all about. The healer I faith is
someone I've gossipped

and drunk with before I call him to touch me,
someone who admits how easy it is to misconster
what our bodies are trying to say, for each one
talks in a local

dialect of its own that can alter during
its lifetime. So children run high fevers on
slight provocation, while the organs of old men
suffer in silence.

When summer plumps again, our usual sparrows
will phip in de eaves of the patulous chestnuts
near your old home, but none will ask: 'Is Doctor
Birk around to hear me?'

VERZEN VOOR DR. WALTER BIRK NU HIJ ZIJN PRAKTIJK ALS HUISARTS NEERLEGT

Toen jij nog maar pas in Kirchstetten was, waren treinen
al lang vanzelfsprekend, maar elektrisch licht was
nog een verrassing, en niemand die ooit een
 tractor gezien had.

Vandaag, vijfenveertig jaar later, nu jij ons verlaat, is
de Autobahn verplicht, de vroedvrouw verbannen,
en de dorpsdokter een museumstuk aan het worden
 net als zijn koetsje.

Te betreuren, vind ik. De specialist heeft zijn functie,
maar voor hem zijn wij enkel banale voorbeelden van wat hij
allemaal weet. De genezer op wie ik betrouw, is
 iemand met wie ik

heb zitten kletsen en drinken voor ik hem vraag om
aan mij te komen, die toegeeft hoe licht je misduidt wat
ons lichaam probeert te zeggen, omdat ieder lichaam
 praat in zijn eigen

tongval die tijdens het leven veranderen kan. Zo
krijgen kinderen hoge koorts bij het minste
of geringste, terwijl van een oude man de organen
 lijden in stilte.

Als weer de zomer bolt, tjiepen onze vertrouwde
mussen in de kruinen van weids uitstaande kastanjes
bij jouw oude woonhuis, maar niet één die zal vragen:
 'Is dokter Birk er

For nothing can happen to birds that has not
happened before: we though are beasts with a sense of
real occasion, of beginnings and endings,
  which is the reason

we like to keep our clocks punctual as Nature's
never is. Seasons She has but no Calendar:
thus every year the strawberries ripen
  and the autumn crocus

flares into blossom on unpredictable
dates. Such a Schlamperei cannot be allowed an
historian: with us it's a point of honor
  to keep our birth-days

and wedding-days, to rejoice or to mourn, on
the right one. Henceforth, the First of October
shall be special for you and us, as the Once when
  you quit the Public

Realm to private your ways and snudge in a quiet
you so deserve. Farewell, and do not wince at
our sick world: it is genuine in age to be
  happily selfish.

om naar me te luisteren?' Want vogels kan niets overkomen
dat niet al eerder gebeurde: maar wij zijn gedierte
met besef van wat iets tot gebeurtenis maakt, van begin en
van einde, en daarom

willen wij onze klok graag zo stipt laten zijn als de klok der
Natuur dat nooit is. Seizoenen heeft Zij, geen Kalender,
zodat ieder jaar weer de aardbeien rijpen, de
herfsttijloos in bloei vlamt

op onvoorspelbare data. Zo'n *Schlamperei* kan
een historicus niet worden toegestaan: voor ons is 't
een erekwestie om onze trouwdag te vieren
of onze verjaardag,

om verheugd te zijn of te rouwen op de bestemde
dag. De Eerste Oktober is voortaan speciaal voor
jou en voor ons, de Eenmalige dat je je uit de
Publieke Sfeer hebt

losgemaakt voor een privater bestaan, voor verdiende,
genoeglijke rust. Vaarwel en krimp niet ineen bij 't
zien onzer zieke wereld: écht zijn op leeftijd is
blij egoïst zijn.

FRANS

SONNETS POUR HÉLÈNE
(*Livre* II, XIV)

A l'aller, au parler, au flamber de tes yeux,
Je sens bien, je vois bien que tu es immortelle.
La race des humains en essence n'est telle:
Tu es quelque Démon ou quelque Ange des cieux.
Dieu, pour favoriser ce monde vicieux,
Te fit tomber en terre, et dessus la plus belle
Et plus parfaite idée il traça la modelle
De ton corps, dont il fut luy-mesmes envieux.
Quand il fist ton esprit, il se pilla soy-mesme:
Il print le plus beau feu du Ciel le plus supréme
Pour animer ta masse, ainçois ton beau printemps.
Hommes, qui la voyez de tant d'honneur pourveuë,
Tandis qu'elle est çà bas, soulez-en vostre veuë.
Tout ce qui est parfait ne dure pas long temps.

SONNETTEN VOOR HÉLÈNE
(Boek II, 14)

Aan je gang, aan je spraak, aan 't vlammen van je ogen,
Herken ik en beleef ik je onsterflijkheid:
Het menselijk geslacht kent niet die eeuwigheid:
Je bent een Demon of een Engel uit den Hoge.
  Opdat de boze wereld Gods gena zou smaken,
Liet hij jou neer op aard en naar 't model van vrouw,
De schoonste en volmaakste, vormde hij toen jou,
En werd meteen belust op wat hij had geschapen.
  Hij roofde van zichzelf om jou je geest te geven:
Om jouw lieflijk gevormde lente te doen leven,
Nam hij uit hoogste hemeltrans het schoonste vuur.
  Gij mensen die haar ziet, met zoveel eer beladen
Zolang zij bij ons is, moet ge uw blik verzaden.
Al wat volkomen is, is maar van korte duur.

JEAN DE SPONDE

SONNETS DE LA MORT

II

Mais si faut-il mourir! et la vie orgueilleuse,
Qui brave de la mort, sentira ses fureurs;
Les Soleils haleront ces journalieres fleurs,
Et le temps crevera ceste ampoule venteuse.

Ce beau flambeau qui lance une flamme fumeuse,
Sur le verd de la cire esteindra ses ardeurs;
L'huile de ce Tableau ternira ses couleurs,
Et ces flots se rompront à la rive escumeuse.

J'ay veu ces clairs esclairs passer devant mes yeux,
Et le tonnerre encor qui gronde dans les Cieux.
Ou d'une ou d'autre part esclatera l'orage.

J'ay veu fondre la neige, et ces torrens tarir,
Ces lyons rugissans, je les ay veus sans rage.
Vivez, hommes, vivez, mais si faut-il mourir.

SONNETTEN VAN DE DOOD

II

Maar sterven moeten wij! en het zo trots bestaan,
Dat met de dood spot, zal mijn bange roofbuit worden;
Want Zon na Zon zal zulk een ééndagsbloem verdorren,
Die kruik vol wind zal mettertijd aan scherven gaan.

De kleur der verf zal op dit Schilderij verbleken;
Die mooie toorts die rokend vlamde, nog maar pas,
Heeft reeds zijn vuur gedoofd aan 't einde van de was;
De branding op de kust doet gindse golven breken.

Ik zag het schichtend bliksemlicht met eigen ogen,
Ik hoorde 't rommelen van donder uit den Hoge.
Straks barst het noodweer los, verweg of dichterbij.

Ik zag smeltende sneeuw, ik zag beken verdrogen,
Brullende leeuwen zag ik, zonder razernij.
Lééf daarom, mensen, lééf, maar sterven moeten wij.

ET LA MER ET L'AMOUR

Et la mer et l'amour ont l'amer pour partage,
Et la mer est amere, et l'amour est amer,
L'on s'abyme en l'amour aussi bien qu'en la mer,
Car la mer et l'amour ne sont point sans orage.

Celuy qui craint les eaux, qu'il demeure au rivage,
Celuy qui craint les maux qu'on souffre pour aimer,
Qu'il ne se laisse pas à l'amour enflamer,
Et tous deux ils seront sans hazard de naufrage.

La mere de l'amour eut la mer pour berceau,
Le feu sort de l'amour, sa mere sort de l'eau,
Mais l'eau contre ce feu ne peut fournir des armes.

Si l'eau pouvoit éteindre un brasier amoureux,
Ton amour qui me brûle est si fort douloureux,
Que j'eusse éteint son feu de la mer de mes larmes.

DE LIEFDE EN DE ZEE

De liefde en de zee delen hun bitterheid,
Ja, zee en liefde: even bitter zijn ze beide,
Op zee en in de liefde kun je schipbreuk lijden,
Er is geen zee, geen liefde, zonder storm en strijd.

Wie 't water vreest moet aan de wal zijn tijd maar beiden,
En wie het kwaad vreest dat ieder die liefheeft lijdt,
Hij wake dat hij 't blakend vuur der liefde mijdt,
Dan weten beiden ook de schipbreuk te vermijden.

De moeder van de Liefde had als wieg de zee,
Liefde brengt vuur en 't water bracht zijn moeder mee,
Maar bij zulk vuur is water van zijn kracht beroofd.

Mijn liefdesbrand voor jou doet mij zo veel verdriet,
Dat als zich deze brand met water blussen liet,
Ik met mijn tranenzee het vuur al had gedoofd.

MARBEUF 346

DEMAIN, DÈS L'AUBE

Demain, dès l'aube, à l'heure où blanchit la campagne,
Je partirai. Vois-tu, je sais que tu m'attends.
J'irai par la forêt, j'irai par la montagne.
Je ne puis demeurer loin de toi plus longtemps.

Je marcherai les yeux fixés sur mes pensées,
Sans rien voir au-dehors, sans entendre aucun bruit,
Seul, inconnu, le dos courbé, les mains croisées,
Triste, et le jour pour moi sera comme la nuit.

Je ne regarderai ni l'or du soir qui tombe,
Ni les voiles au loin descendant vers Harfleur,
Et quand j'arriverai, je mettrai sur ta tombe
Un bouquet de houx vert et de bruyère en fleur.

MORGEN, ZODRA HET GLOORT

Ik weet dat jij daar op mij wacht. Dus zal ik gaan,
Morgen, zodra het gloort, zodra de velden lichten.
Hier blijven kan ik niet, zo ver bij jou vandaan.
Door 't bos, over de berg, zal ik mijn schreden richten.

Ik zie niets om mij heen, ik hoor ook geen gedruis,
Ik loop maar en heb enkel oog voor mijn gedachten,
Triest en gekromd, de handen op de rug gekruist,
Alleen, geen die mij kent, mijn dagen zijn als nachten.

Ik zie het avondgoud dat neerdaalt zelfs niet meer,
Ook niet de zeilen ginds die op Harfleur afglijden,
En als ik bij je graf kom, leg ik voor je neer
Een tuiltje groene hulst met wat bloeiende heide.

VERS DORÉS

Eh quoi! tout est sensible!

PYTHAGORE

Homme, libre penseur! te crois-tu seul pensant
Dans ce monde où la vie éclate en toute chose?
Des forces que tu tiens ta liberté dispose,
Mais de tous tes conseils l'univers est absent.

Respecte dans la bête un esprit agissant:
Chaque fleur est une âme à la Nature éclose;
Un mystère d'amour dans le métal repose;
'Tout est sensible!' Et tout sur ton être est puissant.

Crains, dans le mur aveugle, un regard qui t'épie:
A la matière même un verbe est attaché...
Ne la fais pas servir à quelque usage impie!

Souvent dans l'être obscur habite un Dieu caché;
Et comme un œil naissant couvert par ses paupières,
Un pur esprit s'accroit sous l'écorce des pierres!

GULDEN VERZEN

O ja, alles heeft gevoel!

PYTHAGORAS

Vrijdenker mens! Jij zou (als enige van al
Het aardse) dénken, waar de wereld barst van leven?
Je vrijheid mag jou recht op eigen krachten geven,
Maar in wat jij beraamt, vergeet je het heelal.

De geest die ook het dier regeert zij eer bewezen:
Een ziel is elke bloem die bloeit voor de Natuur;
In het metaal zelfs leeft verborgen liefdesvuur;
'Ja, alles heeft gevoel!' En invloed op jouw wezen.

Vrees in de blinde muur een blik die jou bespiedt:
Aan de materie zelf heeft zich een woord gebonden...
Haar voor onheilig doel gebruiken mag je niet!

In 't minst bestaan heeft vaak een God zijn woon gevonden;
En als een oog, nog dicht en pasgeboren, pril,
Groeit er zuivere geest onder der stenen schil!

CHARLES BAUDELAIRE

L'ALBATROS

Souvent, pour s'amuser, les hommes d'équipage
Prennent des albatros, vastes oiseaux des mers,
Qui suivent, indolents compagnons de voyage,
Le navire glissant sur les gouffres amers.

A peine les ont-ils déposés sur les planches,
Que ces rois de l'azur, maladroits et honteux,
Laissent piteusement leurs grandes ailes blanches
Comme des avirons traîner à côté d'eux.

Ce voyageur ailé, comme il est gauche et veule!
Lui, naguère si beau, qu'il est comique et laid!
L'un agace son bec avec un brûle-gueule,
L'autre mime, en boitant, l'infirme qui volait!

Le Poête est semblable au prince des nuées
Qui hante la tempête et se rit de l'archer;
Exilé sur le sol au milieu des huées,
Ses ailes de géant l'empêchent de marcher.

DE ALBATROS

Vaak vangt het scheepsvolk, om verveling te verdrijven,
De vogel albatros die op zijn wieken wijd,
Als lome reisgenoot, elk schip nabij kan blijven
Dat over 't bitter diep der oceanen glijdt.

Maar amper prest men hem om op het dek te landen,
Of deze vorst van het azuur sleept gelijk twee
Peddels zijn grote, witte vleugels tot zijn schande
Grotesk en zielig aan weerszijden met zich mee.

Gevleugeld reiziger, nu krachteloos, onhandig!
Komiek en lelijk ook, voorheen zo'n lust voor 't oog!
De een brandt met een pijp zijn snavel en de ander
Hinkt honend het onmachtig dier na dat eens vloog!

De Dichter is gelijk die prins der hemelsferen,
Hij die met storm verkeert, lacht boog en schutter uit;
Gebannen aan de grond, waar spotters hem kleineren,
Hebben zijn vleugels, zo enorm, zijn gang gestuit.

CORRESPONDANCES

La Nature est un temple où de vivants piliers
Laissent parfois sortir de confuses paroles;
L'homme y passe à travers des forêts de symboles
Qui l'observent avec des regards familiers.

Comme de longs échos qui de loin se confondent
Dans une ténébreuse et profonde unité,
Vaste comme la nuit et comme la clarté,
Les parfums, les couleurs et les sons se répondent.

Il est des parfums frais comme des chairs d'enfants,
Doux comme les hautbois, verts comme les prairies,
—Et d'autres, corrompus, riches et triomphants,

Ayant l'expansion des choses infinies,
Comme l'ambre, le musc, le benjoin et l'encens,
Qui chantent les transports de l'esprit et des sens.

SAMENHANG

Natuur is 't heiligdom waar levende pilaren
Vaag praten in een taal die zich soms raden laat,
En waar de mens door wouden van symbolen gaat
Die, of hij hun vanouds vertrouwd is, naar hem staren.

Als lange echo's die van verre samenkwamen,
Versmolten tot één toon die diep en donker is,
Weids als het stralend licht en als de duisternis,
Zo hangen geuren, kleuren, klanken innig samen.

Wij kennen geuren als een kinderlijf zo fris,
Zo zacht als een hobo, groen als de groenste weide,
—En andere, rijk en dwingend, waar bederf in is,

Die zich, als alles wat geen einde neemt, verspreiden,
Muskus en amber, wierook, benzoë—die zingen
Van geestvervoering en vervoering van de zinnen.

L'HOMME ET LA MER

Homme libre, toujours tu chériras la mer!
La mer est ton miroir; tu contemples ton âme
Dans le déroulement infini de sa lame,
Et ton esprit n'est pas un gouffre moins amer.

Tu te plais à plonger au sein de ton image;
Tu l'embrasses des yeux et des bras, et ton cœur
Se distrait quelquefois de sa propre rumeur
Au bruit de cette plainte indomptable et sauvage.

Vous êtes tous les deux ténébreux et discrets:
Homme, nul n'a sondé le fond de tes abîmes;
O mer, nul ne connaît tes richesses intimes,
Tant vous êtes jaloux de garder vos secrets!

Et cependant voilà des siècles innombrables
Que vous vous combattez sans pitié ni remord,
Tellement vous aimez le carnage et la mort,
O lutteurs éternels, ô frères implacables!

MENS EN ZEE

Jij koestert, vrije mens, de zee je leven lang!
Zij is je spiegelbeeld, haar tijdeloze baren
Doen jou de roerselen van eigen ziel ontwaren;
Je geest is even grondeloos en even wrang.

Dat diepst van eigen beeld is waar jij graag in zwemt,
Je oog en armen één omhelzing, en soms weten
Je eigen hart en ziel hun stormen te vergeten
Als ze haar klagen horen, woest en ongetemd.

Je beider duisternis wordt niet geopenbaard:
O mens, geen die er door jouw diepste diepten dwaalde;
O zee, geen die naar jouw verborgen schatten daalde,
Omdat je beiden je geheim jaloers bewaart!

En desondanks duurt het nu al een eeuwigheid
Dat je elkaar bevecht, zonder spijt of erbarmen,
Omdat bloeddorst en dood zo jullie hart verwarmen,
O broeders nooit verzoend, o strijders voor altijd!

BAUDELAIRE 350 E.V.

LE SERPENT QUI DANSE

Que j'aime voir, chère indolente,
De ton corps si beau,
Comme une étoffe vacillante,
Miroiter la peau!

Sur ta chevelure profonde
Aux âcres parfums,
Mer odorante et vagabonde
Aux flots bleus et bruns,

Comme un navire qui s'éveille
Au vent du matin,
Mon âme rêveuse appareille
Pour un ciel lointain.

Tes yeux, où rien ne se révèle
De doux ni d'amer,
Sont deux bijoux froids où se mêle
L'or avec le fer.

A te voir marcher en cadence,
Belle d'abandon,
On dirait un serpent qui danse
Au bout d'un bâton.

Sous le fardeau de ta paresse
Ta tête d'enfant
Se balance avec la mollesse
D'un jeune éléphant,

DANSENDE SLANG

Ik zie graag op je mooie leden,
  Lome lieveling,
Met de glans van changeante kleding,
  De lichtspiegeling!

In het diepst van je donkere haren
  Met hun scherpe geur
Van zilte en zwerfzieke baren,
  Blauw en bruin van kleur,

Droomt mijn ziel zich reisklaar te maken
  Voor een ver verschiet,
Als een scheepje, aan het ontwaken
  In de ochtendbries.

Door hun lief en leed te verhelen,
  Staan je ogen koud,
Ze lijken op koele juwelen,
  Half ijzer, half goud.

Beweeg jij je met die cadansen,
  Schone die zich gaf,
Is het of ik een slang zie dansen
  Bovenaan een staf.

Iets looms en onledigs bevangt je
  Kinderhoofdje, die vracht
Wieg je als een jong olifantje,
  Zo mollig en zacht.

Et ton corps se penche et s'allonge
Comme un fin vaisseau
Qui roule bord sur bord et plonge
Ses vergues dans l'eau.

Comme un flot grossi par la fonte
Des glaciers grondants,
Quand l'eau de ta bouche remonte
Au bord de tes dents,

Je crois boire un vin de Bohême,
Amer et vainqueur,
Un ciel liquide qui parsème
D'étoiles mon cœur!

En je lichaam rekt zich en buigt zich,
  Een rank schip dat rijdt
Op de golven, terwijl het tuig zich
  Naar het water vlijt.

Als een stroom die door dooi is gezwollen
  Bij gletsjergegrom,
Loopt het water je dan in de mond en
  Rond tanden en tong.

En als drink ik wijn van Bohemers,
  Bitter triomfaal,
Vindt mijn hart een vloeibare hemel
  Van sterren doorstraald!

TOUT ENTIÈRE

Le Démon, dans ma chambre haute,
Ce matin est venu me voir,
Et, tâchant à me prendre en faute,
Me dit: 'Je voudrais bien savoir,

Parmi toutes les belles choses
Dont est fait son enchantement,
Parmi les objets noirs ou roses
Qui composent son corps charmant,

Quel est le plus doux.'—O mon âme!
Tu répondis à l'Abhorré:
'Puisqu'en Elle tout est dictame,
Rien ne peut être préféré.

Lorsque tout me ravit, j'ignore
Si quelque chose me séduit.
Elle éblouit comme l'Aurore
Et console comme la Nuit;

Et l'harmonie est trop exquise,
Qui gouverne tout son beau corps,
Pour que l'impuissante analyse
En note les nombreux accords.

O métamorphose mystique
De tous mes sens fondus en un!
Son haleine fait la musique,
Comme sa voix fait le parfum!'

GEHEEL EN AL

't Was ochtend toen de Demon mij,
Om mij een strikvraag voor te leggen,
Hoog op mijn zolderkamer zei:
'Graag wil ik dat je mij zou zeggen

'Wat van haar schoonheden je hart
Het meest bekoort, wat van de vele
Verlokkingen, roze of zwart,
Van haar gracieuze lichaamsdelen

'Het zoetste is?'—O mijn gemoed!
Zo antwoordde jij toen de Boze:
'Alles aan Haar is balsem zoet,
Niets heb ik als het schoonst verkozen.

'Ik weet niet wat ik 't mooiste vond,
In al haar schoon verlustig ik me.
Verblinden doet ze als de Zon,
Niet minder dan de Nacht verkwikt ze;

'Met alle gratie die bekoort,
Vormde de harmonie haar leden
Tot een volmaakt, exquis akkoord
Dat zich onttrekt aan zin en rede.

'Metamorfose zo mystiek,
Waarin mijn zinnen samenstromen!
Haar ademhaling is muziek,
Haar stem de zuiverste aromen!'

L'INVITATION AU VOYAGE

Mon enfant, ma sœur,
Songe à la douceur
D'aller là-bas vivre ensemble!
Aimer à loisir,
Aimer et mourir
Au pays qui te ressemble!
Les soleils mouillés
De ces ciels brouillés
Pour mon esprit ont les charmes
Si mystérieux
De tes traîtres yeux,
Brillant à travers leurs larmes.

Là, tout n'est qu'ordre et beauté,
Luxe, calme et volupté.

Des meubles luisants,
Polis par les ans,
Décoreraient notre chambre;
Les plus rares fleurs
Mêlant leurs odeurs
Aux vagues senteurs de l'ambre,
Les riches plafonds,
Les miroirs profonds,
La splendeur orientale,
Tout y parlerait
A l'âme en secret
Sa douce langue natale.

Là, tout n'est qu'ordre et beauté,
Luxe, calme et volupté.

UITNODIGING TOT DE REIS

Mijn kind, zusje mijn,
Hoe mooi zou het zijn
Om samen te leven daarginder!
Veel liefde en lust,
Dan eeuwige rust
In het land dat aan jou herinnert!
De zon, waterig
Bij troebele lucht,
Is mij even aangenaam en
Even raadselig ook
Als je trouweloos oog,
Wanneer het blinkt door zijn tranen.

't Is daar al regelmaat en rust,
Schoonheid, weelde, zinnelust.

Meubels en dekenkist,
Door de tijd gevernist,
Zouden sieren daar onze kamer.
En de zeldzaamste bloem
Mengde er zijn aroom
Met de vage geuren van amber.
Het stucwerkplafond,
De spiegelsalon
En al de praal van het Oosten,
Het zou allemaal
De ziel met zijn taal
Zo stil en innig vertroosten.

't Is daar al regelmaat en rust,
Schoonheid, weelde, zinnelust.

Vois sur ces canaux
Dormir ces vaisseaux
Dont l'humeur est vagabonde;
C'est pour assouvir
Ton moindre désir
Qu'ils viennent du bout du monde.
— Les soleils couchants
Revêtent les champs,
Les canaux, la ville entière,
D'hyacinthe et d'or;
Le monde s'endort
Dans une chaude lumière.

Là, tout n'est qu'ordre et beauté,
Luxe, calme et volupté.

Zie, aan iedere ree
Droomt een schip van de zee,
En zou het liefst uit willen varen;
Daar het jouw minste gril
Graag bevredigen wil
Brengt het hier al de schatten der aarde.
—De zonsondergang
Bekleedt er het land,
De hele stad en haar grachten
Met goud en hyacint;
De wereld slaapt in
Bij een licht waar wij warmte van wachten.

't Is daar al regelmaat en rust,
Schoonheid, weelde, zinnelust.

LES LITANIES DE SATAN

Ô toi, le plus savant et le plus beau des Anges,
Dieu trahi par le sort et privé de louanges,

Ô Satan, prends pitié de ma longue misère!

Ô Prince de l'exil, à qui l'on a fait tort,
Et qui, vaincu, toujours te redresses plus fort,

Ô Satan, prends pitié de ma longue misère!

Toi qui sais tout, grand roi des choses souterraines,
Guérisseur familier des angoisses humaines,

Ô Satan, prends pitié de ma longue misère!

Toi qui, même aux lépreux, aux parias maudits,
Enseigne par l'amour le goût du Paradis,

Ô Satan, prends pitié de ma longue misère!

Ô toi qui de la Mort, ta vieille et forte amante,
Engendras l'Espérance, — une folle charmante!

Ô Satan, prends pitié de ma longue misère!

Toi qui fais au proscrit ce regard calme et haut
Qui damne tout un peuple autour d'un échafaud,

Ô Satan, prends pitié de ma longue misère!

LITANIE VOOR SATAN

Gij van de engelen de schoonste en meest wijze,
Door 't lot verraden God, beroofd van eerbewijzen,

Satan, heb medelij met mijn langdurig lijden!

O Vorst der ballingschap, wie onrecht is gedaan,
Die na een nederlaag steeds sterker op zal staan,

Satan, heb medelij met mijn langdurig lijden!

O gij die alles weet, groot soeverein ter helle,
Genezer van de vrees waar mensen zich mee kwellen,

Satan, heb medelij met mijn langdurig lijden!

Gij die melaatsen zelfs, door liefdesonderwijs,
En paria's de smaak leert van het Paradijs,

Satan, heb medelij met mijn langdurig lijden!

Gij die met Dood, dat sterke oudje, 't bed wilt delen
Om er die dolle meid, Verwachting, mee te telen!

Satan, heb medelij met mijn langdurig lijden!

Gij geeft aan de bandiet zijn blik, trots en sereen,
Die heel een volk verdoemt, rond een schavot bijeen,

Satan, heb medelij met mijn langdurig lijden!

Toi qui sais en quels coins des terres envieuses
Le Dieu jaloux cacha les pierres précieuses,

O Satan, prends pitié de ma longue misère!

Toi dont l'œil clair connaît les profonds arsenaux
Où dort enseveli le peuple des métaux,

O Satan, prends pitié de ma longue misère!

Toi dont la large main cache les précipices
Au somnambule errant au bord des édifices,

O Satan, prends pitié de ma longue misère!

Toi qui, magiquement, assouplis les vieux os
De l'ivrogne attardé foulé par les chevaux,

O Satan, prends pitié de ma longue misère!

Toi qui, pour consoler l'homme frêle qui souffre,
Nous appris à mêler le salpêtre et le soufre,

O Satan, prends pitié de ma longue misère!

Toi qui poses ta marque, ô complice subtil,
Sur le front du Crésus impitoyable et vil,

O Satan, prends pitié de ma longue misère!

Toi qui mets dans les yeux et dans le cœur des filles
Le culte de la plaie et l'amour des guenilles,

Gij die de plaatsen kent in de jaloerse aarde
Waar God zijn flonkersteen naijverig bewaarde.

Satan, heb medelij met mijn langdurig lijden!

Gij wiens scherp oog de diepe arsenalen ziet,
Waar 't volk van de metalen van zijn rust geniet,

Satan, heb medelij met mijn langdurig lijden!

Gij wiens geduchte hand bij afgronden zal waken
Over slaapwandelaars die dwalen langs de daken,

Satan, heb medelij met mijn langdurig lijden!

Gij die het oud karkas magisch weer lenig maakt
Van late dronkaards, danig onder 't paard geraakt,

Satan, heb medelij met mijn langdurig lijden!

Gij die het lijden van de zwakke mens verlichtte
Toen gij hem in het buskruit maken onderrichtte,

Satan, heb medelij met mijn langdurig lijden!

Gij die uw merk, o met schuldig raffinement,
In 't voorhoofd van de onmens Croesus hebt geprent,

Satan, heb medelij met mijn langdurig lijden!

Gij die de ogen en het hart van lichte vrouwen
Pijn leert aanbidden en van uitschot leert te houden,

O Satan, prends pitié de ma longue misère!

Bâton des exilés, lampe des inventeurs,
Confesseur des pendus et des conspirateurs,

O Satan, prends pitié de ma longue misère!

Père adoptif de ceux qu'en sa noire colère
Du paradis terrestre a chassés Dieu le Père,

O Satan, prends pitié de ma longue misère!

PRIÈRE

Gloire et louange à toi, Satan, dans les hauteurs
Du Ciel, où tu régnas, et dans les profondeurs
De l'Enfer, où, vaincu, tu rêves en silence!
Fais que mon âme un jour, sous l'Arbre de Science,
Près de toi se repose, à l'heure où sur ton front
Comme un Temple nouveau ses rameaux s'épandront.

Satan, heb medelij met mijn langdurig lijden!

Gij biedt de balling steun, de uitvinder nieuw licht,
Hoort van gehangene en komplotteur de biecht,

Satan, heb medelij met mijn langdurig lijden!

Pleegvader voor al wie onder de woede leden
Van God de Vader, die hen heeft verjaagd uit Eden,

Satan, heb medelij met mijn langdurig lijden!

GEBED

Glorie en lof zij u, o Satan, in de hoogste
Hemelen, ooit uw rijk, en in de diepste krochten
Der Hel waar gij, verslagen, nu in stilte droomt!
Maak toch dat eens mijn ziel, onder de Kennisboom,
Rust vindt bij u en voor uw aanschijn, te dien tijde
Dat hij als nieuwe Tempel daar zijn kruin zal spreiden!

LE RÊVE D'UN CURIEUX

A F.N.

Connais-tu, comme moi, la douleur savoureuse,
Et de toi fais-tu dire: 'Oh! l'homme singulier!'
—J'allais mourir. C'était dans mon âme amoureuse,
Désir mêlé d'horreur, un mal particulier;

Angoisse et vif espoir, sans humeur factieuse.
Plus allait se vidant le fatal sablier,
Plus ma torture était âpre et délicieuse;
Tout mon cœur s'arrachait au monde familier.

J'étais comme l'enfant avide du spectacle,
Haïssant le rideau comme on hait un obstacle...
Enfin la vérité froide se révéla:

J'étais mort sans surprise, et la terrible aurore
M'enveloppait.—Eh quoi! n'est-ce donc que cela?
La toile était levée et j'attendais encore.

DE DROOM VAN EEN NIEUWSGIERIGE

VOOR F.N.

Ken jij als ik de pijn die ook genot kan geven,
En zegt men ook van jou dat je steeds zotter doet?
—'k Was stervende. Dat gaf in mijn verliefd gemoed
Een vreemde smart, verlangen maar met angst verweven.

Ik was vol hoop en vrees, maar zou niet tegenstreven;
Naarmate zich mijn tijdglas met fatale spoed
Ledigde, werd mijn lijden steeds meer bitterzoet;
Mijn hart ontrukte zich aan het vertrouwde leven.

Ik was een gretig kind dat in 't theater zit,
En dat het dichte doek als een obstakel haat...
Eindelijk toonde zich de kille werklijkheid:

Ik stierf gerust, ik zag de barre dageraad
Die mij omhulde. — Wat! Is het niet meer dan dit!
Het doek was open en ik wachtte nog altijd.

BRISE MARINE

La chair est triste, hélas! et j'ai lu tous les livres.
Fuir! là-bas fuir! Je sens que des oiseaux sont ivres
D'être parmi l'écume inconnue et les cieux!
Rien, ni les vieux jardins reflétés par les yeux
Ne retiendra ce cœur qui dans la mer se trempe
O nuits! ni la clarté déserte de ma lampe
Sur le vide papier que la blancheur défend
Et ni la jeune femme allaitant son enfant.
Je partirai! Steamer balançant ta mâture,
Lève l'ancre pour une exotique nature!

Un Ennui, désolé par les cruels espoirs,
Croit encore à l'adieu suprême des mouchoirs!
Et, peut-être, les mâts, invitant les orages
Sont-ils de ceux qu'un vent penche sur les naufrages
Perdus, sans mâts, sans mâts, ni fertiles îlots...
Mais, ô mon cœur, entends le chant des matelots!

ZEEBRIES

Mijn vlees is droef en ach! ik heb elk boek gelezen.
Vluchten! Naar ginds! Die vogels moeten dronken wezen
Zo tussen 't vreemde schuim en het azuur te zijn!
Niets, niet de weerschijn van de oude tuin in mijn
Oog zal dit zeedoordrenkte hart nog tegenstreven
O nacht! noch 't eenzaam licht dat weer mijn lamp zal geven
Aan 't leeg papier dat door zijn wit verdedigd wordt
En niet de jonge vrouw met baby aan de borst.
Ik ga vertrekken! Stoomschip, wiegend met je masten,
Vaar uit naar de natuur van verre, vreemde kusten!

Een Levenspijn, vaak door een wrede hoop gekweld,
Gelooft nog in het zakdoekzwaaiend laatst vaarwel!
Misschien dat een zwaar noodweer deze masten aanvalt
En dat de wind ze ombuigt tot het schip vergaan zal
Vergaan, geen mast, en ook dat welig eiland niet...
Maar luister, o mijn hart, naar het matrozenlied!

VŒU

Ah! les oaristys! les premières maîtresses!
L'or des cheveux, l'azur des yeux, la fleur des chairs,
Et puis, parmi l'odeur des corps jeunes et chers,
La spontanéité craintive des caresses!

Sont-elles assez loin toutes ces allégresses
Et toutes ces candeurs! Hélas! toutes devers
Le printemps des regrets ont fui les noirs hivers
De mes ennuis, de mes dégoûts, de mes détresses!

Si que me voilà seul à présent, morne et seul,
Morne et désespéré, plus glacé qu'un aïeul,
Et tel qu'un orphelin pauvre sans sœur aînée.

O la femme à l'amour câlin et réchauffant,
Douce, pensive et brune, et jamais étonnée,
Et qui parfois vous baise au front, comme un enfant!

WENS

Oh! sybaritisch spel! Mijn eerste bedvriendinnen!
Hun bloeiend vlees, azuren ogen, gouden haar,
De geuren van hun jong en dierbaar lijf en daar
't Schuchter spontane bij van strelen en beminnen!

Hoe ver bij mij vandaan zijn nu die heerlijkheden,
Die argeloosheid! Ach! dat alles is voor mijn
Donkere winter van onvrede, weerzin, pijn,
Een voorjaar in gevlucht van spijt om het verleden!

Nu ben ik dus alleen, versomberd en verlaten,
Wanhopig, somber, killer zelfs dan mijn voorzaten,
Een arme wees gelijk, zonder oudere zus.

O vrouw wier liefde mijn koud hart weer op zou porren,
Dromerig, donker, die door niets verbaasd zou worden,
En die ons als een kind soms op het voorhoofd kust!

VERLAINE 359 E.V.

LASSITUDE

A batallas de amor campo de pluma
GÓNGORA

De la douceur, de la douceur, de la douceur!
Calme un peu ces transports fébriles, ma charmante.
Même au fort du déduit parfois, vois-tu, l'amante
Doit avoir l'abandon paisible de la sœur.

Sois langoureuse, fais ta caresse endormante,
Bien égaux tes soupirs et ton regard berceur.
Va, l'étreinte jalouse et le spasme obsesseur
Ne valent pas un long baiser, même qui mente!

Mais dans ton cher cœur d'or, me dis-tu, mon enfant,
La fauve passion va sonnant l'olifant!...
Laisse-la trompeter à son aise, la gueuse!

Mets ton front sur mon front et ta main dans ma main,
Et fais-moi des serments que tu rompras demain,
Et pleurons jusqu'au jour, ô petite fougueuse!

LOME VERZADIGING

A batallas de amor campo de pluma

GÓNGORA

Toe liefje, zoetjes aan, doe zoetjes, zoetjes aan!
Die koortsige vervoering van je moet bedaren.
In 't felste liefdesspel zelfs, weet je, is 't je ware
Soms vredig als een zuster je te laten gaan.

Wees loom, je strelen mane mij tot slapen aan,
Zucht me steeds eender toe en kijk soezerig naar me.
Gretig omhelzen of bezeten kramp van 't paren
Zijn niets bij 'n lange zoen, al is die niet spontaan!

Maar in jouw gouden hartje, lieve kind, zeg jij me,
Daar klinkt de passie woest als Roelands Olifant!...
Ach, laat die zwerfster maar trompetten naar believen!

Vlij aan mijn hoofd jouw hoofd, leg in mijn hand jouw hand,
Je breekt hem morgen, maar zweer nu je eed van liefde,
Laat ons daar, wildzang, tot het dag wordt over schreien!

MON RÊVE FAMILIER

Je fais souvent ce rêve étrange et pénétrant
D'une femme inconnue, et que j'aime, et qui m'aime,
Et qui n'est, chaque fois, ni tout à fait la même
Ni tout à fait une autre, et m'aime et me comprend.

Car elle me comprend, et mon cœur, transparent
Pour elle seule, hélas! cesse d'être un problème
Pour elle seule, et les moiteurs de mon front blême,
Elle seule les sait rafraîchir, en pleurant.

Est-elle brune, blonde ou rousse?—Je l'ignore.
Son nom? Je me souviens qu'il est doux et sonore
Comme ceux des aimés que la Vie exila.

Son regard est pareil au regard des statues,
Et, pour sa voix, lointaine, et calme, et grave, elle a
L'inflexion des voix chères qui se sont tues.

MIJN OUDE DROOM

Ik droom veel van een vrouw, een droom vreemd en
indringend,
Ik weet niet wie zij is, maar 'k hou van haar, en zij,
Al ondergaat haar beeld subtiele wisselingen,
Zij wordt toch nooit een ander, en zij houdt van mij.

Want zij begrijpt mij en al is mijn hart doorzichtig,
Geen is er, ach! die 't ooit doorzag behalve zij,
En geen behalve zij schreit tranen die verfrissen
Over dat bleke en bezwete hoofd van mij.

Heeft ze blond haar, of bruin, of rood? Ik weet het niet.
Haar naam, dat weet ik, is welluidend en innemend,
Als van geliefden die het Leven reeds verstiet.

Haar blik gelijkt die van een beeld, en haar stem komt
Van ver en is zo kalm en ernstig: haar stem neemt de
Klank van dierbare stemmen aan die zijn verstomd.

VERLAINE 359 E.V.

MARINE

L'Océan sonore
Palpite sous l'œil
De la lune en deuil
Et palpite encore,

Tandis qu'un éclair
Brutal et sinistre
Fend le ciel de bistre
D'un long zigzag clair,

Et que chaque lame
En bonds convulsifs
Le long des récifs
Va, vient, luit et clame,

Et qu'au firmament,
Où l'ouragan erre,
Rugit le tonnerre
Formidablement.

OP ZEE

Klank van oceaan
Die deint onder 't oog
Van rouwende maan
En doordeint, gestaag,

Als een bliksemschicht
Met ijselijk geweld
De koolbruine lucht
Zigzaggend doorstraalt,

En als elke golf
Met schokkende sprong
Bij rif en bij rots
Komt, gaat, blinkt en gromt,

En als aan de lucht,
Waar het onweer dwaalt,
Steeds uit alle macht
Weer de donder brult.

DONC, CE SERA PAR UN CLAIR JOUR D'ÉTÉ...

Donc, ce sera par un clair jour d'été:
Le grand soleil, complice de ma joie,
Fera, parmi le satin et la soie,
Plus belle encor votre chère beauté;

Le ciel tout bleu, comme une haute tente,
Frissonnera somptueux à longs plis
Sur nos deux fronts heureux qu'auront pâlis
L'émotion du bonheur et l'attente;

Et quand le soir viendra, l'air sera doux
Qui se jouera, caressant, dans vos voiles,
Et les regards paisibles des étoiles
Bienveillamment souriront aux époux.

HET ZAL EEN ZOMERDAG VOL ZONLICHT ZIJN...

Het zal een zomerdag vol zonlicht zijn:
De grote zon, die met mijn vreugde heult,
Zal jouw lieftalligheid tussen satijn
En zijde nog lieftalliger doen zijn;

Puur blauwe hemel, als een hoge tent
Die met zijn lange plooien weelderig rilt
Naar ons gezicht, dat blij en bleek ziet van 't
Verwachten van dit groot geluksmoment;

En als de avond valt en zoele lucht
Strelende met jouw nachthemd spelen zal,
Zullen de sterren met sereen gezicht
Mild glimlachen naar het getrouwde stel.

VERLAINE 359 E.V.

LES COQUILLAGES

Chaque coquillage incrusté
Dans la grotte où nous nous aimâmes
A sa particularité.

L'un a la pourpre de nos âmes
Dérobée au sang de nos cœurs
Quand je brûle et que tu t'enflammes;

Cet autre affecte tes langueurs
Et tes pâleurs alors que, lasse,
Tu m'en veux de mes yeux moqueurs;

Celui-ci contrefait la grâce
De ton oreille, et celui-là
Ta nuque rose, courte et grasse;

Mais un, entre autres, me troubla.

SCHELPEN

Schelpen, in de grot ingebed
Waar wij elkaar in de armen vielen:
Ze hebben elk hun eigenheid.

Eén heeft het purper onzer zielen,
Ontstolen aan ons hartebloed,
Mijn liefdesvuur, jouw liefdesgloed;

Die dáár spiegelt jouw kwijnend smachten,
Je bleekheid als je moe en boos bent,
Omdat mijn ogen om je lachten;

Díe heeft de gratie van je oortje
Mooi nagebootst, en die het roze
Van je nekje, het dikke, korte;

Maar één was er die me deed blozen.

IL PLEURE DANS MON CŒUR...

Il pleut doucement sur la ville

ARTHUR RIMBAUD

Il pleure dans mon cœur
Comme il pleut sur la ville;
Quelle est cette langueur
Qui pénètre mon cœur?

O bruit doux de la pluie
Par terre et sur les toits!
Pour un cœur qui s'ennuie
O le chant de la pluie!

Il pleure sans raison
Dans ce cœur qui s'écœure.
Quoi! nulle trahison?...
Ce deuil est sans raison.

C'est bien la pire peine
De ne savoir pourquoi,
Sans amour et sans haine
Mon cœur a tant de peine!

HET HUILT IN MIJN HART...

De regen valt zacht op de stad

ARTHUR RIMBAUD

Het huilt in mijn hart
Zoals het buiten regent;
Wat voor stemming zo zwart
Neemt bezit van mijn hart?

O zacht regengeluid
Op straat, op de daken!
Voor mijn landerigheid
O dat zingend geluid!

't Huilt zomaar in dit hart
Dat zichzelf niet kan harden.
Wat! Geen die je verraadt?...
Dit hart treurt zomaar wat.

Dat is wel 't ergste lijden
Dat ik niet weet waarom,
Liefde of haat, geen van beide,
Mijn hart toch zo moet lijden!

SI TU NE MOURUS PAS ENTRE MES BRAS...

Si tu ne mourus pas entre mes bras,
Ce fut tout comme, et de ton agonie
J'en vis assez, ô détresse infinie!
Tu délirais, plus pâle que tes draps:

Tu me tenais, d'une voix trop lucide,
Des propos doux et fous, 'que j'étais mort,
Que c'était triste', et tu serrais très fort
Ma main tremblante, et regardais à vide;

Je me tournais, n'en pouvant plus de pleurs,
Mais ta fièvre voulait suivre son thème,
Tu m'appelais par mon nom de baptême,
Puis ce fut tout, ô douleur des douleurs!

J'eusse en effet dû mourir à ta place,
Toi debout, là, présidant nos adieux!...
Je dis cela faute de dire mieux.
Et pardonnez, Dieu juste, à mon audace.

JE BENT HAAST IN MIJN ARMEN INGESLAPEN...

Je bent haast in mijn armen ingeslapen,
Ik wist genoeg, dit zou het einde zijn,
Je ziekbed deed me zo oneindig pijn!
Je ijlde en was bleker dan het laken:

En met een veel te heldere stem nog deelde
Je lieve zotte dingen mee: ''k was dood,
Het was zo triest,' en jij kneep in je nood
Mijn hand die beefde, en keek in de leegte;

Ik keek weg, kon mijn tranen niet meer houden,
Maar koortsig wilde jij op 't thema doorgaan,
Je hebt me nog geroepen bij mijn voornaam,
Toen was het uit—en altijd zal ik rouwen!

Jij had in mijn plaats verder moeten leven,
Jij die, aan mijn bed, afscheid nam van mij!...
Ik zeg dit, want ik weet niets beters. Gij,
Gerechtig God, wil mijn driestheid vergeven.

VERLAINE 359 E.V.

LE DORMEUR DU VAL

C'est un trou de verdure où chante une rivière
Accrochant follement aux herbes des haillons
D'argent; où le soleil, de la montagne fière,
Luit: c'est un petit val qui mousse de rayons.

Un soldat jeune, bouche ouverte, tête nue,
Et la nuque baignant dans le frais cresson bleu,
Dort; il est étendu dans l'herbe, sous la nue,
Pâle dans son lit vert où la lumière pleut.

Les pieds dans les glaïeuls, il dort. Souriant comme
Sourirait un enfant malade, il fait un somme:
Nature, berce-le chaudement: il a froid.

Les parfums ne font pas frissonner sa narine;
Il dort dans le soleil, la main sur sa poitrine
Tranquille. Il a deux trous rouges au côté droit.

DE SLAPER IN HET DAL

Een welig plekje groen waar een riviertje zingt
Dat onbesuisd aan 't oevergras zijn lapjes zilver
Hecht, waar de zon vanaf het trots gebergte blinkt:
't Is een klein dal waarin het zonlicht bruist en tintelt.

Blootshoofds, met open mond, ligt daar een jong soldaat,
Zijn nek in frisse, blauwe waterkers gelegen,
Bleek in zijn groene bed, languit in 't gras; hij slaapt
Onder de blote hemel waaruit zonlicht regent.

Hij slaapt en glimlacht, er staan lissen aan zijn voeten,
Hij glimlacht en hij ligt als een ziek kind te soezen:
Wieg hem weer warm, Natuur: hij ligt er zo koud bij.

De bloemengeuren doen zijn neusvleugels niet trillen;
De zon schijnt en hij slaapt, met één hand op zijn stille
Borstkas. Hij heeft twee rode gaatjes rechtsopzij.

MARIE NIZET

LA TORCHE

Je vous aime, mon corps, qui fûtes son désir,
Son champ de jouissance et son jardin d'extase
Où se retrouve encor le goût de son plaisir
Comme un rare parfum dans un précieux vase.

Je vous aime, mes yeux, qui restiez éblouis
Dans l'émerveillement qu'il traînait à sa suite
Et qui gardez au fond de vous, comme en deux puits,
Le reflet persistant de sa beauté détruite.

Je vous aime, mes bras, qui mettiez à son cou
Le souple enlacement des languides tendresses.
Je vous aime, mes doigts experts, qui saviez où
Prodiguer mieux le lent frôlement des caresses.

Je vous aime, mon front, où bouillonne sans fin
Ma pensée à la sienne à jamais enchaînée
Et pour avoir saigné sous sa morsure, enfin,
Je vous aime surtout, ô ma bouche fanée.

Je vous aime, mon cœur, qui scandiez à grands coups
Le rythme exaspéré des amoureuses fièvres,
Et mes pieds nus noués aux siens et mes genoux
Rivés à ses genoux et ma peau sous ses lèvres...

Je vous aime, ma chair, qui faisiez à sa chair
Un tabernacle ardent de volupté parfaite
Et qui preniez de lui le meilleur, le plus cher,
Toujours rassasiée et jamais satisfaite.

DE TOORTS

Ik heb je lief, mijn lijf, jij wekte zijn verlangen,
Jij was zijn speelwei en zijn tuin der lusten, waar
De smaak van zijn genot altijd is blijven hangen,
Zoals een kostbaar vat een rijk parfum bewaart.

Ik heb je lief, mijn ogen, want je bleef verblind
Door de betovering die hem steeds begeleidde,
Of je twee putten bent en al zijn schoon daarin
Blijvende echo vindt, sinds ik ervan moest scheiden.

Ik heb je lief, mijn armen, jullie hebt zijn hals
Lenig omstrengeld in zo lome tederheden.
Ik heb je lief, mijn vingers, jullie wisten als
Volleerd waar zij het strelendst langs zijn lichaam gleden.

Mijn voorhoofd, 'k heb je lief, omdat je immer gistte
Van mijn denken aan hem dat mij aan 't zijne bond,
En dat zijn beet jou bloeden deed, ja, daarom is het
Dat ik jou bovenal bemin, mijn fletse mond.

Ik heb je lief, mijn hart, jij wist de maat te slaan
Van mijn geliefde koorts: een luid en bitter ritme,
Mijn voeten heb ik lief, mijn knieën die zich aan
De zijne klonken, en mijn huid onder zijn lippen...

Ik heb je lief, mijn vlees, want jij was voor het zijne
Vurige tabernakel van volmaakte lust,
Jij maakte 't beste, 't liefste in hem tot het mijne,
Ik werd verzadigd maar het vuur werd nooit geblust.

Et je t'aime, ô mon âme avide, toi qui pars
—Nouvelle Isis—tentant la recherche éperdue
Des atomes dissous, des effluves épars
De son être où toi-même as soif d'être perdue.

Je suis le temple vide où tout culte a cessé
Sur l'inutile autel déserté par l'idole;
Je suis le feu qui danse à l'âtre délaissé,
Le brasier qui n'échauffe rien, la torche folle…

Et ce besoin d'aimer qui n'a plus son emploi
Dans la mort, à présent retombe sur moi-même.
Et puisque, ô mon amour, vous êtes tout en moi
Résorbé, c'est bien vous que j'aime si je m'aime.

En jou, mijn grage ziel, bemin ik om de dromen
Waarin je – nieuwe Isis – waagt op zoek te gaan
Naar zijn ontbonden staat en zijn verspreide atomen,
Omdat je ernaar dorst om daarin op te gaan.

Ik ben het heiligdom waar niets meer wordt aanbeden,
Het zinloos altaar dat geen godenbeeld meer heeft,
't Vuur in de haard die door de mensen wordt gemeden,
Een zotte toorts, een vuurgloed die geen warmte geeft.

Dat ik een liefde koester waarvoor in de dood
Geen plaats is, maakt dat ík het doel werd van mijn liefde,
Omdat ik jou, mijn lief, versmeltend in mij sloot,
Ben jij het die ik liefheb in mijn eigenliefde.

NUIT RHÉNANE

Mon verre est plein d'un vin trembleur comme une flamme
Ecoutez la chanson lente d'un batelier
Qui raconte avoir vu sous la lune sept femmes
Tordre leurs cheveux verts et longs jusqu'à leurs pieds

Debout chantez plus haut en dansant une ronde
Que je n'entende plus le chant du batelier
Et mettez près de moi toutes les filles blondes
Au regard immobile aux nattes repliées

Le Rhin le Rhin est ivre où les vignes se mirent
Tout l'or des nuits tombe en tremblant s'y refléter
La voix chante toujours à en râle-mourir
Ces fées aux cheveux verts qui incantent l'été

Mon verre s'est brisé comme un éclat de rire

NACHT AAN DE RIJN

Mijn glas is vol van wijn die 'k als een vlam zie beven
Luister naar 't trage lied dat een Rijnschipper zingt
Hij zingt dat hij bij maanlicht vrouwen zag wel zeven
Wringend hun lang groen haar dat tot hun voeten hing

Sta op jullie zing luider dans maar een paar rondjes
Zodat ik 't schipperslied niet hoor en ook wil ik
Dat aan mijn tafel komen zitten alle blondjes
Met opgespelde vlechten en een stille blik

De Rijn de Rijn is zat waar zich de wijnstok spiegelt
Al 't nachtlijk goud valt er bevend weerkaatst in neer en
Nog steeds bezingt de stem maar nu met doodsgerochel
De feeën met groen haar die de zomer bezweren

Mijn glas is uit elkaar gespat met luid gegiechel

ITALIAANS

DANTE ALIGHIERI

DIVINA COMMEDIA

Canto I

Nel mezzo del cammin di nostra vita
Mi ritrovai per una selva oscura,
Chè la diritta via era smarrita.

Ahi quanto a dir qual era è cosa dura
Questa selva selvaggia ed aspra e forte,
Che nel pensier rinnova la paura!

Tanto è amara, che poco è più morte:
Ma per trattar del ben ch' i' vi trovai,
Dirò dell' altre cose, ch' io v' ho scorte.

I' non so ben ridir com' io v' entrai;
Tant' era pien di sonno in su quel punto,
Che la verace via abbandonai.

Ma poi ch' io fui al piè d' un colle giunto,
Là dove terminava quella valle,
Che m' avea di paura il cor compunto,

Guardai in alto, e vidi le sue spalle,
Vestite già de' raggi del pianeta,
Che mena dritto altrui per ogni calle.

Allor fu la paura un poco queta,
Che nel lago del cor m' era durata
La notte, ch' i' passai con tanta pieta.

DE GODDELIJKE KOMEDIE

Canto I

Op 't midden van ons levenspad gekomen,
Vond ik mijzelve in een donker woud,
Want ik had niet de rechte weg genomen.

Rond mij woest, ruw en ondoordringbaar hout,
Ach, hard is het verhaal hoe 't mij bezwaarde,
Nu de herinnering mij weer benauwt!

Een nood die doodsnood bijna evenaarde:
Maar om het goeds dat mij er overkwam,
Vertel ik wat ik overigens ontwaarde.

Ik weet niet goed te zeggen hoe 'k er kwam,
Zo overmand door slaap was 'k in de stonde
Dat ik de ware weg niet langer nam.

Maar toen een heuvel zich voor mij vertoonde,
Daar waar het dal, dat mij het hart van vrees
Zo had beklemd, een einde had genomen,

Keek ik omhoog en zag zijn flanken reeds
Beschenen door het stralend licht der starre
Die 't mensdom steeds de rechte weg aanwees.

Dat heeft de vrees een weinig doen bedaren
Die woedde in de boezem van mijn hart,
De hele nacht die mij zo diep benarde.

E come quei, che con lena affannata
Uscito fuor del pelago alla riva,
Si volge all' acqua perigliosa, e guata:

Così l'animo mio, che ancor fuggiva,
Si volse indietro a rimirar lo passo,
Che non lasciò giammai persona viva.

Poi ch' ei posato un poco il corpo lasso,
Ripresi via per la piaggia diserta,
Sì che il piè fermo sempre era il più basso.

Ed ecco, quasi al cominciar dell' erta,
Una lonza leggiera e presta molto,
Che di pel maculato era coperta.

E non mi si partia dinanzi al volto;
Anzi impediva tanto il mio cammino,
Ch' io fui per ritornar più volte volto.

Tempo era dal principio del mattino;
E il sol montava in su con quelle stelle
Ch' eran con lui, quando l' amor divino

Mosse da prima quelle cose belle;
Sì che a bene sperar m' eran cagione
Di quella fera alla gaietta pelle

L' ora del tempo, e la dolce stagione;
Ma non sì, che paura non mi desse
La vista, che m' apparve, d' un leone.

En zoals éen die, door de zee gespaard,
Zich hijst aan land en met hijgende adem
Omziet en naar 't gevaarvol water staart:

Zo heeft mijn ziel, nog vluchtend voor het kwade,
Zich omgewend, terugziend naar het pad
Vanwaar geen mensen levend ooit ontkwamen.

Na korte rust niet meer zo afgemat,
Ging ik over de kale helling verder,
Zó, dat mijn laagste voet steeds houvast had.

En zie, daar waar de rotsen steiler werden,
Zag ik een panter, snel van gang en licht,
Met bonte vlekken die zijn lichaam verfden.

En hij week geen moment voor mijn gezicht,
Terwijl hij mij de doortocht zo belette,
Dat ik mij meermaals wendde tot de vlucht.

Het was de ure van 't begin der metten,
De zon rees op met het gesternte dat
Zag hoe de liefde Gods in werking zette,

Voor 't eerst, al 't schoons dat hij geschapen had;
Zodat het uur des daags en 't mild getijde
Mij in dit dier met vrolijk vel slechts wat

Mij nieuwe moed gaf deden onderscheiden;
Maar 'k werd door vrees bevangen toen ineens
De aanblik van een leeuw, die zich bereidde,

ALIGHIERI *368 E.V.*

Questi parea che contra me venesse
Con la testa alta, e con rabbiosa fame,
Sì che parea che l' aer ne temesse;

Ed una lupa, che di tutte brame
Sembiava carca nella sua magrezza,
E molte genti fe' già viver grame.

Questa mi porse tanto di gravezza
Con la paura, che uscía di sua vista,
Ch' io perdei la speranza dell' altezza.

E quale è quei, che volentieri acquista,
E giugne il tempo che perder lo face,
Che in tutti i suoi pensier piange e s' attrista,

Tal mi fece la bestia senza pace,
Che, venendomi incontro, a poco a poco
Mi ripingeva là dove il sol tace.

Mentre ch' io rovinava in basso loco,
Dinanzi agli occhi mi si fu offerto
Chi per lungo silenzio parea fioco.

Quand' io vidi costui nel gran diserto,
'Miserere di me,' gridai a lui,
'Qual che tu sii, od ombra, od uomo certo.'

Risposemi: 'Non uomo, uomo già fui,
E li parenti miei furon Lombardi,
Mantovani per patria ambo e dui.

Zo leek het, tot de aanval, mij verscheen,
Zijn kop omhoog en zo van honger razend
Dat zelfs de lucht voor hem te duchten scheen;

En een wolvin was met hem, éen zo mager,
Dat zij uit hebzucht slechts leek te bestaan;
Reeds velen hadden 't smartelijk ervaren.

Zo grote angst deed mij haar aanblik aan,
Door zo'n benauwdheid werd ik overweldigd
Dat 'k niet meer hoopte tot de top te gaan.

En zoals éen die zeer belust op geld is,
Kome de tijd dat hij 't verliezen moet,
Jammert en in zijn denken diep ontsteld is,

Zo nam dit dier, terwijl het, voet voor voet,
Naar waar de zon zwijgt, mij terug deed wijken,
Steeds verder, alle rust uit mijn gemoed.

Toen ik, neertuimelend, leek te bezwijken,
Verscheen daar voor mijn ogen, waar ik lag,
Eén die door zijn lang zwijgen stom kon lijken.

Toen ik hem in die grote leegte zag,
Riep ik met luide stem: 'Heb medelijden,
Of 't mens of schim is waaraan ik het vraag.'

'Mens ben ik niet, ik wás een mens,' zo zei hij,
'En van mijn ouders was de vaderstad
Mantua, in het land van Lombardije.

Nacqui sub Julio, ancorchè fosse tardi,
E vissi a Roma sotto il buono Augusto,
Al tempo degli Dei falsi e bugiardi.

Poeta fui, e cantai di quel giusto
Figliuol d' Anchise, che venne da Troia,
Poi che il superbo Ilion fu combusto.

Ma tu, perchè ritorni a tanta noia?
Perchè non sali il dilettoso monte,
Ch' è principio e cagion di tutta gioia?'

'Or se' tu quel Virgilio, e quella fonte,
Che spande di parlar sì largo fiume?'
Risposi lui con vergognosa fronte.

'O degli altri poeti onore e lume,
Vagliami il lungo studio e il grande amore,
Che m' ha fatto cercar lo tuo volume.

Tu se' lo mio maestro, e il mio autore;
Tu se' solo colui, da cui io tolsi
Lo bello stile, che m' ha fatto onore.

Vedi la bestia, per cui io mi volsi;
Aiutami da lei, famoso saggio,
Ch' ella mi fa tremar le vene e i polsi.'

'A te convien tenere altro viaggio,'
Rispose, poi che lagrimar mi vide,
'Se vuoi campar d' esto loco selvaggio:

Sub Julio geboren, zij het laat,
Kwam 'k in Augustus' grote tijd naar Rome,
Stad die toen valse leugengoden had.

Ik was een dichter, ik bezong de vrome
Zoon van Anchises, die na Trojes brand
Uit het zo trotse Ilium was gekomen.

Maar gij, wat brengt u naar dit barre land?
Waarom niet die heerlijke berg bestegen
Die aller vreugden oorsprong is en grond?'

'Zijt gij Vergilius?' vroeg ik verlegen,
'Zijt gij die rijke bron waaruit steeds weer
Zulk een fontein van taal komt opgestegen?

Gij, uwer mededichters licht en eer,
Gedenk mijn liefde, en mijn wil te leren,
Waardoor ik naar uw boek greep, keer op keer.

Uw werk, mijn dichter, wilde ik studeren,
Aan u alleen dank ik de schone trant
Van schrijven waarvoor sommigen mij eren.

Zie 't beest waarvan ik mij heb afgewend;
Mocht gij, wijs meester, toch te hulp mij komen,
Om haar huivert mijn bloed en beeft mijn hand.'

'Beter had gij een andere weg genomen,'
Zei hij, de tranen ziend die ik vergoot,
'Als gij uit dit woest oord hoopt weg te komen:

Chè questa bestia, per la qual tu gride,
Non lascia altrui passar per la sua via,
Ma tanto lo impedisce, che l' uccide;

Ed ha natura sì malvagia e ria,
Che mai non empie la bramosa voglia,
E dopo il pasto ha più fame che pria.

Molti son gli animali, a cui s' ammoglia,
E più saranno ancora, infin che il Veltro
Verrà, che la farà morir con doglia.

Questi non ciberà terra nè peltro,
Ma sapienza, e amore, e virtute;
E sua nazion sarà tra Feltro e Feltro.

Di quell' umile Italia fia salute,
Per cui morì la vergine Cammilla,
Eurialo, e Turno, e Niso di ferute;

Questi la caccerà per ogni villa,
Fin che l' avrà rimessa nell' Inferno,
Là onde invidia prima dipartilla.

Ond' io per lo tuo me' penso e discerno,
Che tu mi segui, ed io sarò tua guida,
E trarrotti di qui per luogo eterno,

Ove udirai le disperate strida,
Vedrai gli antichi spiriti dolenti,
Che la seconda morte ciascun grida;

Het beest dat u deed roepen in uw nood,
Laat zich door niemand op zijn weg passeren,
Maar houdt een ieder tegen, tot de dood;

En haar natuur is zo ontaard, zo smerig,
Dat haar woedende hebzucht nooit bedaart,
En ieder maal haar honger nog vermeerdert.

Zo vele dieren zijn 't waarmee zij paart,
En meer zullen 't er zijn voordat de *Veltro*
Verschijnt, die haar een pijnlijk einde baart.

Die voedt zich niet met land en niet met geld ook,
Maar wijsheid, liefde, deugd, daar leeft hij door,
Zijn land zal zijn tussen de beide Feltro's.

Hij redt pover Italië, waarvoor
Euryalus, de maagd Cammilla vielen,
Turnus en Nisus, met het zwaard doorboord.

Door stad en land zit hij haar op de hielen
Totdat hij haar terugstoot in de hel
Waaruit de oernijd haar bevrijding wilde.

Om uwentwil lijkt het mij daarom wel,
Dat ik u voorga en dat ík door deze
Eeuwige plaats als gids u vergezel,

Waar gij zult luisteren naar wanhoopskreten,
De oude geesten zien zult, zo in pijn
Dat elkeen om een tweede dood zal smeken,

E poi vedrai color, che son contenti
Nel fuoco, perchè speran di venire,
Quando che sia, alle beate genti.

Alle qua' poi se tu vorrai salire,
Anima fia a ciò di me più degna;
Con lei ti lascerò nel mio partire.

Chè quello Imperador, che lassù regna,
Perch' io fui ribellante alla sua legge,
Non vuol che in sua città per me si vegna.

In tutte parti impera, e quivi regge,
Quivi è la sua città, e l' alto seggio:
O felice colui, cui ivi elegge!'

Ed io a lui: 'Poeta, io ti richieggio
Per quello Dio, che tu non conoscesti,
Acciocch' io fugga questo male e peggio,

Che tu mi meni là dov' or dicesti,
Sì ch' io vegga la porta di San Pietro,
E color cui tu fai cotanto mesti.'

Allor si mosse; ed io li tenni dietro.

Waarna ge hen ziet die tevreden zijn
In 't vuur, omdat zij hopen ooit te komen,
Wanneer dan ook, bij hen die zalig zijn.

Wenst gij dan naar hén op te gaan daarboven,
Zo zal een ziel u bijstaan die dat meer
Verdient dan ik; aan háár laat ik u over.

De Imperator die zo hoog regeert,
Wil niet, daar ik zijn wet niet respecteerde,
Dat ik de toegang tot zijn stad passeer.

Hij heerst alom, om dáár slechts te regeren,
Daar is zijn stad, zijn troon, daar zetelt hij:
O zalig wie hij kiest daar te verkeren!'

En ik tot hem: 'Dichter, ik smeek u bij
De God die gij niet kende, mij te leiden,
Houdt gij mij van dat kwaad en erger vrij,

Leidt gij mij naar wat gij zoëven zeide,
Opdat ik Petrus' poort straks gadesla,
En allen die naar gij zegt zozeer lijden.'

En toen ging hij op weg, en ik hem na.

12

Se la mia vita da l'aspro tormento
si può tanto schermire, e da gli affanni,
ch' i' veggia per vertù de gli ultimi anni,
donna, de' be' vostr'occhi il lume spento,
e i cape' d'oro fin farsi d'argento,
e lassar le ghirlande e i verdi panni
e 'l viso scolorir, che ne' miei danni
a llamentar mi fa pauroso e lento,
pur mi darà tanta baldanza Amore,
ch' i' vi discovrirò de' mei martìri
qua' sono stati gli anni e i giorni e l'ore;
e se 'l tempo è contrario a i be' desiri,
non fia ch'almen non giunga al mio dolore
alcun soccorso di tardi sospiri.

12

Als mijn bestaan zolang bestand mag zijn
tegen verdriet, tegen mijn bitter lijden,
dat ik beleef hoe, door de kracht der tijden,
vrouwe, geen glans meer in uw ogen schijnt,
hoe uw fijngouden haar naar zilver gaat,
hoe ge geen groen, geen bloemkrans meer zult dragen,
en ik niet waag over mijn leed te klagen
als ik de witheid zie van uw gelaat,
dan geeft mij Liefde in mijn pijn zo'n moed
dat ik de waarheid niet meer zal ontvluchten,
de jaren noem, de dagen en de uren;
al zal 't te laat zijn voor verlangen zoet,
niet zal althans aan wat ik moet verduren
de troost ontzegd zijn van uw late zuchten.

PETRARCA 372

239

Com'esser, donna, può quel c'alcun vede
per lunga sperïenza, che più dura
l'immagin viva in pietra alpestra e dura
che 'l suo fattor, che gli anni in cener riede?

La causa a l'effetto inclina e cede,
onde dall'arte è vinta la natura.
I' 'l so, che 'l pruovo in la bella scultura,
c'all'opra il tempo e morte non tien fede.

Dunche, posso ambo noi dar lunga vita
in qual sie modo, o di colore o sasso,
di noi sembrando l'uno e l'altro volto;

sì che mill'anni dopo la partita,
quante voi bella fusti quant'io lasso
si veggia, e com'amarvi i' non fu' stolto.

239

Vrouwe, hoe kan dit zijn? want iedereen
heeft dit sinds lang met beeldhouwwerk ervaren:
tot stof vergaat de maker met de jaren,
zijn beeld blijft voortbestaan in harde steen.

Oorzaak buigt voor gevolg, en daarom: neen,
natuur zal kunst nooit blijvend evenaren,
waar ook mijn beelden het bewijs van waren:
het werk beklijft, door dood en jaren heen.

Dus geef ik ons wellicht in steen of verf een
nieuw leven, en van grote duurzaamheid,
door 't evenbeeld van onze twee gezichten;

al ziet men, duizend jaar nadat wij sterven,
uw schoonheid nog en hoe ik daardoor lijd,
geen zal van dwáze liefde mij betichten.

LAURA TERRACINA

TU sei signora mia bella e gentile,
tu di natura sei mostro sì caro,
tu pregio, tu splendor, tu lume chiaro,
tu sei cagion d'ogni amoroso stile.
Tu l'onor sei del sesso femminile,
tu sei nel mondo un suon sì dolce e raro,
tu fai nomar il ciel crudo e avaro,
poich'a te non trovo io cosa simile.
Tu sei l'arco d'Amor, tu la saetta,
tu il fuoco pur, tu il ghiaccio e tu i martiri,
tu il pianto, tu la gioia e tu l'aita.
Tu sei del nostro cor triegua e vendetta,
tu il gioco, tu il penar, tu i fier sospiri,
tu ancor la morte e tu la dolce vita.

Je bent mijn meesteres, edel en schoon,
je bent glorie en glans en stralend licht,
je bent de bron van ieder minnedicht,
je stelt zo'n wondere natuur tentoon.
Je spant van heel het schoon geslacht de kroon,
je stelt de hemel in een zuinig licht,
daar ze verbleekt bij jouw dierbaar gezicht,
de wereld klinkt in jou zo zoet van toon.
Je bent de boog van Amor en de pijl,
je bent het vuur, het ijs, je bent het lijden,
je bent de traan, de vreugde en het heil.
Je wreekt ons hart en doet de strijd ons mijden,
je bent pijn en fel zuchten, je bent spel,
je bent de dood en 't zoete leven beide.

TOMMASO CAMPANELLA

SONETTO NEL CAUCASO

Temo che per morir non si migliora
lo stato uman; per questo io non m'uccido:
ché tanto è ampio di miserie il nido,
che, per lungo mutar, non si va fuora.
I guai cangiando, spesso si peggiora,
perch'ogni spiaggia è come il nostro lido;
per tutto è senso, ed io il presente grido
potrei obbliar, com'ho mill'altri ancora.
Ma chi sa quel che di me fia, se tace
Onmipotente? e s'io non so se guerra
ebbi quand'era altro ente, ovvero pace?
Filippo in peggior carcere mi serra
or che l'altrieri; e senza Dio nol face.
Stiamci come Dio vuol, poiché non erra.

SONNET UIT DE KAUKASUS

De mensenstaat wordt, vrees ik, door de dood
niet beter; daarom zal ik mij niet doden:
zo groot is 't nest der menselijke noden
dat ook zo'n overgang geen uitweg bood.
Het wee verandert, maar het wordt nooit beter,
elk strand is onze kust gelijk en 'k weet:
waar alles voelt, laat zich mijn lijdenskreet
van nu—één maar uit duizend—licht vergeten.
Maar wie weet wat er van mij wordt wanneer
God in zijn Almacht zwijgt? En of mij eer
oorlog of vrede 't ander wezen biedt?
Nu Filips mij nog erger dan weleer
kerkert—hij is slechts werktuig van de Heer.
Gods wil geschiede, Hij vergist zich niet.

GIACOMO LEOPARDI

L'INFINITO

Sempre caro mi fu quest'ermo colle,
E questa siepe, che da tanta parte
Dell'ultimo orizzonte il guardo esclude.
Ma sedendo e mirando, interminati
Spazi di là da quella, e sovrumani
Silenzi, e profondissima quiete
Io nel pensier mi fingo; ove per poco
Il cor non si spaura. E come il vento
Odo stormir tra queste piante, io quello
Infinito silenzio a questa voce
Vo comparando: e mi sovvien l'eterno,
E le morte stagioni, e la presente
E viva, e il suon di lei. Così tra questa
Immensità s'annega il pensier mio:
E il naufragar m'è dolce in questo mare.

ONEINDIGHEID

Steeds dierbaar was mij die verlaten heuvel,
En deze haag waardoor een zo groot deel van
Het verst verschiet aan mijn blik is onttrokken.
Maar nu ik zit en kijk, verbeeld ik mij de
Onmetelijke ruimte daar voorbij, en
Stilte die boven mensen uitstijgt, rust die
Ten diepste peilloos is; bijna is daardoor
Mijn hart niet angstig meer, en als ik dan het
Ruisen hoor van de wind in deze bomen,
Begin ik met die stem de eindeloze
Stilte te vergelijken: ik moet denken
Aan eeuwigheid en dode jaargetijden
En het levend seizoen met zijn geluiden,
In die immensiteit verdrinkt mijn denken:
En schipbreuk lijden in die zee is vreugde.

ALLA LUNA

O graziosa luna, io mi rammento
Che, or volge l'anno, sovra questo colle
Io venia pien d'angoscia a rimirarti:
E tu pendevi allor su quella selva
Siccome or fai, che tutta la rischiari.
Ma nebuloso e tremulo dal pianto
Che mi sorgea sul ciglio, alle mie luci
Il tuo volto apparia, che travagliosa
Era mia vita: ed è, né cangia stile,
O mia diletta luna. E pur mi giova
La ricordanza, e il noverar l'etate
Del mio dolore. Oh come grato occorre
Nel tempo giovanil, quando ancor lungo
La speme e breve ha la memoria il corso,
Il rimembrar delle passate cose,
Ancor che triste, e che l'affanno duri!

AAN DE MAAN

Sierlijke maan, ik weet nog dat ik naar de
Top klom, een jaar terug, van deze heuvel,
Vol van benauwdheid, om jou te aanschouwen:
En hoe jij toen, zoals ook nu weer, boven
Het bos hing en het bos geheel verlichtte.
Maar beverig verscheen daar aan mijn ogen,
En door de tranen die eraan ontwelden
Omfloerst, jouw aangezicht, omdat mijn leven
Zo moeizaam was: en ís, niets is veranderd,
O mijn beminde maan. En toch verheugt me
't Herdenken en het tellen van de dagen
Van mijn verdriet. Hoe aangenaam toch is ons,
Wanneer wij jong zijn en onze verwachting
Nog lang te gaan heeft en 't geheugen kort is,
Herinnering aan dingen die voorbij zijn,
Al was het triest, al duurt nog de beklemming!

LEOPARDI 381 E.V.

LA QUIETE DOPO LA TEMPESTA

Passata è la tempesta:
Odo augelli far festa, e la gallina,
Tornata in su la via,
Che ripete il suo verso. Ecco il sereno
Rompe là da ponente, alla montagna;
Sgombrasi la campagna,
E chiaro nella valle il fiume appare.
Ogni cor si rallegra, in ogni lato
Risorge il romorio,
Torna il lavoro usato.
L'artigiano a mirar l'umido cielo,
Con l'opra in man, cantando,
Fassi in su l'uscio; a prova
Vien fuor la femminetta a còr dell'acqua
Della novella piova;
E l'erbaiuol rinnova
Di sentiero in sentiero
Il grido giornaliero.
Ecco il Sol che ritorna, ecco sorride
Per li poggi e le ville. Apre i balconi,
Apre terrazzi e logge la famiglia:
E, dalla via corrente, odi lontano
Tintinnio di sonagli; il carro stride
Del passeggier che il suo cammin ripiglia.

Si rallegra ogni core.
Sì dolce, sì gradita
Quand'è, com'or, la vita?
Quando con tanto amore
L'uomo a' suoi studi intende?
O torna all'opre? o cosa nova imprende?

STILTE NA DE STORM

De storm is weer gaan liggen:
Ik hoor de blije vogels en de hen die
De weg is opgelopen,
Toktokt er als tevoor. Zie, in het westen,
Boven de bergen, breekt al blauwe lucht door;
Het veld haalt ruimer adem,
In 't dal is de rivier weer helder zichtbaar.
Elk hart verblijdt zich en van alle kanten
Klinken de straatgeluiden,
Arbeid herneemt haar rechten.
Al zingend loopt de werkman op de deur toe
En staart, werkstuk in handen,
Naar de vochtige hemel.
Om strijd verschijnen meisjes die een emmer
Vers regenwater halen;
De groenteventer doet met
Zijn dagelijkse kreet weer
Om beurten ieders pad aan.
En zie, daar is de Zon, zie hoe zij heuvels
En huizen toelacht. Personeel doet deuren
Van loggia's, van terrassen en balkonnen
Weer open: en nu hoor je in de hoofdstraat
Ver belgerinkel en het knersen van een
Kar als een reiziger de weg weer opzoekt.

En ieder hart verblijdt zich.
Wanneer is zo weldadig,
Zo aangenaam het leven?
Wanneer zet zich een man met
Zo'n liefde aan zijn studie,
Hervat zijn werk of pakt een nieuwe taak aan?

Quando de' mali suoi men si ricorda?
Piacer figlio d'affanno;
Gioia vana, ch'è frutto
Del passato timore, onde si scosse
E paventò la morte
Chi la vita abborria;
Onde in lungo tormento,
Fredde, tacite, smorte,
Sudàr le genti e palpitàr, vedendo
Mossi alle nostre offese
Folgori, nembi e vento.

O natura cortese,
Son questi i doni tuoi,
Questi i diletti sono
Che tu porgi ai mortali. Uscir di pena
È diletto fra noi.
Pene tu spargi a larga mano; il duolo
Spontaneo sorge: e di piacer, quel tanto
Che per mostro e miracolo talvolta
Nasce d'affanno, è gran guadagno. Umana
Prole cara agli eterni! assai felice
Se respirar ti lice
D'alcun dolor: beata
Se te d'ogni dolor morte risana.

En wanneer weet hij minder van zijn lijden?
Welzijn is kind van spanning;
IJdele vreugd en vrucht van
De nu voorbije vrees die eerst zo schokte
En bang voor sterven maakte
Zelfs wie het leven haatte;
Vrees die in lange kwelling
De mensen, koud en zwijgend
En bleek deed zweten, bevend bij het zien wat
Tegen ons was ontketend:
Storm, bliksemslagen, regen.

Natuur, ach, zo wellevend,
Dit zijn dus je geschenken,
Dit zijn de vreugden die je
De stervelingen aanreikt. Pijn ontvluchten
Is vreugde voor ons mensen.
Je zaait de pijn met gulle hand; het lijden
Ontstaat vanzelf: en het welzijn, zoveel als
Dat soms door vreemde speling of een wonder
Geboren wordt uit spanning, is groot voordeel.
Mensdom, de goden dierbaar! 't Is een zegen
Als je verlichting vindt in
Je lijden: zalig ben je
Als dood van alle leed je heeft genezen.

A SE STESSO

Or poserai per sempre,
Stanco mio cor. Perì l'inganno estremo,
Ch'eterno io mi credei. Perì. Ben sento,
In noi di cari inganni,
Non che la speme, il desiderio è spento.
Posa per sempre. Assai
Palpitasti. Non val cosa nessuna
I moti tuoi, né di sospiri è degna
La terra. Amaro e noia
La vita, altro mai nulla; e fango è il mondo.
T'acqueta omai. Dispera
L'ultima volta. Al gener nostro il fato
Non donò che il morire. Omai disprezza
Te, la natura, il brutto
Poter che, ascoso, a comun danno impera,
E l'infinita vanità del tutto.

TOT ZICHZELF

Nu zul je eeuwig rusten,
Mijn moede hart. Verstorven is de laatste
Illusie die ik blijvend dacht. Verstorven.
Ik voel het: niet slechts hoop op
Lieve illusies, ook verlangen naar ze
Is dood. Rust eeuwig. Klop maar
Niet meer. Want niets verdient jou te beroeren,
Noch is de aarde ook maar één zucht waardig.
Bittere weerzin wekt het
Te leven, meer niet, smerig is de wereld.
Kalmeer. Wanhoop nog één keer.
Niets schenkt het noodlot ons geslacht dan sterven.
Toon nu dat je jezelf veracht en ook de
Natuur, de boze macht die
In het geheim tot ieders schade heerst, en
De mateloze ijdelheid van alles.

LEOPARDI *381* E.V.

UMBERTO SABA

LA CAPRA

Ho parlato a una capra.
Era sola sul prato, era legata.
Sazia d'erba, bagnata
dalla pioggia, belava.

Quell'uguale belato era fraterno
al mio dolore. Ed io risposi, prima
per celia, poi perchè il dolore è eterno,
ha una voce e non varia.
Questa voce sentivo
gemere in una capra solitaria.

In una capra dal viso semita
sentive querelarsi ogni altro male,
ogni altra vita.

DE GEIT

Ik heb met een geit staan praten.
Alleen in de wei, van het grazen zat,
en van de regen druipend nat,
stond zij aan een lijn en blaatte.

Dat gelijkblijvend blaten was aan mijn
verdriet verwant. Ik antwoordde, eerst voor
de grap, toen omdat pijn er steeds zal zijn
en maar één stem heeft, zonder onderscheid.
Die stem klonk door
in de klacht van een eenzame geit.

Uit een geit die joodse trekken heeft
klonk het klagen van alle andere pijn,
al het andere dat leeft.

GIUSEPPE UNGARETTI

VEGLIA

Cima Quattro il 23 dicembre 1915

Un'intera nottata
Buttato vicino
A un compagno
Massacrato
Con la sua bocca
Digrignata
Volta al plenilunio
Con la congestione
Delle sue mani
Penetrata
Nel mio silenzio
Ho scritto
Lettere piene d'amore

Non sono mai stato
Tanto
Attaccato alla vita

WAKE

Bergtop Vier, 23 december 1915

Een hele nacht
Neergesmeten naast
Een van mijn maten
Die is omgebracht
Zijn blote tanden
Naar de maan
Gekeerd
En de stagnatie van
Zijn handen
In mijn stilte
Gepenetreerd
Heb ik brieven
Vol liefde geschreven

Nooit ben ik zo hevig
Gehecht
Geweest aan het leven.

EUGENIO MONTALE

IN LIMINE

Godi se il vento ch'entra nel pomario
vi rimena l'ondata della vita:
qui dove affonda un morto
viluppo di memorie,
orto non era, ma reliquiario.

Il frullo che tu senti non è un volo,
ma il commuoversi dell'eterno grembo;
vedi che si trasforma questo lembo
di terra solitario in un crogiuolo.

Un rovello è di qua dall'erto muro.
Se procedi t'imbatti
tu forse nel fantasma che ti salva:
si compongono qui le storie, gli atti
scancellati pel giuoco del futuro.

Cerca una maglia rotta nella rete
che ci stringe, tu balza fuori, fuggi!
Va, per te l'ho pregato, —ora la sete
mi sarà lieve, meno acre la ruggine...

IN LIMINE

Geniet wanneer de wind die door de gaarde
gaat, weer de golfslag van het leven brengt:
hier waar een dode klit herinneringen
verzinkt, was niet een moestuin, maar een
plaats om relieken te bewaren.

Het is geen wiekslag, 't fladderen dat je hoort,
maar de beroering van het eeuwig baren;
zie hoe die eenzame strook aarde
zich tot een smeltkroes transformeert.

Aan deze zijde van de steile tuinmuur
heerst drift. Ga voort, wellicht dat jij, dat jij dan
op 't droombeeld stuit waardoor je wordt verlost:
hier vormen de verhalen zich, de daden
door spel van later tijden uitgewist.

Zoek een gesprongen maas in 't net
dat ons omsluit, spring jij naar buiten, vlucht!
Toe dan, om jouwentwille vraag ik het—
minder steekt nu de wrok, nu valt de dorst mij licht...

OSSI DI SEPPIA (*7*)

Spesso il male di vivere ho incontrato:
era il rivo strozzato che gorgoglia,
era l'incartocciarsi della foglia
riarsa, era il cavallo stramazzato.

Bene non seppi, fuori del prodigio
che schiude la divina Indifferenza:
era la statua nella sonnolenza
del meriggio, e la nuvola, e il falco alto levato.

ZEESCHUIM (7)

De pijn van leven heb ik veel ontmoet:
in 't gorgelen van de geworgde stroom,
in het zich krullen van het dorrend blad,
in 't paard dat niet meer overeind kan komen.

Het welzijn vond ik niet, buiten het wonder dat
de godlijke Onverschilligheid ons toont:
er was het standbeeld in de middagloomte,
en de wolk, en de valk die aan de hemel staat.

(14)

Forse un mattino andando in un'aria di vetro,
arida, rivolgendomi, vedrò compirsi il miracolo:
il nulla alle mie spalle, il vuoto dietro
di me, con un terrore di ubriaco.

Poi come s'uno schermo, s'accamperanno di gitto
alberi case colli per l'inganno consueto.
Ma sarà troppo tardi; ed io me n'andrò zitto
tra gli uomini che non si voltano, col mio segreto.

14

Een ochtend dat ik loop door lucht zo droog als glas,
zie ik misschien juist om als 't wonder zich voltrekt:
achter mij ligt het niets, achter mij strekt
de leegte zich, als een panische roes.

Dan opeens scharen zich aaneen als op een scherm
bomen huizen heuvels, het gangbare bedrog.
Maar dan is het te laat; en stil ga ik mijn weg
te midden van wie niet omzien, met mijn geheim.

MOTTETTI (1)

Lo sai: debbo riperderti e non posso.
Come un tiro aggiustato mi sommuove
ogni opera, ogni grido e anche lo spiro
salino che straripa
dai moli e fa l'oscura primavera
di Sottoripa.

Paese di ferrame e alberature
a selva nella polvere del vespro.
Un ronzío lungo viene dall'aperto,
strazia com'unghia ai vetri. Cerco il segno
smarrito, il pegno solo ch'ebbi in grazia
da te.
E l'inferno è certo.

MOTETTEN I

Je weet: ik moet je weer verliezen en ik kan het niet.
Als door een voltreffer ben ik ondersteboven
van ieder werk, iedere kreet en ook de
zilte adem die van de havenhoofden
aangolft en die het donker voorjaar maakt
van Sottoripa.

Dorp van ijzer en masten
als een bos in het stof van de avond.
Uit open plaatsen klinkt aanhoudend gonzen,
tergend als nagel op glas. Ik zoek het teken
dat ik verloor, het enig pand gekregen
dankzij jou.
En de hel staat vast.

MONTALE 387 E.V.

SPAANS

JUAN DE LA CRUZ

LLAMA DE AMOR VIVA

¡ Oh llama de amor viva,
Que tiernamente hieres
De mi alma en el más profundo centro!
Pues ya no eres esquiva,
Acaba ya si quieres,
Rompe la tela deste dulce encuentro.

¡ Oh cauterio suave!
¡ Oh regalada llaga!
¡ Oh mano blanda! ¡ Oh toque delicado,
Que a vida eterna sabe,
Y toda deuda paga!
Matando, muerte en vida la has trocado.

¡ Oh lámparas de fuego,
En cuyos resplandores
Las profundas cavernas del sentido,
Que estaba obscuro y ciego,
Con extraños primores
Calor y luz dan junto a su Querido!

¡ Cuán manso y amoroso
Recuerdas en mi seno,
Donde secretamente solo moras:
Y en tu aspirar sabroso
De bien y gloria lleno
Cuán delicadamente me enamoras!

LEVENDE VLAM VAN LIEFDE

O liefdevlam die leeft,
Die mij mijn ziel zo mild
In 't diepste van haar binnenste doorwondt!
Nu gij geen pijn meer geeft,
Voleind mij, zo ge wilt,
Breek 't web van deze zoete samenkomst.

O zacht, zuiverend blaken!
O wond, helend gegeven!
O teedre hand! O delicaat beroeren,
Naar eeuwig leven smakend,
Dat alle schuld verevent!
Dat door te doden dood naar leven voerde!

O vuurge lampen, door
Uw glans geven de diepe
Spelonken van gevoel en van de zinnen,
Blind en donker tevoor,
Warmte aan hun Geliefde,
En licht, in wonderbare schitteringen!

Hoe gij in mij ontwaakt!
Om liefelijk en vredig
In mij, alleen, in stilte, te verkeren:
Uw adem, zoet van smaak,
Vol glorie en vol zegen
Weet mij met liefde teer te inspireren!

LUIS GÓNGORA

DE LA BREVEDAD ENGAÑOSA DE LA VIDA

Menos solicitó veloz saeta
destinada señal, que mordió aguda;
agonal carro por la arena muda
no coronó con más silencio meta,

que presurosa corre, que secreta,
a su fin nuestra edad. A quien lo duda
(fiera que sea de razón desnuda)
cada sol repetido es un cometa.

¿ Confiésalo Cartago, y tú lo ignoras?
Peligro corres, Licio, si porfías
en seguir sombras y abrazar engaños.

Mal te perdonarán a ti las horas,
las horas que limando están los días,
los días que royendo están los años.

OVER DE BEDRIEGLIJKE KORTHEID VAN HET LEVEN

De snelle pijl streeft voor zijn scherpe beet
zo fel niet naar het doel dat is bestemd;
het span dat hardrijdt over 't dempend zand
bereikt ook zo geruisloos niet de meet

als onze levensspanne – eer je 't weet
ijlt die naar haar stil eind. Wie dit miskent
(al was 't een beest, verstoken van verstand)
ziet elke nieuwe zon als een komeet.

Getuigt Carthago dit en weet je 't niet?
Je loopt gevaar, Licio, als je bereid bent
om koppig waan en schimmen na te jagen.

De uren, ze vergeven het je niet,
de uren die de dag ten einde slijten,
de dagen die het jaar ten einde knagen.

SALMO *18*

Todo tras sí lo lleva el año breve
de la vida mortal, burlando el brío
al acero valiente, al mármol frío,
que contra el tiempo su dureza atreve.

Antes que sepa andar el pie, se mueve
camino de la muerte, donde envío
mi vida oscura: pobre y turbio río,
que negro mar con altas ondas bebe.

Todo corto momento es paso largo,
que doy a mi pesar en tal jornada,
pues parado y durmiendo siempre aguijo.

Breve suspiro, y último, y amargo,
es la muerte forzosa y heredada,
mas si es ley, y no pena, ¿ qué me aflijo?

PSALM 18

De korte spanne van ons sterflijk leven
voert alles met zich en bedrieglijk spaart
zij noch de fierheid van het moedig zwaard,
noch 't marmer dat de tijd durft wederstreven.

De voet heeft zich reeds op de weg begeven
des doods nog eer hij loopt; mijn onvermaard
bestaan stroomt klein en troebel voort naar waar 't
de woeste, zwarte zee in wordt gedreven.

Elk kort moment een lange stap: vol spijt
vervolg ik deze reis die steeds maar doorgaat,
daar 'k mij, zelfs als ik slaap of stilsta, voorthaast.

Een kleine, laatste zucht vol bitterheid
is sterven, erfdeel nimmer te vermijden;
maar als het wet, geen straf is — waarom lijden?

QUEVEDO 394 E.V.

SALMO *19*

¡Cómo de entre mis manos te resbalas!
¡Oh cómo te deslizas, edad mía!
¡Qué mudos pasos traes, oh muerte fría,
pues con callado pie todo lo igualas!

Feroz, de tierra el débil muro escalas,
en quien lozana juventud se fía;
mas ya mi corazón del postrer día,
atiende al vuelo sin mirar las alas.

¡Oh condición mortal! ¡Oh dura suerte!
¡Que no puedo querer vivir mañana
sin la pensión de procurar mi muerte!

Cualquier instante de la vida humana
es nueva ejecución con que me advierte
cuán fragil es, cuán mísera, cuán vana.

PSALM 19

Hoe glipt ge door mijn handen! Niet te houden
is het verglijden mijner jaren tal!
Hoe stil en woordeloos uw komst, oh koude
dood; gij brengt elk gelijkelijk ten val!

Woest springt ge op de zwakke aarden wal,
waarop robuuste jeugd denkt te betrouwen;
mijn hart hoort van de laatste dag nu al
de vleugelslag, zonder die te aanschouwen.

Oh grimmig lot! Oh sterfelijk bestel!
Dat ik naar verder leven niet kan talen
of ik moet voor mijn dood de prijs betalen!

Van 't menselijk bestaan zal elke tel
voor mij opnieuw per dwangbevel bepalen
hoe zwak het is, hoe ijdel, hoe armzalig.

QUEVEDO 394 E.V.

DEFINIENDO EL AMOR

Es hielo abrasador, es fuego helado,
es herida que duele y no se siente,
es un soñado bien, un mal presente,
es un breve descanso muy cansado.

Es un descuido que nos da cuidado,
un cobarde con nombre de valiente,
un andar solitario entre la gente,
un amar solamente ser amado.

Es una libertad encarcelada
que dura hasta el postrero parasismo,
enfermedad que crece si es curada.

Éste es el niño amor, éste es su abismo:
¡mirad cuál amistad tendrá con nada
el que en todo es contrario de sí mismo!

HET DEFINIËREN VAN DE LIEFDE

Ze is én kou die schroeit én ijzig branden,
een wond die schrijnt én zich niet voelen laat,
een droom van 't goede, een aanwezig kwaad,
een rust die als vermoeidheid overmande.

Is zorgeloosheid die tot zorgen leidt,
is lafheid die voor dapperheid moet doorgaan,
is eenzaam in een menigte teloorgaan,
is liefde die slechts eigenliefde vleit.

Ze is een vrijheid die gekerkerd is,
en dat zal blijven tot ons laatste beven;
een ziekte die na 't kuren erger is.

Zo is de liefde en zo is haar hel.
Zie toch: zij kan, in alles aan zichzelf
tegengesteld, met niets in vriendschap leven!

¿ QUÉ otra cosa es verdad, sino pobreza,
en esta vida frágil y liviana?
Los dos embustes de la vida humana,
desde la cuna, son honra y riqueza.

El tiempo, que ni vuelve ni tropieza,
en horas fugitivas la devana,
y en errado anhelar, siempre tirana,
la fortuna fatiga su flaqueza.

Vive muerte callada y divertida
la vida misma: la salud es guerra
de su propio alimento combatida.

¡ Oh cuánto el hombre inadvertido yerra,
que en tierra teme que caerá la vida,
y no ve que en viviendo cayó en tierra!

WAAR kan, als ik de armoe buitensluit,
dit broze, wufte leven waarheid vinden?
Twee leugens, eer en rijkdom, hebben in de
wieg reeds het menselijk bestaan verbruid.

De tijd die nimmer keert, noch wordt gestuit,
zal het bestaan per vluchtig uur afwinden;
zwak leven wordt, als lusten het verblinden,
door het despotisch lot steeds uitgebuit.

Het leven zelf leeft, als een stille grap,
een dood die zwijgt: gezondheid is een strijd
die men verliest van eigen levenssap.

Hoe dwaalt de mens in zijn onachtzaamheid
die vreest dat hij op aard het leven laat,
niet ziet dat hij aan 't leven zelf vergaat!

QUEVEDO 394 E.V.

JUANA INÉS DE LA CRUZ

REDONDILLAS

Arguye de inconsecuente el gusto y la censura de los hombres, que en las mujeres acusan lo que causan

Hombres necios, que acusáis
a la mujer sin razón,
sin ver que sois la ocasión
de lo mismo que culpáis;

si con ansia sin igual
solicitáis su desdén,
¿por qué queréis que obren bien
si las incitáis al mal?

Combatís su resistencia,
y luego con gravedad
decís que fué liviandad
lo que hizo la diligencia.

Parecer quiere el denuedo
de vuestro parecer loco,
al niño que pone el coco,
y luego le tiene miedo.

Queréis con presunción necia
hallar a la que buscáis,
para pretendida, Thais,
y en la posesión, Lucrecia.

¿Qué humor puede ser más raro,
que el que falto de consejo,
él mismo empaña el espejo
y siente que no esté claro?

KWATRIJNEN

Over de inconsequente smaak en kritiek van mannen die de vrouw beschuldigen van dat waar zij zelf de oorzaak van zijn

Zot mansvolk, wat voor verwijt
maakt ge de vrouw zonder reden;
begrijp dat als zij iets misdeden,
gijzelf de schuld ervan zijt.

Als in opperste vurigheid
gij blijft dingen naar hun misprijzen,
verlangt ge ze deugdzaam als gij ze
nu juist tot ondeugd verleidt?

Zodra hun weerstand bezwijkt,
verklaart ge met ernstig gelaat dat
lichtzinnige wuftheid verraadt wat
uw ijver voor u had bereikt.

Uw driestheid lijkt even ver heen
als 't gedrag van een jongen die net een
boeman in het veld heeft gezet en
dan zelf er de benen voor neemt.

Uw zotte inbeelding laat
u in haar die ge najaagt verwachten:
een Thaïs zolang u moet smachten,
een Lucretia na de daad.

Een vreemdere gril is er niet
dan van hem die met eigen asem
onberaden de spiegel bewasemt
en dan kwaad is dat hij niets ziet.

Con el favor y el desdén
tenéis condición igual,
quejándoos, si os tratan mal,
burlándoos, si os quieren bien.

Opinión ninguna gana,
pues la que más se recata,
si no os admite, es ingrata,
y si os admite, es liviana.

Siempre tan necios andáis,
que con desigual nivel,
a una culpáis por cruel,
y a otra por fácil culpáis.

¿Pues cómo ha de estar templada
la que vuestro amor pretende,
si la que es ingrata ofende
y la que es fácil enfada?

Mas entre el enfado y pena
que vuestro gusto refiere,
bien haya la que no os quiere
y quejáos enhorabuena.

Dan vuestras amantes penas
a sus libertades alas,
y después de hacerlas malas
las queréis hallar muy buenas.

¿Cuál mayor culpa ha tenido
en una pasión errada,
la que cae de rogada,
o el que ruega de caído?

Voor u houdt het evenveel in
of u gunst of wangunst zult vinden,
want ge spot met wie u beminde
en klaagt, deed ze niet uw zin.

Geen vrouw verwerft zich ooit eer,
ook niet de voorzichtigste dame:
zegt ze ja, dan moet ze zich schamen,
zegt ze nee, dan scheldt u nog meer.

Zo zot zeg ik dat gij zijt
dat ge steeds met twee maten meet bij 't
schelden, daar ge ons wreedheid
òf willigheid verwijt.

Hoe moet dan de vrouw zijn als
ze liefde bij u hoopt te vinden?
Waar haar wreedheid u niet zinde
en haar willigheid ook niet bevalt?

Maar tussen afkeer en pijn
waaraan u zo graag zegt te lijden,
leve zij die u weet te mijden,
en beklaag u dan maar fijn.

Uw amoureus lijden moet
wel een stimulans zijn voor haar vrijheid,
maar wordt ze slecht waar gij bij zijt,
verlangt ge haar plotseling goed.

Wie treft de schuld allereerst
als er twee aan een passie leden,
zij die valt na dure eden?
hij die bij een knieval zweert?

¿O cuál es más de culpar,
aunque cualquiera mal haga,
la que peca por la paga
o el que paga por pecar?

¿Pues para qué os espantáis
de la culpa que tenéis?
Queredlas cual las hacéis
o hacedlas cual las buscáis.

Dejad de solicitar,
y después con más razón,
acusaréis la afición
de la que os fuere a rogar.

Bien con muchas armas fundo
que lidia vuestra arrogancia;
pues en promesa e instancia,
juntáis diablo, carne y mundo.

Of wie heeft het ergste gedwaald,
al was het ook beider dwaling,
zij die zondigt tegen betaling
of hij die voor zonde betaalt?

Waarom toch van schrik vervuld
voor dat waar men ú om mag laken?
Bemin ze zoals ge ze maakte
of maak ze zoals ge ze wilt.

Maak haar dus het hof niet meer,
dan verwijt u met meer reden
aan haar de tederheden,
als zij u het eerst begeert.

Met vele wapens nog steeds
trekt de hoogmoed der mannen ten strijde;
u hebt bede en belofte aan uw zijde,
daarmee duivel, wereld en vlees.

No dormía; vagaba en ese limbo
en que cambian de forma los objetos,
misteriosos espacios que separan
    la vigilia del sueño.

Las ideas, que en ronda silenciosa
daban vueltas en torno a mi cerebro,
poco a poco en su danza se movían
    con un compás más lento.

De la luz que entra al alma por los ojos
los párpados velaban el reflejo;
mas otra luz el mundo de visiones
    alumbraba por dentro.

En este punto resonó en mi oído
un rumor semejante al que en el templo
vaga confuso, al terminar los fieles
    con un amén sus rezos.

Y oí como una voz delgada y triste
que por mi nombre me llamó a lo lejos,
y sentí olor de cirios apagados,
    de humedad y de incienso.

. . . .

Entró la noche y, del olvido en brazos,
caí, cual piedra, en su profundo seno:
dormí, y al despertar exclamé: '¡ Alguno
    que yo quería ha muerto!'

Ik sliep niet, ik zwierf in die tussenwereld
waarin de vorm der dingen al vervaagt,
mysterieuze ruimten die de slaap
scheiden van waken.

Het stille carrousel van mijn gedachten
werd in mijn hersens om en om gedraaid,
maar langzaam aan werd van die rondedans
de maat steeds trager.

Mijn oogleden versluierden de weerschijn
van 't licht dat door ons oog de ziel ingaat,
tot ander licht over de beeldenwereld
van binnen straalde.

Op dat moment weerklonk er in mijn oor
gedruis gelijk aan wat, verspreid en vaag,
klinkt in de kerk als gelovigen 't gebed
besluiten met een amen.

En 't was of ik een ijle, droeve stem
hoorde die mij van ver riep bij mijn naam,
er was een geur van vochtigheid, van wierook
en van gedoofde kaarsen.

. . . .

De nacht viel, door vergetelheid omhelsd
stortte ik in zijn binnenste—de slaap;
ik riep: 'Iemand van wie ik hield is dood!'
toen ik ontwaakte.

DEL CAMINO

Daba el reloj las doce... y eran doce
golpes de azada en tierra. ...
...¡ Mi hora! —grité—... El silencio
me respondió: —No temas;
tú no verás caer la última gota
que en la clepsidra tiembla.

Dormirás muchas horas todavía
sobre la orilla vieja,
y encontrarás una mañana pura
amarrada tu barca a otra ribera.

DE WEG

De klok sloeg twaalf... of twaalf malen
met een spa werd gespit in de aarde...
...''t Is mijn tijd!' riep ik uit... De stilte
antwoordde mij: 'Vrees niet,
als de laatste druppel die trilt in
de waterklok valt, zie jij 't niet.

Nog vele uren slapen
op de oude oever zul jij—
en dan, op een zuivere ochtend,
ligt je boot aan de overzij.'

TENEBRAE

Todo el ocaso es amarillo limón.
En el cenit cerrado, bajo las nubes mudas,
bandadas negras de pájaros melancólicos
rayan, constantes, el falso cielo de lluvia.

Por el jardín, sombrío de los plúmbeos nimbos,
las rosas tienen una morada veladura,
y el crepúsculo vago, que cambia las verdades,
pone en todo, al rozarlo, no sé que gasas húmedas.

Lívido, deslumbrado del amarillo, torvo
del plomo, en mis oídos, como un moscardón zumba
una ronda monótona, que yo no sé de dónde
viene, … que deja lágrimas, … que dice: 'Nunca, …
Nunca …'

TENEBRAE

De hele westerkim is als citroen zo geel.
En onder stille wolken, in het dichte zenit,
zie ik droevige vogels die in zwarte zwermen
steeds strepen trekken door de loze regenhemel.

De tuin is somber door zijn loden aureolen,
de rozen hebben er een paarse glans gekregen;
op al wat zij beroert, wordt iets als vochtig gaas
gelegd door de verdoezelende, vage schemer.

Vaalbleek en door het geel verblind, nors van het lood,
hoor ik als 't gonzen van een bromvlieg een steeds eender
refrein... dat huilen doet... ik weet niet waarvandaan,
maar wat het zegt: 'Nooit meer... Nooit meer...' heb ik
begrepen.

CIERRO LOS OJOS

Cierro los ojos y el negror me advierte
Que no es negror, y alumbra unos destellos
Para darme a entender que sí son ellos
El fondo en algazara de la suerte,

Incógnita nocturna ya tan fuerte
Que consigue ante mí romper sus sellos
Y sacar del abismo los más bellos
Resplandores hostiles a la muerte.

Cierro los ojos. Y persiste un mundo
Grande que me deslumbra así, vacío
De su profundidad tumultuosa.

Mi certidumbre en la tiniebla fundo,
Tenebroso el relámpago es más mío,
En lo negro se yergue hasta una rosa.

IK SLUIT DE OGEN

Ik sluit de ogen en het donker zegt
Dat het geen donker is, dat het de nacht
Flonkeren doet, en het geflonker zegt
De luide bron te zijn van wat mij wacht.

Nachtelijk raadsel, reeds met zoveel kracht,
Dat het zijn zegels voor mijn ogen slecht
En uit de afgrond weergaloze pracht
Opdelft, steeds met de dood in tweegevecht.

Ik sluit de ogen. En een wereld blijft,
Zo groot dat ik verblind word, maar bevrijd
Van 's werelds woelige onpeilbaarheid.

Op duisternis bouw ik mijn zekerheid,
In donker is de bliksem meer van mij,
Zie hoe uit nachtzwart zelfs een roos verrijst.

GUILLÉN 401 E.V.

PERFECCIÓN

Queda curvo el firmamento,
Compacto azul sobre el día.
Es el redondeamiento
Del esplendor: mediodía.
Todo es cúpula. Reposa,
Central sin querer, la rosa.
A un sol en cenit sujeta.
Y tanto se da el presente
Que el pie caminante siente
La integridad del planeta.

VOLMAAKTHEID

Gekromd staat het firmament
Compact blauw over de dag.
Twaalf uur in de middag, moment
Van afgeronde pracht.
Alles is koepel. Als spil
Rust de roos die zelf niets wil.
Ze beheerst een zon op 't heetst.
En het heden is zo sterk zichzelf
Dat de voet al gaand iets beseft
Van de gaafheid van de planeet.

DEL TRASCURSO

Miro hacia atrás, hacia los años, lejos,
Y se me ahonda tanta perspectiva
Que del confín apenas sigue viva
La vaga imagen sobre mis espejos.

Aun vuelan, sin embargo, los vencejos
En torno de unas torres, y allá arriba
Persiste mi niñez contemplativa.
Ya son buen vino mis viñedos viejos.

Fortuna adversa o próspera no auguro.
Per ahora me ahinco en mi presente,
Y aunque sé lo que sé, mi afán no taso.

Ante los ojos, mientras, el futuro
Se me adelgaza delicadamente,
Más difícil, más fragil, más escaso.

HET VOORBIJGAAN

Ik kijk terug op de vervlogen jaren,
En zo verdiepen zich de perspectieven
Dat de onscherpe beelden op mijn spiegels
Uit hun contouren amper leven baren.

En toch blijven er steenzwaluwen waren
Om torens heen, en mijn contemplatieve
Kindertijd zet zich voort waar zij hoog vliegen.
Een goede wijn geeft nu mijn oude gaarde.

'k Voorspel niet dat het goed zal gaan of slecht.
Het heden is mijn houvast, en hoewel
Ik weet wat 'k weet, ik leef nog even fel.

Een toekomst blijft mij onderwijl voor ogen
Die zich geleidelijk aan mij onthecht,
Die moeizamer zal zijn, kariger, brozer.

EN LA TELEVISIÓN

Televisión. De pronto campo
Confuso de gentes, un dia
Cualquiera.
Si es guerra, no hay crimen.
Se ve a un prisionero. Camina
Con paso forzado hacia donde
Se concentra alguna milicia
Que sin más,
vivir cotidiano
—No hay pompa—dispara, fusila.
La figura del prisionero
Se doblega, casi caída.
Immediatamente un anuncio
Sigue.
Mercenarias sonrisas
Invaden a través de música.
¿Y el horror, ante nuestra vista,
De la muerte?
Nivel a cero
Todo. Todo se trivializa.
Un caos, y no de natura,
Va sumergiendo nuestras vidas
¿De qué poderío nosotros,
Inocentes, somos las víctimas?

OP TV

TV. Opeens een stuk land
Met gedrang van mensen, zomaar
Een dag.
Als 't oorlog is, is het geen misdaad.
Je ziet een gevangene. Hij wordt
Afgemarcheerd naar de plaats
Waar een groepje soldaten klaar staat
Dat zonder meer,
dit is iets alledaags,
—Geen show—schiet, fusilleert.
De gestalte van de gevangene
Klapt dubbel, is haast gevallen.
Meteen een reclamespot
Er overheen.
Betaald geglimlach
Dringt binnen op muziek.
En de gruwel, voor onze ogen,
Van de dood?
Alles op nul-niveau.
Alles getrivialiseerd.
Een chaos, en niet van de natuur,
Die ons leven overspoelt.
Van welke macht zijn wij,
Zonder schuld, de slachtoffers?

NOCTURNO YANQUI

La lámpara y la cortina
Al pueblo en su sombra excluyen.
Sueña ahora,
Si puedes, si te contentas
Con sueños, cuando te faltan
Realidades.

Estás aqui, de regreso
Del mundo, ayer vivo, hoy
Cuerpo en pena,
Esperando locamente,
Alrededor tuyo, amigos
Y sus voces.

Callas y escuchas. No. Nada
Oyes, excepto tu sangre,
Su latido
Incansable, temeroso;
Y atención prestas a otra
Cosa inquieta.

Es la madera, que cruje;
Es el radiador, que silba.
Un bostezo.
Pausa. Y el reloj consultas:
Todavía temprano para
Acostarte.

YANKEE-NOCTURNE

De lamp en het gordijn
Sluiten het dorp in zijn donkerte buiten.
Droom nu,
Als je kunt, als je tevreden bent
Met dromen, bij gebrek
Aan werkelijkheid.

Hier ben je, weergekeerd
Uit de wereld, gisteren vol leven,
Vandaag een verloren lichaam,
En waanzinnig hoop je
Op vrienden om je heen
En hun stemmen.

Je zwijgt en luistert. Nee. Niets
Hoor je, behalve je bloed
Dat onvermoeibaar,
Angstig klopt;
En je richt je aandacht
Op andere onrust.

Zoals het hout dat kraakt;
De radiator die suist.
Een geeuw.
Pauze. Je kijkt op je horloge:
Nog te vroeg om
Naar bed te gaan.

Tomas un libro. Mas piensas
Que has leído demasiado
Con los ojos,
Y a tus años la lectura
Mejor es recuerdo de unos
Libros viejos,
Pero con nuevo sentido.

¿Qué hacer? Porque tiempo hay.
Es temprano.
Todo el invierno te espera,
Y la primavera entonces.
Tiempo tienes.

¿Mucho? ¿Cuánto? ¿Y hasta cuándo
El tiempo al hombre le dura?
'No, que es tarde,
Es tarde', repite alguno
Dentro de ti, que no eres.
Y suspiras.

La vida en tiempo se vive,
Tu eternidad es ahora,
Porque luego
No habrá tiempo para nada
Tuyo. Gana tiempo. ¿Y cuándo?

Alguien dijo:
'El tiempo y yo para otros
Dos'. ¿Cuáles dos? ¿Dos lectores
De mañana?
Mas tus lectores, si nacen,

Je pakt een boek. Maar bedenkt
Dat je te veel hebt gelezen
Met je ogen,
En dat op jouw leeftijd lezen maar beter
De herinnering aan een paar
Oude boeken kan zijn,
Maar met nieuwe betekenis.

Wat te doen? Want je hebt de tijd.
Het is vroeg.
De hele winter wacht je,
En dan de lente.
Tijd genoeg.

Veel tijd? Hoeveel? En tot wanneer
Reikt de tijd voor een mens?
'Nee, het is laat,
Het is laat,' herhaalt iemand
Binnen in je, die jij niet bent.
En je zucht.

Je leeft het leven in tijd
Je eeuwigheid is nu,
Omdat er straks
Geen tijd meer zal zijn voor iets
Van het jouwe. Win tijd. Maar wanneer?

Iemand heeft gezegd:
'De tijd en ik, wij nemen het tegen twee
Anderen op.' Welke twee? Twee lezers
Van morgen?
Maar jouw lezers, als die er komen,

Y tu tiempo, no coinciden.
Estás solo
Frente al tiempo, con tu vida
Sin vivir.

Remordimiento.
Fuiste joven,
Pero nunca lo supiste
Hasta hoy, que el ave ha huido
De tu mano.

La mocedad dentro duele,
Tú su presa vengadora,
Conociendo
Que, pues no le va esta cara
Ni el pelo blanco, es inútil
Por tardía.

El trabajo alivia a otros
De lo que no tiene cura,
Según dicen.
¿Cuántos años ahora tienes
De trabajo? ¿Veinte y pico
Mal contados?

Trabajo fue que no compra
Para ti la independencia
Relativa.
A otro menester el mundo,
Generoso como siempre,
Te demanda.

En jouw tijd vallen niet samen.
Je staat alleen
Tegenover de tijd, met je leven
Dat je niet leeft.

Wroeging

Je was jong,
Maar je wist het nooit
Tot vandaag, nu de vogel is gevlogen
Uit je hand.

De jeugd in je doet pijn,
Jij haar wraakzuchtige prooi,
Wetend dat ze,
Omdat dit gezicht haar niet staat,
En dit witte haar niet, vergeefs is,
Want te laat.

Werk maakt voor anderen lichter
Dat waar geen remedie voor is,
Wordt beweerd.
Hoeveel jaar werk jij al?
Twintig en nog wat,
Slordig geteld?

Werk was het dat voor jou niet
De betrekkelijke onafhankelijkheid
Koopt.
De wereld, royaal als altijd,
Vergt een andere taak
Van jou.

Y profesas pues, ganando
Tu vida, no con esfuerzo,
Con fastidio.
Nadie enseña lo que importa,
Que eso ha de aprenderlo el hombre
Por sí solo.

Lo mejor que has sido, diste,
Lo mejor de tu existencia,
A una sombra:
Al afán de hacerte digno.
Al deseo de excederte,
Esperando
Siempre mañana otro día
Que, aunque tarde, justifique
Tu pretexto.

Cierto que tú te esforzaste
Por sino y amor de una
Criatura,
Mito moceril, buscando
Desde siempre, y al servirla,
Ser quien eres.

Y al que eras le has hallado.
¿Mas es la verdad del hombre
Para él solo,
Como un inútil secreto?
¿Por qué no poner la vida
A otra cosa?

Je doceert dus en verdient
Je brood, niet met moeite,
Met ergernis.
Niemand geeft les in wat er toe doet.
Want dat moet de mens
Zichzelf leren.

Het beste dat je was heb je gegeven,
Het beste van je bestaan,
Aan een schim:
Aan de zucht iets waard te zijn,
Aan de wens jezelf te overtreffen,
Altijd weer in de hoop
Dat er morgen een nieuwe dag is
Die, zij het laat, je uitvlucht
Rechtvaardigt.

Stellig heb je je moeite gegeven
Uit lotsbestemming en liefde voor
Een mensenkind,
Mythe van de jeugd, terwijl je altijd al,
En door haar te dienen, tracht
Te zijn die je bent.

En die je was heb je gevonden.
Maar is de waarheid van een mens
Voor hem alleen,
Als een vergeefs geheim?
Waarom het leven niet voor
Iets anders ingezet?

Quien eres, tu vida era;
Uno sin otro no sois,
Tú lo sabes.
Y es fuerza seguir, entonces,
Aun el miraje perdido,
Hasta el día
Que la historia se termine,
Para ti al menos.

Y piensas
Que así vuelves
Donde estabas al comienzo
Del soliloquio: contigo
Y sin nadie.

Mata la luz, y a la cama.

Je leven was wie jij bent;
Je bent niet het een zonder het ander,
Dat weet je.
En het is dus nodig voort te gaan,
Al ging de luchtspiegeling verloren,
Tot de dag
Dat de geschiedenis afloopt,
Althans voor jou.

En je denkt
Dat je terug bent op het punt
Waar je was aan het begin
Van de monoloog: alleen met jezelf,
Verder niemand.

Uit die lamp, en naar bed.

COMMENTAAR

DUITS

JOHANN WOLFGANG VON GOETHE (1749-1831) kreeg tot zijn zestiende thuis onderwijs van zijn vader, een erudiet advocaat in ruste, van wie Goethe ook zijn fysiek en zijn ernst had geërfd, volgens een kort gedicht dat hij op zijn oude dag schreef; van zijn moeder erfde hij een blijmoedig karakter (*die Frohnatur*) en zijn verbeeldingskracht (*Lust zu fabulieren*). Op zijn zestiende ging Goethe in Leipzig studeren, begon poëzie te schrijven en kreeg belangstelling voor geneeskunde en de exacte vakken. Rond zijn twintigste was hij een tijdlang ernstig ziek – een periode waarin hij zich verdiepte in het occultisme, wat hem van pas kwam bij het schrijven van *Faust*. In 1774 verscheen zijn onder invloed van Rousseau geschreven *Die Leiden des jungen Werthers* dat een gigantisch succes had door de verregaande gevoelsontboezemingen, en dat weldra in vele Europese talen was vertaald. Zo werd Goethe al jong wereldberoemd en voorman van de Duitse romantiek.

Een van de gevolgen was dat Karl August, de zestienjarige hertog van Weimar die er zijn zinnen op had gezet van zijn kleine staat een cultuurcentrum te maken en daarom gastvrijheid verleende aan Duitse schrijvers en wetenschappers, Goethe een positie aanbood. Goethe werd minister, speciaal belast met financiën, landbouw en mijnbouw. Ook kreeg hij de supervisie over de Universiteit van Jena. Al deze taken dwongen hem tot strenge zelfdiscipline, zodat hij tijd overhield voor het schrijven van poëzie en toneel, en voor het doen van natuurkundig onderzoek. Goethe maakte in Weimar al snel kennis met de ruim zes jaar oudere Charlotte von Stein, die getrouwd was en moeder van enige kinderen. Goethe vatte een passie voor haar op en zij beantwoordde zijn gevoelens, zij het op zusterlijke wijze.

In 1786 werden zijn officiële plichten Goethe te veel en hij vertrok – bijna met de noorderzon – naar Italië, waar hij een kleine twee jaar bleef en zoveel mogelijk van de klassieke beschaving in zich opnam. Goethe kwam er tot het inzicht dat de literatuur zijn ware roeping was (tot die tijd had hij serieus overwogen om door te gaan in de beeldende kunst).

Het verblijf in Italië is van enorme betekenis geweest voor Goethe, zowel voor zijn persoonlijk leven als voor zijn kunstopvattingen. Hij kwam terug als classicist, bleef in Weimar wonen, maar kreeg gedaan dat hij zich niet meer met staatszaken hoefde bezig te houden. Wel kreeg hij de leiding van het Hoftheater, waar Goethes stukken werden gespeeld (hij trad er soms zelf in op; zo speelde hij Orestes in zijn *Iphigenie auf Tauris*). Ook ging hij door met wetenschappelijk onderzoek, dat hem van even groot belang leek als zijn literaire werk. Hij ontwierp een 'kleurenleer', bestreed Newton inzake de aard van het licht, correspondeerde met Linnaeus over plantkunde, ontdekte een nog onbekend deel van de menselijke anatomie (het os intermaxillare) en gaf zijn naam aan een ijzerhoudend mineraal, het goethiet. In 1792 vergezelde hij zijn hertog op een desastreuze veldtocht in Frankrijk.

Naast zijn toneelstukken (behalve *Faust I* en *Iphigenie* onder meer *Torquato Tasso*, over de Italiaanse renaissance-dichter, en *Egmont*, over de graaf die met Hoorne in 1568 op last van Filips II werd onthoofd) en poëzie schreef Goethe nieuwe romans, waarvan *Wilhelm Meisters Lehrjahre, Wilhelm Meisters Wanderjahre* en *Die Wahlverwandtschaften* het bekendst zijn.

Na zijn terugkeer uit Italië vond Goethe een vrouw in Christiane Vulpius, met wie hij openlijk samenleefde – hoewel dat schandaal gaf en leidde tot een breuk met Frau von Stein – en bij wie hij vijf kinderen kreeg (waarvan er vier jong gestorven zijn), voordat hij met haar trouwde in 1808, in verband met de ongewisheid van het bestaan ten tijde van de Napoleontische oorlogen. Goethe ontmoette Napoleon (op diens verzoek), maar weigerde gehoor te geven aan diens uitnodiging om zich te vestigen in Parijs.

Vanwege Goethes enorme reputatie vanaf jonge leeftijd hebben tijdgenoten ook de onbeduidendste ontmoetingen met hem vastgelegd, zodat zijn leven vrijwel van dag tot dag te documenteren is. Goethe is een groot schrijver, maar bepaald niet de humorloze Olympiër die het middelbaar onderwijs doorgaans van hem maakt. Hij was een bijzonder aards man, liefhebber van het goede des levens en van de natuur, een universele geest en een groot humanist, maar daarnaast iemand die treft door zijn buitengewone normaalheid, zijn geestelijk evenwicht en zijn sceptisch-optimistische levensinstelling.

Wanderers Nachtlied II, het meest bekend onder de naam *Über allen Gipfeln*, naar de eerste regel, maar het eerst gepubliceerd onder de titel *Ein Gleiches*, is zonder twijfel Goethes beroemdste gedicht. Waarschijnlijk wordt het door meer mensen uit het hoofd gekend dan enig ander gedicht uit de Westeuropese poëzie. Er is veel over gepubliceerd en het voornaamste daarvan is samengevat in Wulf Segebrechts *J.W. Goethe 'Über allen Gipfeln ist Ruh' – Texte, Materialien, Kommentar*.

De ontstaansgeschiedenis is heel ongewoon. Tot Goethes portefeuille in Weimar behoorde de exploratie van delfstoffen. De omgeving van Ilmenau was rijk aan delfstoffen. Goethe verbleef er daarom zo nu en dan en maakte er wandeltochten om de omgeving te verkennen. Een van de bergen in de omgeving was de Kickelhahn. Daarop stond een houten schuilhut die werd gebruikt door jagers. Goethe bezocht de hut meermalen en schijnt er ook overnacht te hebben. Bij een bezoek aan de hut op 6 september 1780, na zonsondergang, heeft Goethe *Über allen Gipfeln* met potlood op de ruwhouten wand geschreven. Mogelijk had hij geen papier bij zich en was hij bang het te zullen vergeten.

Het gedicht op de wand van de schuilhut werd al gauw een trekpleister voor Goethes bewonderaars, zelfs een attractie voor toeristen toen er in 1838 in Ilmenau geneeskrachtige baden werden geopend. Veel mensen hebben de tekst in de loop der jaren gekopieerd en er bestaat een uitgebreide controverse over de vraag of de tekst op de wand van de schuilhut identiek was aan de later door Goethe gepubliceerde versie. In elk geval is de gepubliceerde versie de definitieve, door Goethe gesanctioneerde tekst.

In 1869 is er een foto gemaakt van het gedicht op de houten wand (de schuilhut brandde een jaar later af), die is afgedrukt in het bovengenoemde boek van Segebrecht. Hoewel diverse mensen hun initialen door de tekst heen hadden gekrast, is het gedicht op deze foto grotendeels leesbaar. Dat is al bijna een wonder, maar aangenomen wordt dat de tekst enige malen is overgetrokken. Goethe had dat zelfs eigenhandig kunnen doen, want in 1831 heeft hij nog een bezoek gebracht aan de hut. Daarvan is later een gelithografeerde ansichtkaart gemaakt: Goethe zit op een bankje voor de hut, met het onderschrift *Der Greis auf dem Kickelhahn bei Ilmenau* en daaronder staat de tekst van de beide *Nachtlieder*.

Goethe had op 12 februari 1776 zijn eerste *Wanderers Nachtlied* geschreven (*Am Hang des Ettersberg*) en aan Charlotte von Stein gestuurd. Bijna veertig jaar later pas publiceerde hij de gedichten samen: het gedicht uit 1776 onder de titel *Wanderers Nachtlied*, daaronder *Über allen Gipfeln*, met de titel *Ein Gleiches* ('Nog zo een'), een zo laconieke aanduiding dat er mijns inziens uit mag worden afgeleid dat Goethe zelf niet al te veel waarde hechtte aan het gedicht. Daarvoor pleit ook het samen publiceren van de beide teksten, terwijl het eerste *Nachtlied* zo veel zwakker is.

Der du von dem Himmel bist,
Alles Leid und Schmerzen stillest,
Den, der doppelt elend ist,
Doppelt mit Erquickung füllest,
Ach, ich bin des Treibens müde!
Was soll all der Schmerz und Lust? –
Süsser Friede,
Komm, ach komm in meine Brust!

(Eventueel te vernederlandsen als 'Gij die van de hemel zijt,/Alle pijn en smart zult helen,/Gij die hem die dubbel lijdt,/Dubbele troost ook toe zult delen,/ – Ach, ik ben zo moegestreden,/Waartoe dienen lust en smart?/Milde vrede,/Kom, ach, kom toch in mijn hart!')

Wanderers Nachtlied II (de naam waaronder *Über allen Gipfeln* in de meeste edities is opgenomen) is een volmaakt lyrisch gedicht en dat ik er mijn vertaling naast durf af te drukken, is een daad van vermetelheid die alleen te verontschuldigen is doordat ermee kan worden geïllustreerd hoezeer onweegbare, ondefinieerbare factoren de grootheid van een gedicht kunnen uitmaken. De betekenis is in mijn weergave nauwelijks aangetast. Natuurlijk is 'over alle bergtoppen' niet precies hetzelfde als 'over 't gebergte', en 'in alle boomkruinen' niet precies hetzelfde als 'in 't hoge lover' (waar bij komt dat er op de Kickelhahn naaldhout groeit, terwijl 'lover' doet denken aan loofhout – overigens is er uit het gedicht zelf niet op te maken om wat voor bomen het gaat), maar beide wendingen lijken aanvaardbare parafrases. Het diminutief *Vögelein* is niet met een Nederlandse verkleinvorm weergegeven, omdat die in het Nederlands al gauw detoneert of sentimenteel aandoet. 'Dan wordt ook jou/Rust gegeven' is weliswaar minder neutraal dan de wending in het origineel ('Rust jij ook') en zweemt naar lotsbestiering van bovenaf, maar dit harmonieert met Goethes denkwijze uit *Wanderers Nachtlied I* en lijkt daarom verdedigbaar.

Eigenlijk gaf het vertalen van de titel de meeste problemen. Goethe stond zelf bekend als een *Wanderer*, iemand die lange wandeltochten maakte, een 'trekker', maar dat woord lijkt pertinent onbruikbaar—'zwerver' gaat te ver en 'wandelaar' klinkt te tam; ook voor *Nachtlied* is geen compacte weergave in het Nederlands voorradig. Daarom heb ik maar besloten het probleem uit de weg te gaan door de officieuze titel van het gedicht, *Über allen Gipfeln* te vertalen.

Maar al is de betekenis in de Nederlandse versie redelijk overgebracht, toch blijft de vertaling ver achter bij het origineel. Het verschil moet te maken hebben met de vorm.

Die vorm is voor Goethes doen heel onregelmatig, en juist in die onregelmatigheid en het vrije ritme moet de sleutel liggen tot de fascinatie die van het gedicht uitgaat. Er is over die vorm en dat ritme door Duitse literatuurwetenschappers heel wat te berde gebracht, maar mijns inziens is daar niets door verhelderd—en voor zover ze de indruk wekken dat Goethe deze vorm heel bewust zou hebben gekozen, zijn ze zelfs misleidend. Juist in Duitse beschouwingen over poëzie wordt graag gezegd dat een bepaald gedicht de dichter werd 'gegeven'. Die term wordt wel eens ten onrechte, uit dweepzucht, gebruikt, maar in het geval van *Über allen Gipfeln* lijkt hij mij terecht. Het gedicht overviel hem, vond vrijwel vanzelf zijn unieke, onregelmatige vorm en werd door Goethe snel genoteerd op het eerste dat hij bij de hand had—een wandje van vurehouten planken. En waarom het nu precies zo mooi is, dat blijft een mysterie.

Over de betekenis van het gedicht is weinig te zeggen, omdat die zo ondubbelzinnig is. Natuurlijk slaat de 'rust' die Goethe weldra deelachtig zal worden op de dood. Hij leefde nog ruim vijftig jaar, maar dat is tenslotte 'even' (het woord waarmee *balde* is weergegeven) in het licht van de eeuwigheid.

Goethe schreef zijn cyclus *Römische Elegien* in de periode herfst 1788 tot lente 1790, nadat hij was teruggekeerd van zijn Italiaanse reis. Aanvankelijk had hij gereisd onder de naam Filippo Miller, en al werd zijn alias in Rome doorzien, Goethe kon daar allicht meer privacy vinden dan in Weimar. In erotisch opzicht heeft de Italiaanse episode vermoedelijk een bevrijding voor Goethe betekend. Binnen een maand na zijn terugkeer leefde hij samen met Christiane Vulpius.

De oorspronkelijke titel luidde *Erotica Romana*, maar deze werd bij eerste publikatie in Schillers tijdschrift *Die Horen* veranderd in *Römische Elegien*. Ze verschenen in 1795 en wekten nog vrij veel schandaal, hoewel de meer vrijgevochten gedeelten, met name de Priapeeën (Elegie

23 en 24), waren gesupprimeerd. Ook de *Venetianische Epigrammen*, die Goethe in 1790 had geschreven en die in 1796 verschenen in Schillers *Musenalmanach für das Jahr 1796*, waren zwaar gekuist. Dit kan gezien de tijd geen verwondering wekken, maar het is wel vreemd dat de gewraakte passages zelfs in de Hamburgse uitgave van Goethes *Werke*, uit 1948, niet te vinden zijn.

De term 'elegie' heeft van oudsher twee betekenissen, die van 'klaaglied' en die van 'dichtstuk in disticha'. Alleen de tweede betekenis is hier van toepassing. Onder invloed van de klassieken waren Goethes voorgangers Klopstock en Voss begonnen met het schrijven in Duitse hexameters en disticha (die bestaan uit afwisselende hexameters en pentameters). In de Duitse literatuur zijn deze metra veel gebruikt, onder meer ook door Hölderlin. Volgens een wat doctrinair standpunt is dat eigenlijk onmogelijk, omdat Latijn en Gieks 'kwantitatieve' talen zijn, wat wil zeggen dat er een natuurlijk verschil in lengte is tussen (korte en lange) lettergrepen, terwijl het Duits en het Nederlands het metrum afhankelijk maken van geaccentueerde en niet-geaccentueerde lettergrepen. Ik vraag me af of dit standpunt steekhoudend is, omdat uit meetproeven van fonetici duidelijk blijkt dat geaccentueerde lettergrepen (in bijvoorbeeld het Nederlands) van langere duur zijn dan niet-geaccentueerde lettergrepen. Het is dan ook zeer wel mogelijk de klassieke metra in het Nederlands na te volgen, en dat geldt zeker voor de hexameter, al helpt het wel als men het verschil tussen spondee en trochee laat vervagen. De pentameter is moeilijker, hij bestaat uit twee gelijke helften gevormd door twee dactylen (eventueel spondeeën) gevolgd door een beklemtoonde lettergreep, zodat de cesuur in het midden aan weerszijden een beklemtoonde syllabe heeft, getuige bijvoorbeeld deze regel uit de 'Venetiaanse epigrammen': 'Bén ik een méisje zát,/díent ze me nóg als knáap.'

De 'Romeinse elegieën' zijn geschreven in de geest van Propertius, Catullus en Tibullus, het driemanschap dat Goethe noemt in de laatste regel van de vijfde elegie, en er zijn heel wat mythologische verwijzingen. Maar Goethes elegieën danken hun charme en frisheid aan het enthousiasme waarmee hij zijn verhouding beschrijft met Faustina, een Romeinse demi-mondaine, die zich er onder meer op voor liet staan dat: *Nie hat ein Geistlicher sich meiner Umarmung gefreut*. Het portret van Faustina is heel levensecht en het lijkt onbegrijpelijk dat vele Goethe-experts hebben getwijfeld aan haar bestaan. Goethe schreef de Romeinse elegieën pas toen hij terug was in Duitsland (zij het mogelijk op basis van voorlopige versies die in Italië waren ontstaan), dus zou Christiane Vulpius de inspiratiebron zijn geweest. Zulke redenaties kunnen mijns inziens alleen voortkomen uit de vrome wens om in Goethe een pijler van (Biedermeier)fatsoen te willen zien. Faustina zal wel niet de echte naam zijn geweest van Goethes *mantenuta*—haar naam betekent 'Gelukbrengende', maar ze moet wel echt hebben bestaan.

Goethe schreef *Natur und Kunst* in 1800, kort na zijn sonnet *Das Sonett*, met de veelzeggende regels *Sich in erneutem Kunstgebrauch zu üben,/Ist heil'ge Pflicht, die wir dir auferlegen* (de *wir* zijn Goethes kunstbroeders als Schlegel, die de sonnetvorm in ere hadden hersteld). De vorm is zeer geschikt voor het onderwerp van 'Natuur en kunst'—dat hier bijna overeenkomt met vrijheid tegenover gebondenheid: de sonnetvorm moest de dichterlijke impuls in banen leiden. Het idee is mooi retorisch uitgewerkt: vrijheid zonder meer leidt tot niets: vervolmaking is alleen weggelegd voor wie zich wetten stelt en beperkingen oplegt. De voorlaatste regel is beroemd geworden als gevleugeld woord. De laatste regel zou dat ook verdienen en kan zeker, gezien de tijd van ontstaan, beschouwd worden als een commentaar van Goethe op de Franse Revolutie.

Het sonnet *Warnung* is het dertiende uit een cyclus van zeventien sonnetten die Goethe merendeels schreef in december 1807, toen hij verbleef in Jena. Goethe kwam daar veel over de vloer bij de drukker/boekhandelaar Frommann. Frommanns pleegdochter, Minna Herzlieb, een verweesde domineesdochter die Goethe toevallig als kind al had gekend, was een plaatselijke schoonheid van negentien jaar, met grote, donkere ogen, glanzend zwarte vlechten, een lief gezicht en een slank, sierlijk figuur, afgaande op de beschrijving van een tijdgenoot. Goethe was achtenvijftig. Drie jaar later, toen hij haar juist weer had teruggezien, schreef Goethe aan zijn vrouw dat ze nog steeds zo mooi en innemend was, dat hij zichzelf niet kwalijk kon nemen niet zo zuinig (*mehr als billig*) verliefd op haar te zijn geweest.

De cyclus sonnetten schreef Goethe overigens in edele wedijver met de romantische *minor poet* Zacharias Werner. Goethe was door een nieuwe uitgave van Petrarca's gedichten, uit 1806, geïnteresseerd geraakt in het sonnet als medium voor liefdespoëzie. Hij had een Laura nodig en als Laura fungeerde Minna Herzlieb. Alleen al door haar naam was ze als het ware bestemd voor die rol. Dat ze niet veel meer is geweest dan de aanleiding tot een literaire onderneming blijkt mede uit het feit dat Goethe in de cyclus tevens gebruik maakte van motieven uit brieven van Bettina Brentano, door wie hij zich toen het hof liet maken. Dat Minna destijds niet geweten heeft wat voor gevoelens Goethe voor haar koesterde – misschien ten dele voorgaf te koesteren – blijkt uit een brief van Minna aan een vriendin na zijn bezoek: 'Hij was altijd zo vrolijk en zo prettig in de omgang dat het je onbeschrijflijk veel goed deed om in zijn gezelschap te zijn, en ook pijn deed. Ik verzeker je dat ik 's avonds, als ik op mijn kamer kwam en alles zo stil was om mij heen en ik bedacht wat voor gouden woorden ik die avond weer uit zijn mond gehoord had, en bedacht wat een mens toch van zichzelf maken kan, dat ik dan wel eens in tranen uitbarstte.'

Toen Goethe de cyclus publiceerde, in 1815, liet hij de laatste twee gedichten weg als te expliciet. Met name het laatste, *Scharade* ('lettergreepraadsel') verried haar identiteit. Maar Goethe had haar één sonnet in handschrift gegeven, het vijfde, waarin hij memoreert dat hij haar, toen ze klein was, graag als dochtertje zou hebben gehad, maar ook vertelt dat hij nú *heisses Liebetoben* ('hete liefdesrazernij') in zijn hart voelt. Kortom, Minna Herzlieb zal achteraf haar gevolgtrekkingen hebben gemaakt, daarin gesteund door de literaire roddel en achterklap van haar tijd. De situatie doet mij denken aan Rilkes *Frauenschicksal*. Hoe het ook zij, het is ongelukkig met haar afgelopen. Ze trouwde in 1821 met een professor Walch en is niet lang daarna krankzinnig geworden.

In het zestiende sonnet, *Epoche*, vergelijkt Goethe zijn adventstijd van 1807 met de Goede Vrijdag van Petrarca, de dag waarop hij Laura voor het eerst zag. Hoezeer Goethe in deze cyclus op een speelse wijze de petrarkistische conventies volgde, blijkt duidelijk uit het hier vertaalde dertiende sonnet, waarin hij zich voordoet als de smachtende, steeds weer afgewezen minnaar. Het lijkt voor Duitsers vaak moeilijk te aanvaarden dat Goethe uitgesproken humoristisch kon zijn. Daarom heb ik dit sonnet vertaald, als voorbeeld van deze weinig bekende kant van Goethes dichterschap. Ten minste een kwart van Goethes (kortere) gedichten kan niet anders gekwalificeerd worden dan als *light verse*.

De slotregel legt het er in de vertaling nog wat dikker op: in het Duits is maar sprake van 'een vol jaar'.

De Oostenrijkse dichter en toneelschrijver FRANZ GRILLPARZER (1791-1872), afkomstig uit een kunstzinnig en muzikaal milieu (Haydn en

Mozart speelden bij zijn grootvader aan huis, Schubert bij zijn oom), werd na een rechtenstudie eerst huisleraar, vervolgens ambtenaar op het ministerie van financiën, waar hij het bracht tot directeur van het Archief. Als toneelschrijver debuteerde hij met *Die Ahnfrau* (een 'noodlotsdrama') in 1817, en het jaar daarop werd hij benoemd tot vaste toneelschrijver bij het Hofburgtheater. Hij schreef een twaalftal stukken waarin invloeden aanwijsbaar zijn van Spaanse schrijvers uit de Gouden Eeuw zoals Calderon, van Shakespeare en van Goethe. Zijn *Des Meeres und der Liebe Wellen*, over Hero en Leander, is wel met *Romeo and Juliet* vergeleken.

Hij was een hypochonder die leed onder zijn onvermogen om het leven en de literatuur harmonisch te combineren. Elke keer dat er een vrouw belangstelling voor hem had, sloeg hij op de vlucht.

Hij heeft betrekkelijk weinig poëzie geschreven: gedichten met een verstandelijke inslag en een pessimistische toon. Als dichter is hij het bekendst door zijn cyclus *Tristia ex Ponto* (een verwijzing naar Ovidius' gedichten in ballingschap) en zijn epigrammen.

Het gedicht *Entsagung* is typerend voor zijn levenshouding. Hij schreef het na de ongelukkige afloop van zijn liefde voor Heloïse Hoechner (die hij min of meer opdroeg met een ander te trouwen) in Parijs, nadat hij daar veelzeggend genoeg eerst een bezoek had gebracht aan het graf van Abélard en Héloise. Bekend is Grillparzers uitspraak (in een van zijn epigrammen) dat hij zich meer een gedicht voelde dan een dichter.

Niet geheel verklaarbaar is *Des Teuren Kuss auf deinem heissen Munde* (regel 7), omdat de formulering alleen maar op een man kan slaan – vandaar de weergave 'De kus der vriendschap'.

HEINRICH HEINE (1797-1856) was afkomstig uit Düsseldorf, werd joods opgevoed, maar volgde werelds onderwijs. In 1816 kwam hij op kantoor bij zijn oom, de bankier Salomon Heine, maar hij hield het daar niet uit en begon in 1818, met geld van zijn oom, een manufacturenwinkel, die geen succes werd. Zijn oom financierde vervolgens een studie rechten in Bonn, Göttingen (waar hij in 1820 uit de *Burschenschaft* werd gestoten, omdat hij zich had onttrokken aan een duel) en Berlijn. Kort nadat hij *Dr. jur.* was geworden, ging Heine over tot het protestantisme – een stap die gewenst was voor een beoogde loopbaan als ambtenaar. Dat Heine uiteindelijk niet in overheidsdienst als jurist is gaan werken, was te danken aan zijn enorm succes als jong romantisch dichter, vanaf de verschijning van *Lyrisches Intermezzo* in 1823. De verschijning van *Das Buch der Lieder* in 1827 betekende een triomf. Het bevat de ironische liefdesgedichten waaraan Heine zijn grootste faam dankte en die honderden malen op muziek zijn gezet, met name door Schubert en Schumann, maar die toch—vergeleken bij zijn latere werk— een wat slappe indruk maken. Heine reisde in deze jaren veel en zijn reisverslagen in proza (*Reisebilder* in vier delen, 1826-31, een vorm van autobiografische journalistiek met veel kritische en polemische terzijdes) waren ook uiterst succesvol.

Een jaar na de Franse julirevolutie (1830), die een min of meer democratisch regime aan de macht had gebracht, vestigde Heine zich in Parijs —nu definitief als beroepsschrijver en correspondent van Duitse bladen (hij schreef al gauw ook voor de Franse pers). Hier sloot hij zich aan bij een groep jonge Duitse radicalen die als *Junges Deutschland* te boek staan en die zich door de utopistische ideeën van Saint-Simon lieten inspireren. Later raakte Heine bevriend met Karl Marx. Heine had voortdurend last met de Duitse censuur en in 1835 werd hem, met andere Duitse radicalen, door een besluit van de Duitse Bond een publikatieverbod opgelegd (waar overigens de hand mee werd gelicht).

In 1834 leerde Heine Eugénie Mirat (Mathilde) kennen, een ongeletterde goedhartige jonge vrouw die bij hem introk en met wie Heine in 1841 trouwde. In 1843 maakte hij een reis door Duitsland, die resulteerde in zijn *Deutschland, ein Wintermärchen* (1844). In datzelfde jaar verscheen zijn nieuwe poëziebundel *Neue Gedichte* met veel grimmige satires. Ook stierf in dit jaar zijn oom Salomon. Hierdoor dreigde intrekking van de toelage die Heine nog steeds ontving en alleen door zijn familie vetorecht toe te zeggen over wat hij nog zou publiceren, wist Heine zich te verzekeren van blijvende financiële steun. Vermoedelijk heeft de familie een groot deel van Heines memoires in het kader van de overeengekomen regeling doen verdwijnen.

Heine was al jaren ziekelijk, maar in 1848—het revolutiejaar waarin Baudelaire barricaden hielp bouwen en opriep tot het opknopen van zijn pleegvader, generaal Aupick—verergerde zijn toestand zozeer dat hij de rest van zijn leven bedlegerig bleef. De ruggemergziekte waaraan hij leed, veroorzaakte partiële verlamming, hevige krampen en voortdurende pijn, waar alleen met opiaten iets tegen te doen was. Overigens bleef Heine schrijven en in 1851 verscheen zijn derde grote bundel *Romanzero*, waarin onder meer een afdeling met de veelzeggende titel *Lamentatio-*

nen. Heine stierf in 1856 en werd op het kerkhof van Montmartre begraven.

Die Lorelei, geschreven in 1823 en gepubliceerd als tweede gedicht van *Die Heimkehr* in 1824, is waarschijnlijk Heines bekendste gedicht, vooral doordat het in 1838 door Friedrich Silcher op muziek was gezet en een nationale meezinger was geworden. Zelfs de nazi-tijd kon daar niets aan veranderen, al stond er in de nazi-liedboeken *Dichter unbekannt*. Wat de ingrediënten betreft is het gedicht pure romantiek. Omlijst door een introducerend en een concluderend couplet vertelt het gedicht de mythe van een vrouwelijke riviergeest, een undine of nixe (van nixen werd gezegd dat ze voortdurend hun haar kamden), die de ondergang bewerkstelligt van een Rijnschipper, al doet de manier waarop ze haar slachtoffer in het verderf stort niet zozeer denken aan een Germaanse watergeest als wel aan een Griekse sirene—want het is haar schone zang waardoor het slachtoffer, door 'wilde weemoed' bevangen, zich op de rotsen te pletter vaart.

Heine heeft zich bij de eerste strofe hoogstwaarschijnlijk laten leiden door een volkslied uit het Antwerpse Liedboek van 1544 (waarvan een exemplaar zich bevond in de Wolfenbütteler Bibliothek te Lüneburg, waar Heine woonde ten tijde van het ontstaan van *Die Lorelei*). In de Heine-uitgave van Die Bibliothek deutscher Klassiker (band 36) worden daaruit deze beginregels geciteerd: *Help Got, wye mach dit wesen,/dat ich soe trurich byn?*

Twee archaïsmen in de Duitse tekst, *Melodei* en *wundersam*, en de inversie in regel 1, versterken het volksliedachtige karakter van het gedicht, dat ook—als vele volksliedjes—drie heffingen per regel telt.

Nachtgedanken is het slotgedicht van Heines bundel *Neue Gedichte* (1844) en moet in 1843 geschreven zijn, blijkens de tweede strofe, want Heine had zich in 1831 in Parijs gevestigd. Niet lang na het schrijven van *Nachtgedanken* is hij nog een keer teruggegaan naar Duitsland, naar zijn moeder in Hamburg, Betty Heine-van Geldern (1771-1850), en de neerslag daarvan was *Deutschland, ein Wintermärchen* (1844). In Kaput xx daarvan ziet Heine inderdaad zijn moeder terug: *Mein liebes Kind, wohl dreizehn Jahr/Verflossen unterdessen!/Du wirst gewiss sehr hungrig sein-/Sag an, was willst du essen?*

Voor de Heinebundel die ik samen met Marko Fondse heb vertaald, was de beoogde titel 'Denk ik aan Duitsland in de nacht' omdat het Duitse origineel daarvan, samen met de regel die erop volgt, spreekwoordelijk is geworden. Het gevolg was dat de tweede regel (*Dann bin ich um den Schlaf gebracht*) zo moest worden vertaald dat hij zou rijmen op 'nacht' (en daarmee vervielen op zichzelf heel bruikbare weergaven als 'Spookt mij 's nachts Duitsland door het hoofd,/Dan ben ik van mijn slaap beroofd').

Mijn eerste impuls was uit te wijken naar halfrijm, bijvoorbeeld: 'Denk ik aan Duitsland in de nacht,/Dan doe ik echt geen oog meer dicht'; maar al is halfrijm te verkiezen boven een volrijm dat de betekenis geweld aandoet en al is ook Heine zelf niet afkerig van halfrijm, het volrijm op déze plaats draagt niet weinig bij aan wat men 'de slagzinfactor' zou kunnen noemen. Een rijm op 'nacht' aan het eind van de tweede regel was noodzakelijk. Ik probeerde het met vrijwel ieder denkbaar rijmwoord: ... Die nacht wordt wakend doorgebracht/ ... Word ik van slapen afgebracht/ ... Is slapeloosheid steeds mijn klacht/ ... Is slapen niet meer in mijn macht/ ... Is 't slaap waar ik vergeefs naar smacht/ ... Slaap ik niet meer, hoe ik ook wacht/ ... Slaap ik niet meer, wat ik ook tracht/ ... Dan houd ik slapeloos de wacht/ ... Dan hoeft aan slaap niet meer gedacht/ ... Is 't slapeloosheid die mij wacht/, et cetera. Maar essentieel is dat deze regels natuurlijk klinken, niet geforceerd, even soepel als in het Duits. Daarom waren bovenstaande pogingen ongeschikt (ze kunnen hoogstens illustreren hoeveel schade een gedicht in vertaling kan lijden als de vertaler genoegen neemt met een oplossing die gewrongen is of een storend element toevoegt terwille van het rijm).

Nu heeft de vertaler ook nog de kunstgreep van het enjambement tot zijn beschikking. Zou regel 2 worden ingedikt tot 'Dan vlucht de slaap', ontstaan er nieuwe mogelijkheden door te enjamberen. Marko Fondse deed mij de volgende oplossing aan de hand: 'Denk ik aan Duitsland in de nacht,/Dan vlucht de slaap en woelend wacht/Ik op de dag, mijn ogen schroeien/En ik laat hete tranen vloeien.'

Het is een mooie, misschien de best mogelijke oplossing voor dit couplet. Toegevoegde elementen, zoals 'woelend wacht', zijn altijd jammer, maar ze zijn acceptabel als ze min of meer logisch volgen uit de context: van iemand die niet slapen kan, valt aan te nemen dat hij woelt; het wachten op de dag preludeert op het eind van het gedicht. Ook de andere interpolatie, de ogen die schroeien, lijkt verdedigbaar—omdat de heetheid van de door Heine vergoten tranen er als het ware mee wordt verklaard.

En toch beviel mij iets niet. Heine is naar bed gegaan, is (uit bezorgdheid om zijn moeder) aan Duitsland gaan denken en meteen weet hij: nu doe ik geen oog meer dicht. In dat stadium is er geen sprake van schroeiende ogen. Het gevoel dat je ogen schroeien komt pas na langdurige slapeloosheid. (Anderzijds is te veel logica vijandig aan de poëzie.)

Ik bleef zoeken naar een oplossing die beter zou voldoen en omdat mij juist door de redactie van het blad *Socialisme en Democratie* was gevraagd een vertaald gedicht met commentaar te leveren, stuurde ik Heines 'Denk ik aan Duitsland...', zette mijn dilemma uiteen en vroeg de lezerskring (oude socialisten kennen Heine) om suggesties. Er kwamen inderdaad suggesties binnen. Een daarvan was 'Denk ik aan Duitsland in de nacht,/Dan is de slaap waarop ik wacht/Verdwenen: met de ogen open/Laat ik mijn hete tranen lopen.' Het woord 'verdwenen' leek mij in deze context niet helemaal idiomatisch, beter zou zijn 'geweken'—maar waarom niet 'wijkt' in plaats van 'is... geweken'? Zo kwam de tweede regel van deze vertaling tot stand.

Het gedicht is door Duitse commentatoren altijd met grote omzichtigheid behandeld. De teneur is vaak dat 'Denk ik aan Duitsland...' al met al toch wel een patriottisch gedicht is. Terwijl dit gedicht juist door de ironie wordt gered van sentimentaliteit, wordt *Es ist ein kerngesundes Land* volkomen serieus opgevat. Ik citeer één dergelijke criticus, Joachim Müller: 'Die Sehnsucht nach der Mutter ist die Sehnsucht nach Deutschland (...) An seiner Deutschlandliebe kann nicht gezweifelt werden.'

Morphine dateert van ca. 1850 en is het enige gedicht uit de *Lazarus*-cyclus in blanke verzen. In de klassieke mythologie werden Slaap en Dood (Hypnos en Thanatos) wel voorgesteld als tweelingen, en daarvan zijn ook afbeeldingen bewaard gebleven, zoals een scène waarin Dood en Slaap rusten in de armen van hun moeder Nacht (uit de Junotempel in Elis). Beide broers dragen een symbool: Slaap heeft een papaverbloem in zijn hand, Dood een omlaag gerichte fakkel.

Vanaf 1848 lag Heine in zijn *Matratzengruft*. Op 15 maart 1850 schreef hij aan zijn vroegere arts, L. Wertheim: 'Ik lijd dag en nacht (...) en vind alleen enige verlichting als ik mij verdoof met morfine.' In Martin van Amerongens boek *Het matrassengraf, Heine's sterfbed 1848-1856* staat beschreven op welke lugubere wijze de toenmalige medische stand het narcoticum toediende: 'Hij had vier open brandgaten in zijn (doorgelegen) rug, die hierdoor in feite één open wonde was. Via deze open wonde brachten de heren medici opiaten in de bloedbaan van de patiënt. In de brandgaten werd vervolgens een erwt gestopt, die ten eerste diende te verhinderen dat de wonden zich sloten en ten tweede geacht werd de voorraad etter op peil te houden.' (p. 30)

De conclusie in Heines gedicht is het eerst geformuleerd door Sophocles in *Oedipus in Kolonos*: 'Nooit geboren worden is verreweg het beste.'

Het is ongelooflijk dat Heine zijn geestige lofzang op de vrouw, *Das Hohelied*, heeft geschreven in een periode dat het voor zijn artsen een raadsel was dat hij nog leefde, in 1853. In dit hooglied vergelijkt Heine het werk van God met dat van aardse scheppers, i.c. dichters, die maar 'zwakkelingen' zijn bij Hem vergeleken, want wat is poëtische ontboezeming waard naast de hemelse creatie en de levende werkelijkheid van een mooie vrouw. In het derde tot achtste couplet werkt Heine zijn vergelijking uit: haar armen en benen zijn de strofen van het gedicht, hals en hoofd vormen het centrale thema, de tepels staan voor twee puntdichten en dat wat Van Dale 'de sleuf tussen de beide borsten van een vrouw' noemt (zie onder 'boezem'), vormt de cesuur, et cetera.

Het gedicht verscheen in 1854, samen met het even onschuldige *Die Marketenderin*, in een Münchense almanak. Het spreekt boekdelen over het Duitse puritanisme en de positie van Heine in Duitsland dat de hele oplage van de almanak in beslag werd genomen vanwege het aanstootgevende karakter van de beide gedichten.

HUGO VON HOFMANNSTHAL (1874-1929) was afkomstig uit een welgesteld Weens milieu en had al jong een fenomenale kennis van de wereldliteratuur. Hij debuteerde als gymnasiast op zijn zestiende met gedichten onder de schuilnaam Loris, was op zijn zeventiende een gewaardeerd medewerker aan diverse bladen, protegé van Schnitzler en auteur van de bewonderde eenakter in rijmende verzen *Gestern*.

Als auteur wilde hij zich verdiepen in 'de bacteriologie van de ziel'. In 1891 maakte hij kennis met de zes jaar oudere Duitse dichter Stefan George, die hem uitriep tot zijn 'tweelingbroer', maar met wie de verstandhouding snel bekoelde, al werkte Hofmannsthal mee aan het tijdschrift *Blättern für die Kunst* van George, waarmee deze beoogde een 'heilzame dictatuur' in te voeren in de Duitstalige letteren.

Tot 1900 schreef Hofmannsthal nog een tiental eenakters in verzen, beïnvloed door Maeterlincks symbolisme, waarvan *Der Tor und der Tod* het bekendst is (er zijn ongeveer een kwart miljoen exemplaren van verkocht). Hofmannsthal studeerde eerst rechten (zoals zo vele Duitse dichters), toen romanistiek, en promoveerde op een proefschrift over de Franse Pléiade.

Hij trouwde in 1901, besloot van de pen te leven en maakte een persoonlijke crisis door die hem tot het besluit bracht geen lyriek meer te schrijven. Hij schreef daarna nog veel toneel. Zijn *Elektra* werd door Richard Strauss op muziek gezet (1909), waarmee een samenwerking begon die duurde tot Hofmannsthals dood en resulteerde in een tiental opera's, waarvan de meeste repertoire hebben gehouden en waarvan *Der Rosenkavalier, Ariadne auf Naxos* en *Die Frau ohne Schatten* (naar Hofmannsthals enige roman) de bekendste zijn. In 1914 werd hij intendant van het Hoftheater.

De teloorgang van het Oostenrijkse imperium na de Eerste Wereldoorlog was voor Hofmannsthal een grote desillusie. In zijn latere leven werd hij een gelovig katholiek.

Über Vergänglichkeit behoort tot een drietal gedichten in terzinen die bij elkaar horen onder de titel *Terzinen*; de ondertitel *Über Vergänglichkeit* behoort alleen bij het eerste gedicht, dat Hofmannsthal schreef na de dood, in 1894, van Josephina von Wertheimstein, een vrouw die tientallen jaren een salon had gehouden voor de artistieke elite van Wenen en die ondanks het leeftijdsverschil van een halve eeuw zeer gesteld was op Hofmannsthal en een bewonderaarster was van zijn werk, vooral toen hij, zoals ze in 1893 schreef, 'die moderne onbegrijpelijkheid' achterwege begon te laten.

Hofmannsthal maakte haar sterfbed van nabij mee. Hij noteerde in zijn dagboek: 'Er is van haar stille, imposante schoonheid niets over... Alles is dood; ook de stem is vreemd... Ze is bang voor het doodgaan. Dat is het afschuwelijkste. Alle grootheid en schoonheid dienen tot *niets*.' Op de dag van haar dood voegde hij eraan toe: 'Dit is het eerste echt zware verdriet dat ik beleef.'

Hij schreef het gedicht enkele dagen later. Het werd in 1896 gepubliceerd in Georges *Blättern für die Kunst*.

RAINER MARIA RILKE (1875-1926) werd geboren in Praag, in een militair Oostenrijks milieu. Zijn bigotte moeder liet hem tot zijn zesde jaar meisjeskleren dragen. Als tienjarige kwam hij op een militaire kostschool en vier jaar later op een cadettenopleiding. Hij wist er van af te komen door bijna chronisch ziek te zijn. Toen hij later Dostojevski's 'Dodenhuis' las, zei hij de gevangenissfeer al te kennen van zijn militaire scholen, waar hij overigens begon met het schrijven van gedichten. Van 1891 tot 1895 bezocht hij eerst een handelsschool en bereidde zich toen voor op het staatsexamen gymnasium. In 1894 verscheen zijn debuut *Leben und Lieder* dat hij vier jaar later uit de handel nam. Het bevat de enige persoonlijke liefdesgedichten die van Rilke bekend zijn.

Rilke ging in 1895 rechten studeren en was actief in het kunstleven van Praag, verhuisde toen naar München waar hij in '97 Lou Andreas-Salomé leerde kennen. Rilke werd de leergierige discipel van deze geduchte persoonlijkheid, die bekend was door haar relatie met en haar boek over Nietzsche en die dertien jaar ouder was dan hij. De biografen twisten erover of ze ook zijn minnares was. In elk geval maakte hij met haar (de eerste keer was ook haar man erbij) twee reizen naar Rusland. Rilke absorbeerde alles wat Russisch was, leerde de taal en werd slavofiel – hij heeft zelf een aantal gedichten in het Russisch geschreven. Na de tweede Russische reis werd de band met Lou Salomé aanzienlijk losser, maar ze bleef tot het eind de voornaamste vrouwelijke invloed in Rilkes leven.

In 1901 belandde Rilke in de Noordduitse kunstenaarskolonie Worpswede, waar hij in de ban raakt van de geëmancipeerde jonge beeldhouwster Clara Westhoff en met haar trouwt. In december 1901 wordt hun dochter Ruth geboren. Juist in deze tijd staakt de familie het betalen van de toelage waarvan Rilke tot dusver had geleefd en door geldnood valt het gezin uiteen. In 1902 vertrekt Rilke naar Parijs om een monografie over Rodin te schrijven. Clara (die leerling was geweest van Rodin) volgde later, het kind ging naar haar ouders.

Intussen begon Rilke naam te maken als dichter. In 1902 was *Das Buch der Bilder* verschenen, in 1905 verscheen *Das Stundenbuch*. De kennismaking met Rodin en zijn werk en vooral de periode van intens contact, toen hij Rodins secretaris was (1905-1906) betekende voor Rilke een bekering tot een eigen vorm van classicisme, waarvan de twee delen *Neue Gedichte* (1907 en 1908) getuigenis afleggen, gedichten waarin Rilke streefde naar 'harde objectiviteit', zonder vertoon van uitbundige gevoelens.

Sociaal gezien bleef Rilke een ontwortelde die na 1902 steeds meer een *vie de châteaux* leidde, wat wil zeggen dat hij zich voor lange logeerpartijen liet uitnodigen bij aristrocratische relaties—altijd alleen, al bleef hij met Clara getrouwd. Pas na 1908 kon Rilke aan zijn poëzie enig inkomen ontlenen. Tussen zijn reizen door verbleef hij in Parijs, waar ook enige aangrijpende gedeelten van zijn roman *Die Aufzeichnungen des Malte Laurids Brigge* (1910) gesitueerd zijn, maar de Eerste Wereldoorlog overviel hem toen hij juist bij zijn uitgever in Leipzig was en teruggaan bleek onmogelijk. (Zijn meubels en boeken in Parijs werden als vijandig bezit verbeurd verklaard en geveild.) Rilke bracht de oorlogsjaren door in Wenen en München (in Wenen heeft hij nog een half jaar papier moeten liniëren in het Kriegsarchiv, bij wijze van alternatieve oorlogsdienst). In 1919 vertrok hij naar Zwitserland waar iemand een oude toren voor hem kocht (zijn Château de Muzot). Daar schreef hij het grootste deel van zijn *Duineser Elegien* en *Sonette an Orpheus*, een jaar voordat hij stierf aan leukemie.

De twee laatstgenoemde werken hebben het meest bijgedragen tot Rilkes roem en ze vormen misschien zijn beste werk, maar mijn voorkeur gaat uit naar de veel toegankelijker *Neue Gedichte*, door de compacte visualisering van zijn onderwerpen, de onverwachte verbanden die hij legt tussen zichtbare en onzichtbare wereld, door zijn geheel nieuwe wijze van kijken en beschrijven.

Herbsttag is een van Rilke meest bewonderde gedichten, en de eerste regel van de derde strofe is spreekwoordelijk geworden. Rilke schreef het in september 1902 in Parijs, waar hij zich wilde vestigen, nadat hij de zomer had doorgebracht op kasteel Haseldorf in Holstein, de bezitting van een *minor poet*, prins Emil von Schönaich-Carolath die hem als vakbroeder had uitgenodigd toen hij hoorde van Rilkes armoede. Daar had Rilke een 'grootse zomer' doorgebracht. Belangrijker is dat hij, pal voor die zomer, zijn streven om een geregeld gezinsleven met vrouw Clara en dochter Ruth te leiden in een boerenhuis te Westerwede definitief had opgegeven. Tot 1921, toen een bewonderaar hem zijn middeleeuwse toren bij het Zwitserse plaatsje Sierre cadeau deed, heeft Rilke niet meer in een eigen huis gewoond. Voor de tussenliggende periode van zo'n twintig jaar vormt het derde couplet een perfect zelfportret—zeker ook wat betreft het 'lange brieven schrijven' (er zijn vele duizenden brieven van Rilke bewaard).

Dit gedicht is er een dat zich betrekkelijk makkelijk in het Nederlands laat vertalen, omdat de natuurlijke equivalenten van zeven Duitse rijmwoorden ook in het Nederlands rijmen. Mijn vertaling vertoont dan ook vrij veel overeenkomst met die van Anton Korteweg in *De Revisor* (III, 5): vier regels zijn geheel identiek. Toch vond ik dat geen reden een ander gedicht te kiezen. Mijn bundel met vierentwintig vertaalde gedichten van Rilke heeft de beginregel van de derde strofe als titel.

Rilke heeft diverse dierentuingedichten geschreven, waarvan *Der Panther* stellig het beroemdste is. Het eerste couplet beschrijft het getergde rondjes lopen van het gevangen roofdier. Driemaal komt het woord *Stäbe* voor (in de vertaling zelfs vier maal het woord 'stangen'). Die herhaling benadrukt dat de panter alleen nog maar stangen ziet en daarachter niets. De buitenwereld bestaat niet meer.

Het tweede couplet beschrijft de soepele kracht van de tred van de gekooide panter, die als het ware werktuiglijk kringen draait rond de tuierpaal van zijn stationaire, verdoofde wil, als een zinloze 'dans van kracht'.

In het derde couplet blijkt de panter innerlijk aan het afstompen. Nog maar een enkele maal dringt een indruk van buiten de kooi tot hem door, waarbij zijn half geloken oogleden omhoog gaan. De panter staat gespannen stil. Maar het beeld leidt tot niets, het raakt geen gevoel meer en gaat teloor. Het is verleidelijk hierin een symbool te zien voor de mens die wordt gekooid door carrière, conventie, of wat ook, en tot wie steeds minder van de buitenwereld doordringt. Omdat de panter de vaste begeleider was van de god Dionysus, is het ook mogelijk het gedicht vooral te zien als een allegorie voor het gekooid zijn van het dionysische (roes, vervoering, seksuele energie) in de mens.

Er bestaat een verhaal dat Rilke zich ooit tegenover Rodin had beklaagd om het lot van de dichter, die afhankelijk is van zijn inspiratie. Rodin zou hebben geantwoord: 'Ga naar de dierentuin en kijk net zo lang naar een dier tot je erover schrijven kan.' *Der Panther* zou het resultaat zijn geweest van dit advies.

Rilke heeft *Orpheus. Eurydice. Hermes* eerst als prozagedicht geschreven, vervolgens in vrije verzen. De aanleiding was het zien van een klassiek Grieks reliëf met daarop de drie gestalten, in het Louvre of in het Archeologisch Museum in Napels (de punten tussen de namen doen denken aan een klassieke inscriptie).

Rilke heeft van de mythe alleen het dramatisch hoogtepunt gebruikt, de feiten worden bekend verondersteld. Door zijn muziek, waar zelfs stenen gevoelig voor waren, had Orpheus toestemming verkregen zijn gestorven geliefde terug te halen uit de onderwereld, mits hij niet naar haar zou omkijken. Hermes fungeerde als gids.

Rilke beschrijft de terugkeer uit de onderwereld, voorgesteld als een rijk van organische en minerale materie waaruit het leven (het bloed) van de mensen voortkomt. In het tweede couplet wordt de onderwereld voorstelbaarder – hoe woest en ledig en onwezenlijk ook met haar 'Bruggen over leegte' en het vreemde spiegeleffect van de 'grijze blinde vijver'. Er is een weg ('een lichte streep, als wasgoed op een rij dat ligt te bleken' – de alledaagsheid van de vergelijking verhoogt de overtuigingskracht ervan) waarover het drietal terugkeert naar de aarde, met Orpheus ongeduldig voorop. De homerische vergelijking van zijn blik met een hond die steeds opnieuw vooruit rent is beroemd. De regels 47 tot 56 beschrijven Orpheus' liefde voor Eurydice en kosmischer liefde is nooit beschreven. Maar Eurydice (dit is geheel nieuw in de behandeling van het thema) is zich niet bewust van wat er gebeurt. Zij is letterlijk vol van haar dood. Ze is, terugkerend naar de ongeboren staat, alweer in een pril stadium van maagdelijkheid beland, wars van elke aanraking – in niets meer gelijk aan de vrouw die eens 'eiland en geur' van Orpheus' bed was geweest. Ze is bezig op te gaan in de elementen en 'reeds wortel' (een van die wortels waartussen het bloed ontspringt voor nieuwe generaties). Heel schrijnend blijkt aan het eind, als Orpheus zich toch heeft omgedraaid, dat zelfs zijn naam haar niets meer zegt. Orpheus' wanhoop wordt slechts aangeduid – zijn gezicht is in het tegenlicht van de ingang niet te zien. Het gedicht eindigt met de droefheid van Hermes die Eurydice moet terugbrengen naar de onderwereld.

Rilke schreef *Das Einhorn* na een bezoek aan het Musée de Cluny, waar eind 1905 de serie tapijten *La Dame à la Licorne* te zien was. Een in gebed verzonken heilige wordt abrupt opgeschrikt door de verschijning van een eenhoorn, aan wiens bestaan hij nooit had geloofd. Dat maakt overigens een sceptische indruk bij een heilige: in de middeleeuwen werd, ten bewijze van het bestaan van de eenhoorn, in menige kerk een narwaltand bewaard als relikwie: deze tanden (ruim een meter lang, kaarsrecht maar over de hele lengte gedraaid, als een schroef, en ivoorkleurig) komen overeen met de hoorns zoals ze in de middeleeuwen werden afgebeeld;

het bisdom Utrecht had er drie, sinds de elfde eeuw – twee ervan zijn nu te bezichtigen in de kerkelijke afdeling van het Rijksmuseum.

De sceptische heilige speelt verder geen rol in het gedicht, dat voornamelijk een beschrijving is van de onaardse schoonheid van het fabeldier, van de lichteffecten op zijn vel en de prachtige balans van zijn gang. De keuze van het woord *Gestell* in de tweede strofe suggereert haast dat het dier als een zeldzame kostbaarheid is uitgestald. Een bijzondere rol wordt toegekend aan de ogen van de eenhoorn, die al kijkend met een 'onbegrensde blik', een reeks beelden in de ruimte projecteren: een mythische wereld scheppen.

Het hele tafereel kan ook gezien worden als een visioen van de heilige. De 'blauwe' sagencyclus verwijst naar de bekende wandtapijten, waarvan de voorstellingen volgens Rilke in *Malte Laurids Brigge* waren gesitueerd op een 'ovaal blauw eiland'.

Spanische Tänzerin, was (getuige een brief van Rilke aan zijn vrouw) geïnspireerd door het optreden van een Spaanse zigeunerdanseres op het doopfeest van de zoon van de vergeten Spaanse schilder Ignacio Zuloaga, over wie Rilke een monografie wilde schrijven, in het voorjaar van 1906 op Montmartre.

De dans lijkt in het begin van het gedicht iets zelfstandigs, een eerst aarzelende, kleine vlam die uitgroeit tot een laaiend vuur wanneer de danseres het voedt met haar haren en haar kledij. Maar zoals bij de flamencodans de handen en armen van de danseres vaak geheven zijn boven het zinderend geweld van de rest van het lichaam, waar ze met castagnetten commentaar op lijken te leveren, zo worden de armen hier voorgesteld als slangen die zich verschrikt, maar waakzaam distantiëren (de combinatie van *Schlangen* en *klappernd* doet speciaal denken aan ratelslangen – *Klapperschlangen*).

In het volgende couplet grijpen de armen in: ze laten niet toe dat de danseres ten prooi valt aan de passie van haar dans; ze scheiden dans van danseres door het vuur van de dans ter aarde te werpen – zodat de armen weer geïntegreerd zijn met de rest van het lijf, waarmee de danseres een gebiedende allure krijgt. Wel geeft het vuur van de dans zich nog niet gewonnen, maar triomferend, 'met kleine harde voeten' trapt zij het uit. De dans lijkt hier een metafoor voor passie die overwonnen moet worden, omdat een roekeloze overgave te gevaarlijk is.

Ein Frauen-Schicksal beschrijft het drama van een vrouw die in haar jeugd één groots moment heeft gekend. Rilke personifieert het lot en haar kleine leven. Het lot heeft ooit een teug van haar genomen, even lukraak als een koning een glas van een blad neemt om zijn dorst te lessen – maar voor háár kleine leven, haar omgeving (in de vergelijking de bezitter van het glas) is dat voldoende reden om haar vanaf dat moment als iets kostbaars op te bergen, af te sluiten van de rest van de wereld: in een 'bange vitrine' te plaatsen. Als de vrouw oud geworden is, blijkt de zinloosheid van haar bestaan, waaraan in feite niets kostbaars of zeldzaams te bespeuren is.

De term *Dinggedicht* die altijd met Rilke in verband wordt gebracht, is niet altijd verhelderend, maar hier lijkt de term bruikbaar: een 'ongebruikt mensenlot' wordt vergeleken met een ten onrechte voor bijzonder versleten snuisterij. Hoewel hier dus een mens wordt *verdinglicht*, komt het bij Rilke veel vaker voor dat aan dingen juist menselijke roerselen en reacties worden toegekend.

Die Kurtisane is een gedicht waarin de hovaardij van macht berustend op fysieke begeerlijkheid in de ik-vorm onder woorden wordt gebracht. Rilke schreef het in 1907 op Capri, kort voor hij een derde bezoek bracht aan Venetië. Hij had veel studie gemaakt van de Venetiaanse geschiedenis en in zijn gedicht *Die Laute*, dat uit dezelfde periode dateert, noemt hij een Venetiaanse courtisane bij name: Tullia d'Aragona, een beroemdheid die zelf de auteur is van een *Dialogo della infinità d'amore*. Het is mogelijk dat Rilke ook bij *Die Kurtisane* aan haar heeft gedacht.

Dat schoonheid en begeerlijkheid vergankelijk zijn kan de courtisane in dit gedicht niet deren, want ze is een symbool: er zullen steeds opnieuw courtisanes zijn die mannen aan zich verslaafd weten te maken. Zelf geeft ze zich niet. Het goud van haar haar berust op de tovertruc der alchemie; het gevaar van haar ogen staat, via Venetiës kanalen, in verbinding met de zee zelf, symbool van onbeheersbare wisselvalligheid. Haar giftige kus betekent de ondergang van 'menig oud geslacht'.

Het is voor Rilkes doen een hoogromantisch gedicht, haast Baudelairiaans: de vrouw als kwade genius en de erotiek als dodelijk gevaar. Bijzonder is de vereenzelviging van courtisane en stad – een stad die eeuwenlang gegolden heeft als eldorado van betaalde erotiek. Het gedicht is zeker een bijdrage van Rilke aan de literatuur van verfijnde decadentie die in zijn tijd opgang maakte en waar Rilke doorgaans weinig van wilde weten.

Met de tors uit *Archaischer Torso Apollos* is de 'Torso van Milete' bedoeld, een beeld uit de zesde eeuw voor Christus dat Rilke gezien heeft in het Louvre. Er is geen bewijs dat dit uit het theater van Milete afkomstige beeld (waaraan hoofd, armen, geslachtsdelen en het grootste deel van de benen ontbreken) Apollo voorstelde, maar het stond Rilke uiteraard vrij er een Apollo in te zien.

Het hoofd mag dan ontbreken, de tors gloeit als een kandelaar (met afgeknotte armen) en glanst als ogenlicht: het glanzen van de romp is als een stralende blik, zo stralend dat de borst kan verblinden en de gewelfde lijnen van de lies een glimlach lijken, een serene reactie op het ontbreken van *die Zeugung* (de 'teeldelen', zoals Vondel ze noemde). Foto's laten inderdaad een schitterende glans op de gespierde tors zien, lichteffecten die bij het er omheen lopen verspringen zoals bij het 'glinsteren van roofdierhuid'.

Met *Sturz* in regel 10 is primair de bovendorpel van een deur of raam bedoeld. In die betekenis komt het woord ook voor in *Malte Laurids Brigge*, waarin de plaats van een beeld van Karel VI in een vensternis van het Louvre wordt aangeduid met de woorden *unter dem Sturz ihrer Schultern*, en een vergelijkbare bouwkundige term is het Nederlandse 'juk'; maar enkele bladzijden eerder gebruikt Rilke in *Malte* ook het woord *Glassturz* voor 'glazen stolp' en gezien het adjectief *durchsichtig* is het aannemelijk dat ook die betekenis hier meespeelt. In elk geval is in de vertaling geprobeerd beide betekenissen te verdisconteren.

Het tweede terzet geeft de totaalindruk weer: het beeld breekt uit zijn grenzen als een ster (waarbij de contouren schuilgaan achter het uitgezonden licht). De bezwerende slotregel kan men zien als reactie op het zien van verpletterende schoonheid: zo'n ervaring moet je voorgoed veranderd hebben, of na zo'n ervaring is er een innerlijke imperatief om je leven te veranderen. Omdat het om een tors van Apollo gaat, kan men het slot ook opvatten als Delfische orakelspreuk, een vermaan van de god zelf. De slotwoorden zijn geparafraseerd.

GEORG TRAKL (1887-1914) uit het Tiroolse Salzburg, studeerde farmacie en nam in 1912 dienst als legerapotheker met standplaats Innsbruck. Hij vond daar huisvesting bij uitgever Ludwig von Ficker van het blad *Der Brenner*, waarin veel van zijn gedichten verschenen. Na het uitbreken van de Eerste Wereldoorlog werd Trakls *Sanitäts-kolonne* naar Galicië gestuurd. Zijn kennismaking met de oorlog had plaats tijdens de slag bij Grodek (nabij Bialystok). In een schuur zonder de nodige medische voorzieningen moest hij daar een honderdtal stervenden en zwaargewonden verzorgen, terwijl buiten plaatselijke burgers werden opgehangen wegens vermeend verraad. De Russen wonnen de slag. Tijdens de aftocht deed Trakl een poging zich door het hoofd te schieten, wat verhinderd werd. Als gevolg hiervan werd hij ontboden naar Krakau, om daar in een psychiatrische afdeling van het militair hospitaal te worden verpleegd, wegens veronderstelde *dementia praecox*. In Krakau heeft Trakl nog vergeefs contact gezocht met Ludwig Wittgenstein die daar ook gelegerd was en die Trakl kende, omdat Wittgenstein in 1913 honderdduizend kronen aan Ficker had gegeven om te verdelen onder vijf nooddruftige auteurs – Trakl en Rilke behoorden toen tot de begunstigden.

Trakl was in 1913 gedebuteerd met de bundel *Gedichte*, die merendeels nog tamelijk conventioneel zijn. Zijn niet-rijmende, expressionistische gedichten, waardoor hij geldt als grondlegger van de moderne Duitse poëzie, zijn postuum verschenen. Vooral in de gedichten van zijn laatste levensjaar is Trakl de dichter van ondergang, onmacht en fatalisme die schreef over verval, geweld, ontzetting – een dichter met soms surrealistische effecten die door Duitse critici met Rimbaud wordt vergeleken.

Grodek is een van de twee gedichten (het andere is *Klage*) die Trakl vlak voor zijn dood in Krakau heeft geschreven. Hij stierf aan een overdosis cocaïne die hij had meegesmokkeld uit zijn veldapotheek. (Sinds 1907 was hij verslaafd aan diverse middelen).

In sommige edities wordt bij *Grodek* vermeld dat het een *zweite Fassung* betreft, maar als er al een eerdere, afwijkende versie heeft bestaan, dan is die niet bewaard. Het gedicht is een huiveringwekkende evocatie van de oorlog. Door de elliptische zinsbouw is de betekenis hier en daar niet geheel duidelijk, en ik heb geprobeerd daar in de vertaling niets aan te veranderen. In regel 12 zal Trakl met *der Schwester Schatten* wel niet aan zijn eigen zuster Grete hebben gedacht, hoewel die veel voorkomt in zijn werk (ze stierf niet lang na Trakl, door zelfmoord), maar aan een verpleegster.

De slotregels zijn wat cryptisch – in ieder geval worden de 'ijzeren altaren' (de oorlogsmachine) toegesproken en lijkt de 'hete vlam van de geest' te worden gevoed door een 'machtige pijn', te weten, de kinderen en kindskinderen die niet zullen worden geboren.

INGEBORG BACHMANN (1926-1973) werd geboren in het Oostenrijkse Klagenfurt, nabij de grenzen van Italië en Slovenië, en woonde daar haar hele jeugd. Ze bezocht een gymnasium voor meisjes (1938-1944) en ging in 1945 filosofie studeren, eerst in Innsbruck, later in Wenen, waar ze in 1950 promoveerde op het existentialisme van Heidegger. Intussen was ze als onbekend dichteres ingehaald door de *Gruppe '47*, die haar nog ongepubliceerde eerste bundel *Die gestundete Zeit* (1953) met de *Gruppe*-prijs bekroonde. Door het bankroet van haar uitgever kreeg de bundel na publikatie een geringe verspreiding, maar met de herdruk van 1956 en de gelijktijdige verschijning van *Anrufung des Grossen Bären* was haar naam gevestigd.

Ze werkte jarenlang voor de radio en schreef hoorspelen. In 1954 vestigde ze zich in Rome waar ze, afgezien van enkele perioden in München, Zürich en Berlijn, bleef wonen. Ze vertaalde ook poëzie (onder meer van Ungaretti), schreef twee bundels verhalen, een roman (*Malina*) en de libretti van enige opera's van Hans Werner Henze. In 1973 raakte ze zwaar gewond bij een brand in haar huis. Ze overleed drie weken later.

Ingeborg Bachmanns gedichten maken indruk door de heftige expressionistische beeldspraak, het gedreven hortende ritme, in combinatie met een doorgaans verstaanbare gedachtengang (in Duitsland heeft men er de term *Gedankenlyrik* voor). De grondtoon is illusieloos pessimisme, haar visie op de wereld is onbarmhartig, haar thema's zijn wanhopige liefde, verlorenheid, zinloosheid, dood. De mens is eenzaam en leeft 'in de nageboorte van de verschrikking'. Er is geen hoop, wat overblijft is waarheidsliefde.

In *Alle Tage*, uit 1952, is de toestand van oorlog dagelijkse werkelijkheid geworden. Haar antwoord is civiele ongehoorzaamheid. *Die Uniform des Tages* in regel 6 is niet zozeer 'Het dagelijks uniform', als wel 'Het uniform van de dag' (zoals men spreekt van 'de mode van de dag'). *Flucht von den Fahnen* in regel 16 is een variant op *Fahnenflucht*, de gewone Duitse term voor desertie. Maar omdat de wending *Flucht von den Fahnen* het beeld dat erdoor wordt opgeroepen extra nadruk geeft (het vluchten als de eigen vlag in gevaar is) heb ik het woord eerst concreet vertaald, vervolgens als beeldspraak. *Tapferkeit vor dem Freund* is een omdraaiing van de geijkte formule bij het verlenen van militaire onderscheidingen (*Tapferkeit vor dem Feind*), wat in de vertaling met 'in het aangezicht van' verduidelijkt is.

ENGELS

WILLIAM SHAKESPEARE (1564-1616) werd geboren in het marktstadje Stratford, als zoon van een hereboer en handschoenenmaker die ook enige jaren dienst deed als wethouder en burgemeester. Er was in Stratford een Latijnse school (nog te bezichtigen), waar Shakespeare kennis zal hebben gemaakt met het werk van onder meer Plautus, Seneca en Ovidius.

Op zijn achttiende moest hij trouwen met de achteneenhalf jaar oudere, vermoedelijk analfabete boerendochter Ann Hathaway. In de eerstvolgende drie jaar werden drie kinderen geboren.

Het volgende dat vaststaat is dat Shakespeare rond 1591 in Londen acteur is (een beroep dat zich nog maar kort tevoren, dank zij het patronaat van hoge edellieden, had verheven boven de status van kermisgast) en dat hij is begonnen met het schrijven van toneelstukken. Wanneer hij uit Stratford vertrokken is en wat hij in de tussenliggende jaren heeft gedaan is onbekend. Na zijn vestiging in Londen (nooit blijvend, hij ging jaarlijks enige tijd naar Stratford en trok zich daar in 1613 voorgoed terug) verwierf Shakespeare zich weldra een reputatie als dichter (toneel gold niet als serieuze kunstvorm). In 1593 verscheen zijn lange gedicht *Venus and Adonis* (ca. 1200 regels), dat bij zijn leven twaalf drukken beleefde. Het was eerbiedig opgedragen aan Henry Wriothesley, Earl of Southampton. Dit betekent dat Shakespeare was doorgedrongen tot de coterie van gunstelingen rond deze negentienjarige edelman en hoveling ten paleize, die juist terug was in Londen na een studie in Cambridge en die een grote staat voerde met geleend geld. (Na zijn meerderjarigheid zou zijn vaderlijk erfdeel hem verzekeren van een inkomen van – omgerekend in hedendaagse munt – zo'n tien miljoen gulden per jaar.) In 1594 verscheen een tweede lang gedicht van Shakespeare, *The Rape of Lucrece* (ca. 1850 regels), ook met een opdracht aan Southampton, die in aanzienlijk warmere bewoordingen was gesteld dan de vorige (*The love I dedicate to your Lordship is without end*).

In hetzelfde jaar werd een nieuw toneelgezelschap opgericht, The Lord

Chamberlain's Men, en Shakespeare wist zich in te kopen als een van de partners. Het hiervoor benodigde bedrag kan Shakespeare hebben ontvangen van Southampton, want het was regel dat een *Patron* (weldoener, beschermheer, maecenas) zijn dichter(s) geldelijk beloonde. Het ging Shakespeare sindsdien materieel gesproken goed. In 1596 verschafte hij zijn vader een familiewapen, met de spreuk *Non sans Droit!*, waardoor hijzelf met terugwerkende kracht een *gentleman* van geboorte werd. In 1597 kocht hij New Place, het grootste huis van Stratford. Na de dood van Elizabeth (1603) en de troonsbestijging van James wordt Shakespeares gezelschap herdoopt tot The King's Men, wat inhield dat Shakespeares stukken ook aan het hof werden gespeeld.

Voor Shakespeare met zijn eenvoudige, provinciale achtergrond moet het van onschatbaar belang zijn geweest dat hij werd opgenomen in de entourage, of zelfs de vriendenkring, van Southampton. Het betekende zijn kennismaking met een wereld die het culturele hart was van Engeland en die nauw verbonden was met de centra van de politieke macht.

In 1609 verschenen Shakespeares *Sonnets*, uitgegeven door Robert Thorpe. De uitgave wemelde van de zetfouten. Er zijn heel weinig exemplaren van bewaard gebleven en er is in de annalen van de tijd niets over te vinden. De uitgave bleef onopgemerkt.

Dit is bevreemdend, want de twee eerdere poëzie-uitgaven waren smetteloos verzorgd en hadden groot succes. Alleen al door hun intrigerende of zelfs compromitterende inhoud hadden de sonnetten de nodige aandacht moeten trekken, zeker omdat Shakespeare in 1609 op het toppunt stond van zijn roem.

De langzamerhand aanvaarde verklaring moet wel zijn dat de uitgave in 1609 snel en geruisloos is gesupprimeerd, en dat Shakespeare zelf met de uitgave niets te maken heeft gehad. De sonnetten hebben vele generaties voor de volgende raadsels geplaatst: 1. Wie was de mooie jongeling aan wie de eerste 126 gedichten zijn gericht? 2. Wat was de aard van Shakespeares gevoelens voor deze jongen, die onder meer wordt aangesproken als *Master-Mistress of my Passion* (20) en *Lord of my love* (26)? 3. In welke periode heeft Shakespeare de sonnetten geschreven? 4. Wie was de Mr. W.H. die door de uitgever in een soort heilswens voorafgaande aan de sonnetten wordt aangeduid als *the only begetter of these ensuing sonnets*, zodat lange tijd is aangenomen dat W.H. de initialen moesten zijn van degene die Shakespeare tot het schrijven van de sonnetten had geïnspireerd? 5. Wie was de *Rival Poet* die Shakespeare in de sonnetten

78 tot 86 dreigt te verdringen uit de gunst van degene voor wie de gedichten geschreven zijn? 6. Wie was de *Dark Lady* uit de tweede groep sonnetten (127-152) voor wie Shakespeare een verterende hartstocht had opgevat, maar die hij met een woede grenzend aan haat portretteert?

Het is vrijwel zeker dat de mooie jongeling niemand anders is dan Southampton, Shakespeares officiële *Patron* in de periode 1592-1594, en dat de sonnetten ook in diezelfde jaren geschreven zijn. Uit de *Rival Poet*-sonnetten blijkt duidelijk dat Shakespeare en de andere dichter (*both your poets* heet het in 83) in een soort dienstverband staan tegenover de aangesprokene. Talrijk zijn ook verder Shakespeares verwijzingen naar zijn afhankelijke positie: woorden als *vassalage*, *vassal*, *servant* en *duty* komen herhaaldelijk voor. In sonnet 26 vraagt Shakespeare om *apparel on my tattered loving*, wat een verkapt verzoek lijkt om financiële steun; sonnet 79 meldt expliciet dat Shakespeare dergelijke steun ontving in ruil voor poëzie (*While I alone did call upon thy aid/My verse alone had all thy gentle grace*). De aangesprokene in de sonnetten moet mooi geweest zijn en Southampton gold als zodanig. De eerste zeventien sonnetten sporen de jongeman aan snel te trouwen om zijn schoonheid te doen voortbestaan in zijn nageslacht. Van Southampton is bekend dat hij als jongeman weigerde te trouwen, ondanks de pressie die onder meer door zijn moeder op hem werd uitgeoefend. Het is zelfs denkbaar dat die eerste zeventien sonnetten in opdracht van Southamptons moeder geschreven zijn.

Er zijn talloze andere argumenten om de toegesproken jongen in de sonnetten te identificeren als Shakespeares *Patron* Southampton, die merendeels al zijn samengevat, niet zonder scepsis, in het aan de sonnetten gewijde deel van de grote *Variorum*-editie uit het eind van de vorige eeuw. In 1964 verscheen *William Shakespeare* van A.L. Rowse, de Engelse historicus, gespecialiseerd in de Elizabethaanse periode, die daarna nog diverse andere boeken over de kwestie heeft gepubliceerd en die door veel Shakespeare-deskundigen niet geheel voor vol wordt aangezien, misschien omdat hij wat al te apodictisch is in zijn uitspraken, maar die met nieuwe en sterke argumenten komt. Rowse neemt aan (en maakt zeer aannemelijk) dat de *Mr. W.H.* uit Thorpes opdracht (*the only begetter*) niet verwijst naar de inspirator van de gedichten, maar naar degene van wie Thorpe het materiaal gekregen had (*beget* en *get* werden wel eens door elkaar gebruikt). Thorpe zou de sonnetten toegespeeld hebben gekregen van sir William Harvey, de derde man van Southamptons moeder en haar erfgenaam toen ze in 1607 overleed. Southampton zelf was intussen een van de machtigste mannen van Engeland geworden en Harvey zou mogelijk hebben gehandeld uit rancune jegens zijn stiefzoon.

Rowse heeft een antwoord op alle eerder gestelde vragen. De *Rival Poet* zou Marlowe zijn geweest, die in 1593 stierf en die het onvoltooide *Hero and Leander* voor Southampton zou hebben geschreven — als een soort rivaliserende reactie op Shakespeares *Venus and Adonis*. Marlowe was homoseksueel en de jonge Southampton op zijn minst seksueel ambivalent. Marlowe zou als rivaliserend dichter dan ook zeer bedreigend voor Shakespeare zijn geweest. Hij was ook de enige Elisabethaan in wie Shakespeare met enig recht in de tijd van de sonnetten zijn meerdere kon zien (*a worthier pen* in 79, *a better spirit* in 80). De liefde voor de toegesproken jongen in de sonnetten heeft velen ertoe gebracht Shakespeare homoseksuele gevoelens toe te schrijven. Maar het mag niet worden uitgesloten dat de *conceit*, het geraffineerde spel dat Shakespeare met zijn sonnetten beoefende, in feite de uitvergroting was van een renaissanceconventie dat vriendschap tussen mannen iets nobelers was dan liefde tussen man en vrouw, of dat Shakespeare van zijn *Patron* zijn *grand amour* heeft gemaakt als een nieuwe vorm van literaire vleierij. Duidelijk zet Shakespeare zich in sonnet 21 af tegen collega-dichters die voor de rol van Grote Liefde een (al dan niet fictieve) *painted beauty* kozen. (De term *conceit*, ontleend aan het Italiaanse *concetto*, is een sleutelwoord in de poëzie van de zestiende en zeventiende eeuw, en duidt in het algemeen op een retorische trouvaille, zoals een uitgewerkte antithese of paradox, een knap gevonden woordspel, hyperbool of beeldspraak, etc. Vernuft en esprit werden hoger aangeslagen dan spontane natuurlijkheid.)

De fysieke liefde in Shakespeares sonnetten lijkt gereserveerd voor de *Dark Lady*, van wie Rowse ook de identiteit claimt te hebben ontdekt. Zij zou Emilia Lanier (geb. Bassano) zijn geweest, dochter van een muzikant aan Elisabeths hof en de gewezen maîtresse van de Lord Chamberlain (na 1594 de beschermheer van Shakespeares gezelschap). Op latere leeftijd is zij vroom geworden en religieuze poëzie gaan schrijven (onder meer een feministische apologie van Eva inzake het eten van de appel). De identificatie blijft speculatief, maar in elk geval staat vast dat de *Dark Lady* tamelijk ontwikkeld was, dat ze het virginaal bespeelde (zie 128), en dat ze voldoende charmes had om niet alleen Shakespeare, maar ook de narcistische Southampton te verleiden. Want de hier opgenomen acht sonnetten gaan over de driehoeksverhouding tussen Shakespeare, de door hem zo welsprekend beminde jongeman (ik ga er in het hiernavolgende vanuit dat hij inderdaad Southampton was) en hun beider *Dark Lady*. Dat Shakespeares gevoelens voor haar meer waren dan literatuur lijdt geen twijfel.

Acht sonnetten hebben de driehoeksverhouding tot onderwerp—en in de traditionele volgorde zijn dat de nummers 34, 35, 40, 41, 42, 133, 134 en 144, waarbij moet worden aangetekend dat 34 alleen op grond van de context tot deze groep kan worden gerekend. De *wound* en de *loss* en de *strong offence's cross* uit 34 corresponderen duidelijk met dezelfde elementen in bijvoorbeeld 42 en 133 (die expliciet over de kwestie gaan).

De traditionele volgorde van de sonnetten is die van de eerste Quarto-uitgave van Thorpe, uit 1609—een niet-geautoriseerde uitgave waarin de sonnetten niet noodzakelijkerwijze in de juiste volgorde staan afgedrukt. In ieder geval kan niet worden aangenomen dat de indeling in twee groepen, die aan de jongeling en die aan de *Dark Lady*, chronologisch is, met dien verstande dat Shakespeare met het schrijven van de tweede groep pas begonnen is nadat hij de eerste groep had voltooid. Er is veel gespeculeerd over een andere, juistere volgorde van de complete cyclus, maar geen enkele alternatieve ordening heeft voldoende overtuigingskracht.

De acht voor dit boek vertaalde sonnetten over het thema van de gedeelde liefde laten echter op logische en psychologische gronden een alternatieve ordening toe die er als volgt uit zou zien: 144, 34, 35, 40, 134, 41, 42, 133—waarbij dus de volgorde van de gedichten behorend tot de eerste groep is aangehouden, terwijl de drie gedichten uit de tweede groep er op de meest plausibele plaats zijn tussengeschoven. In deze volgorde zijn de sonnetten hier afgedrukt.

Opgemerkt zij nog dat Shakespeare in deze acht gedichten de thou-vorm gebruikt, dus tutoyeert. In tweeëndertig gedichten wordt Southampton toegesproken met *you*, destijds de beleefdheidsvorm.

I (144) Sonnet 144 is daarom het logische begingedicht, omdat Shakespeare alleen nog maar vermoedt dat er iets gaande is tussen zijn vriend en zijn vriendin. Hij zegt twee liefdes te hebben, de ene voor een vrouw, de andere voor een man. Hij noemt ze zijn goede en zijn kwade engel (of geest of genius), die zijn leven sturen en bij wie hij troost en wanhoop heeft gevonden—troost bij de man, wanhoop bij de vrouw.

De man is *fair*: mooi en blond; de vrouw is *colour'd ill*. Die woordkeus verwijst naar haar donkere haar en ogen, bekend uit de andere gedichten, maar is zo negatief mogelijk, want *ill* is bij Shakespeare vaak *evil*, *wrong*. De kleur zwart had, als in zoveel talen, een negatieve lading. Zwart haar en zwarte ogen golden in het Elizabethaanse Engeland bovendien als uitheems en onaantrekkelijk bij een vrouw. De groep sonnetten aan de *Dark Lady* opent dan ook met *In the old age black was not counted fair,/Or if it were, it bore not beauty's name*; (127). In dat openingsgedicht stelt Shakespeare het voor alsof hij zal zorgen dat de mode omslaat in een voorkeur voor zwart, ook al omdat zwart echt is en blond maar al te vaak geverfd. Maar 127 lijkt te zijn geschreven toen Shakespeare nog dong naar de gunsten van zijn *Dark Lady*. Als die gunsten zijn verleend, verandert de toon van de sonnetten. De neerslag ervan is het negatiefst onder woorden gebracht in het beroemde sonnet 129:

Verspilde geestkracht in een poel van smaad
Is lust als daad; en tot de daad is zij
Meinedig, moordziek, bloedig, vol van kwaad,
Rauw, trouweloos, extreem in barbarij.
Amper genoten of meteen veracht,
Redeloos nagejaagd en na 't bezit
Ook redeloos gehaat, lokaas dat wacht
Op wie het vreet en zo diens brein verhit
Dat jagen én bezit tot waanzin leidt,
Extreem, bezeten in bezit en jacht;
De daad is zaligheid maar laat slechts spijt,
En droom is wat als vreugde was verwacht.
Geen die – al weet de wereld dit zeer wel –
De hemel schuwt die voert naar deze hel.

Al zijn woede en frustratie heeft Shakespeare geuit in dit gedicht, maar op drie na zijn alle sonnetten voor de *Dark Lady* bitter en cynisch. In 137 noemt hij haar *the bay where all men ride*, in 147 is ze *black as hell*, in 150 spreekt hij van zijn *just cause of hate* jegens haar. Maar de fysieke hartstocht die hij voor haar voelde, trok zich niets aan van zijn haat en minachting.

De situatie in 144 is duidelijk. Shakespeare is ver van zijn *Patron* én *Dark Lady*, misschien in Stratford (in 1592 en '93 bleven de schouwburgen dicht, omdat er pest heerste). De twee kennen elkaar en Shakespeare is bang voor wat er tijdens zijn afwezigheid kan gebeuren: *But being both from me, both to each friend, I guess one angel in another's hell.*

Evenals in 129 wordt hier gespeeld met de Elisabethaanse *slang*-betekenis van *hell*, namelijk vrouwelijk geslachtsdeel. In het vernuftige spel met betekenissen rond de begrippen engel/duivel, goede/kwade geest werkt dit extra subtiel; met de formulering 'vaart in haar ter helle' is geprobeerd de suggestie van het origineel te behouden. Of *hell* ook in regel 5 dubbelzinnig is gebruikt, lijkt minder zeker (het woord komt in de sonnetten zesmaal voor, driemaal duidelijk zonder seksuele connotatie).

In regel 8 heeft *pride* de sterke bijbetekenis van behaagziek pronken (de verentooi van de pauw heet *pride*) en van *sexual desire, esp. in a female beast* (Webster); vandaar dat ik bij de vertaling van *foul* (bij *pride*) de betekenis 'immoreel, losbandig' heb benadrukt.

De slotregel bevat volgens Stephen Booth (*Shakespeare's Sonnets Edited with Analytic Commentary* 1977) een toespeling op geslachtsziekte. Hoewel mij dit niet waarschijnlijk lijkt (zo luchtig kon Shakespeare het toch niet opvatten als zijn geliefde jongeling de kans zou lopen te worden besmet met syfilis), laat het woord 'uitbranden' in de vertaling de mogelijkheid open. De overheersende betekenis lijkt te zijn: totdat het vuur van haar 'hel' hem te veel van het goede wordt.

II (34) In sonnet 33 is voor het eerst sprake van een *cloud* aan het serene firmament van de vriendschap tussen Shakespeare en zijn *Patron*. Shakespeare loopt op een vroege ochtend in de zon die met *all-triumphant splendour* op hem neerschijnt. Al na een uur verduistert een wolk de zon en Shakespeare concludeert in de slotregels dat zoiets wel moet gebeuren bij *suns of the world* en dat zijn liefde er niet minder om is. Daarmee preludeert sonnet 33 op het volgende, maar in 34 is de toon veel ernstiger. Er klinkt een duidelijk verwijt in door. De *Patron* heeft Shakespeare een mooie dag voorgespiegeld (een onbewolkte verstandhouding), zodat hij is uitgegaan zonder jas (geen enkele voorzorg nam). Niet alleen betrekt de lucht, de bewolking neemt de vorm aan van een kwalijke damp die de *Patron* aan het gezicht onttrekt. De patronale zon breekt wel weer door en zal met zijn warmte Shakespeares tranen drogen, maar dat is niet genoeg: de wond mag worden geheeld, de smet zal blijven. Dat de *Patron* zegt zich te schamen en er spijt van te hebben, maakt Shakespeares verdriet er niet minder om: het verlies blijft en hij blijft het kruis dragen van de krenking. In de slotregels krijgt het verwijt weer een elegante draai, want de verhoudingen lagen niet zo dat Shakespeare zijn *Patron* echte verwijten maken kon. Wilde hij in de gunst blijven, dan kon hij hooguit zijn ongenoegen laten doorschemeren.

Toch is er een *strong offence*, waarvan Shakespeare het kruis moet dragen. Dat kruis komt opnieuw voor in sonnet 42 waar *Patron* en *Dark Lady* Shakespeare samen op het kruis binden, en in 133, waarin Shakespeare zegt een drievoudig kruis te dragen als gevolg van de driehoeksverhouding. Het is vooral door deze overeenkomst dat 34 thematisch kan worden gerekend tot de sonnetten over het conflict inzake de *Dark Lady*.

In regel 6 is *storm-beaten* (door regen gestriemd) in de vertaling weggevallen. In regel 9 betekent *physic* (weergegeven met 'getroost') eigenlijk 'medicijn'; ter compensatie is in regel 14 *ransom* ('boete doen voor', 'goedmaken') weergegeven als 'medicijn'.

De *Patron* heeft zich na zijn eerste misstap schuldbewust getoond tegenover Shakespeare – misschien was het iets incidenteels. Maar mocht de *Patron* echt onder de bekoring raken van de *Dark Lady*, dan zou Shakespeare haar kwijt zijn.

III (35) In dit gedicht stelt Shakespeare het voor alsof de *Patron* zo'n verdriet heeft om zijn misstap dat Shakespeare zelf hem moet troosten: juist de mooiste dingen hebben ook hun schaduwzijde en ieder mens faalt wel eens. Nogal subtiel geeft Shakespeare als voorbeeld van eigen falen dat hij goedpraat wat de *Patron* hem heeft aangedaan, dat hij pleit voor degene die in het conflict zijn tegenstander is. Tussen de complimenten door laat Shakespeare overigens ook het woord *hate* vallen. Hij is verscheurd door tegenstrijdige gevoelens. De slotregels zijn weer verzoenend: de kwestie is de *Patron* niet aan te rekenen, want het is door zíjn eigen toedoen dat de *Patron* en de *Dark Lady* elkaar hebben leren kennen.

In regel 4 staat *canker* voor de *cankerworm*, naam van diverse schadelijke rupsen, de kwalificatie *loathsome* bij *canker* is in de vertaling weggevallen, maar impliciet verdisconteerd in 'ongedierte'.

IV (40) Na de relatieve harmonie van 35 (en nadat er in 36 en 39 gesproken is van een *separation*) brengt dit sonnet, hoe verhuld ook, Shakespeares ergernis tot uiting: het stadium in de woede van iemand die zich emotioneel gepasseerd voelt, waarin hij alles wil opgeven, het mengsel van rancune en kwasi-edelmoedigheid dat bedoeld is om de ander een slecht geweten te bezorgen.

De reden voor deze verandering van toon kan zijn dat het Shakespeare intussen duidelijk is geworden dat het niet bij één afdwaling van de *Pa-*

tron gebleven is. Daarom bevat dit gedicht een waarschuwing, in regel 3: als je haar tot je vaste maîtresse maakt, zul je er geen liefde bij krijgen die *true love* mag heten (en *true love* betekent hier hetzelfde als in een hedendaagse smartlap). Shakespeare draait bij in regel 4: al het mijne wás al van jou, in het bijzonder al mijn liefde. Doordat het Engelse *love* zowel 'liefde' als 'liefste' betekent, is het mogelijk dat hier diverse betekenissen door elkaar heen spelen. (Hedendaagse critici zijn verzot op zogenaamde betekenislagen, maar de betekenis is hier niet gelaagd, ze vormt een kluwen.)

Het tweede couplet is het meest complex. Stephen Booth onderscheidt zeven betekenissen in regel 5, waaronder een paar onwaarschijnlijke, zoals *if you understand my mistress to be my true-love*. De primaire betekenis van regel 5 en 6 is duidelijk: Als je mijn liefste ontvangt/aanvaardt in ruil voor/ten bewijze van mijn liefde, dan kan Shakespeare zijn *Patron* geen verwijt maken, omdat deze alleen maar profiteert van Shakespeares (onvoorwaardelijk geschonken) liefde/liefste. Booth merkt op dat er negatieve connotaties kleven aan *receivest* en *usest* in regels 5 en 6; het eerste woord impliceert een soort *droit de seigneur*, en *use*, gezegd van een 'liefste', is uiteraard niet complimenteus. Maar de betekenis 'liefde' die er doorheen speelt, neutraliseert de cruheid.

In regel 7 is *this self* uit de Quarto-uitgave vaak geëmendeerd tot *thyself*, maar tegenwoordig komt men daarvan terug en redeneert dat Shakespeare met *this self* zichzelf bedoelt.

Het geïmpliceerde object in regel 8 is weer *love*, nu gebruikt in de seksuele en vervolgens de emotionele betekenis. Dat lijkt althans de plausibelste lezing. De *Patron* laat zich de liefde van de *Dark Lady* welgevallen, maar weigert zelf liefde te retourneren.

In de voorlaatste regel spreekt Shakespeare de *Patron* aan als *lascivious grace*; misschien speelt hier de aanspreekvorm *Your Grace* voor hoge edellieden mee, al is de meer letterlijke betekenis sterk aanwezig. Ik wist voor de combinatie niets compacters dan het neologisme 'zinnestreler'. In de vertaling heb ik veel moeten uitwijken naar parafrase. De laatste regel luidt in min of meer letterlijke vertaling: 'Vermoord me maar met al wat je doet om mij te kwetsen, toch moeten we geen vijanden zijn.'

Dit is, meer nog dan de meeste andere sonnetten van Shakespeare, een typisch renaissance-produkt – een bouwsel van vernuft en esprit, elementen die in onze tijd worden gewantrouwd in poëzie. Maar het gaat erom dat de emotie in zo'n gedicht absoluut authentiek kan zijn.

V (133) In dit aan de *Dark Lady* gerichte gedicht wordt duidelijk dat haar verhouding met de *Patron* al wat langer duurt. In de twee openingsregels spreekt Shakespeare overigens zichzelf toe. Vervolgens richt hij zich op ironisch-complimenteuze toon tot haar: zij blijkt toch maar in staat niet alleen de dichter, maar ook diens *Patron* tot haar slaaf te maken. Het eerste couplet is ook nog een variatie op een petrarkistisch cliché: het kreunen om de wond van Amors pijl wordt hier het erotisch kreunen om haar *deep wound* (ook *wound* was Elisabethaans *slang* voor vagina).

In het tweede kwatrijn blijkt Shakespeare in drieërlei opzicht slachtoffer: hij is zichzelf kwijt (zichzelf niet meer de baas), zijn tweede zelf (de *Patron*) kwijt en haar kwijt. Zoals bleek in 36 (*Though in our lives a separable spite*) en 39 (*this separation*) heeft de verhouding van *Patron* en *Dark Lady* tot gevolg gehad dat Shakespeare geïsoleerd raakte (en misschien waren er bijkomende omstandigheden, zoals de al genoemde pestepidemie van 1592 en '93).

Heel Shakespeares vernuft is erop gericht de gunst van de *Patron* niet blijvend te verspelen, en zo komt hij in het derde couplet met een wel heel elegante tournure, die de teneur heeft dat het drama niet te zwaar moet worden opgenomen. Eerst stelt hij de *Dark Lady* voor dat zij zíjn hart zal opsluiten in de gevangenis van haar staalhard gemoed, mits zij het hart van de *Patron* (dat daar nu zucht) zal vrijlaten. Dit zou kunnen worden gelezen als een aanbod van Shakespeare zich meer aan haar te binden als zij zich ontdoet van de *Patron*. De twee volgende regels zijn zeer ambigu. Gezien het voorafgaande lijkt de betekenis primair: wie mij als gevangene heeft (i.c. de *Dark Lady*), die zal ik dienen als hoeder/bewaker: in die dubbelrol kan ze mij niet martelen. Maar er zijn ook veel ingewikkelder lezingen mogelijk.

De slotregels concluderen dat ze toch *rigor* zal gebruiken (wreed zal zijn) en niet alleen tegen Shakespeare, ook tegen de *Patron*, die zijn plaats heeft in Shakespeares hart ('Ben ik van jou, met al wat in mij is.') Zo opgevat heeft het woord *his* in regel 11 alleen de grammaticale functie dat het terugslaat op *Whoe'er*. Maar in feite is er dubbelzinnigheid: Shakespeare wilde ook graag de hoeder zijn van zijn *Patron*.

VI (41) Dit sonnet lijkt thematisch nauw aan te sluiten bij 133, maar het is weer gericht tot de *Patron* en behelst een openlijker verwijt dan de eerdere gedichten. Dat de *Patron* nu en dan toegeeft aan jeugdige lichtzinnigheid, vooral als Shakespeare uit de buurt wordt gehouden (regel 2), is te begrijpen, want door zijn schoonheid staat hij aan veel verleiding bloot. De regels 7 en 8 zijn onderwerp geweest van veel filologische discussie. In de Quarto-uitgave staat *till he have prevailed*. In vele edities is *he* veranderd in *she*, omdat *he* onlogisch zou zijn. Maar in recenter tijd wordt *he* gehandhaafd, omdat de gedachte dan veel subtieler zou zijn, namelijk: een echte man kan geen nee zeggen als een vrouw hem begeert en moet wel ridderlijk tot actie overgaan. Voor Shakespeare was de gedachte dat de *Patron* het alleen om die reden zou hebben aangelegd met de *Dark Lady* uiteraard aantrekkelijk.

Toch zit er iets onlogisch in de combinatie van *sourly leave her* en *till he have prevailed*. Daar staat toch ongeveer: een echte man is wel zo sportief dat hij niet met een zuur gezicht wegloopt, maar de vrouw die hem begeert haar zin geeft. Vanwege de gebruikte parafrase met 'gezwicht' leek 'eer hij is gezwicht' mij de gedachte in elk geval het beste weer te geven. Bij die lezing past *she* beter dan *he*.

In het derde couplet komt dan het verwijt: de *Patron* is doorgegaan met de verhouding. Hij zou Shakespeares *seat* met rust kunnen laten, de ene plaats waar hij dubbel verraad pleegt tegenover zijn dichter, die nu zijn maîtresse kwijt is en bijgevolg ook nog van zijn vriend gescheiden. Het woord *seat* is duidelijk seksueel geladen: de plek die Shakespeare berijdt – als een zadel. Om van die ruiterbeeldspraak iets te behouden heb ik *chide* (eigenlijk 'kapittelen') weergegeven met 'betomen'.

VII (42) Dit gedicht gaat, navranter dan het vorige, over het thema verlies. De situatie lijkt in Shakespeares nadeel beslist. *Patron* en *Dark Lady* hebben elkaar en Shakespeare zegt het verlies van de liefde van zijn vriend (die nu door haar in beslag genomen wordt) het meest te betreuren, wat misschien niet al te oprecht was. Voor het eerst spreekt Shakespeare in dit sonnet beiden toe, en met grote inventiviteit probeert hij het drama weer een plezierige draai te geven. De aanspreekwijze *Loving offenders* zet de toon: eerder kwasi vertederd dan beschuldigend.

Er volgt een nieuw hersenspinsel om het paar te excuseren. De *Patron* is van haar gaan houden, omdat hij geïntrigeerd was geraakt door Shakespeares liefde voor haar. In regel 7 en 8 is de gedachte nogal gewaagd: zij heeft het aangelegd met de *Patron*, maar het is omwille van Shakespeare dat ze zich de attenties van de *Patron* laat welgevallen (waarbij *approve* nog de extra lading heeft van 'uitproberen').

In het derde couplet geeft Shakespeare commentaar op de mogelijkheid dat hij de affectie van de *Patron* definitief kwijt is; daar vaart zijn liefste wel bij. En dat hij haar verliest, wordt goedgemaakt doordat zijn andere liefde, de *Patron*, haar heeft gevonden. In regel 12 herhaalt Shakespeare cynisch dat hij beiden kwijt is, maar dat dat toch *for my sake* (voor mijn bestwil) zo gelopen is, ook al is het een kruis. De slotregels zijn, dank zij een variant op de conventie van de één-makende liefde, weer positief, al zegt hij erbij dat hij zich maar vleit met die gedachte. In feite lijkt Shakespeare zich emotioneel van de *Dark Lady* te distantiëren. Uit regel 2 spreekt een duidelijke reserve: *it may be said I loved her dearly* (niet: *love her dearly*).

De elementen *of my wailing chief* en *touches me more nearly* zijn in de vertaling omgedraaid.

VIII (134) Thematisch sluit dit laatste gedicht aan bij het hierboven behandelde. Regel 13 van sonnet 42 verklaarde *my friend and I are one*. Dus heeft Shakespeare twee zelven. Maar hij had zich verpand aan haar *will*. Ook dit woord is dubbelzinnig en wordt door Shakespeare in de sonnetten meermalen gebruikt in de betekenis van mannelijk of vrouwelijk geslachtsdeel, of in de betekenis van 'lust' (én als afkorting van William (Shakespeare), zoals bijvoorbeeld blijkt uit 135 (*Whoever hath thy wish, thou hast thy Will,/And Will to boot, and Will in overplus*), dat overigens lijkt te dateren uit de tijd toen Shakespeare nog vergeefs naar haar dong.) Hij is overgeleverd aan zijn fysieke hartstocht voor haar: met 'willekeur' is de extra betekenis van *will* enigszins benaderd. Hij is dus zichzelf kwijt en vraagt aan haar zijn andere zelf (de *Patron*) terug, natuurlijk zonder succes. De implicaties van de regels 7 tot 12 zijn niet helemaal duidelijk. Rowse speculeert op grond van regel 7 dat de *Patron* ooit door middel van een brief voor Shakespeare een goed woordje had gedaan bij de *Dark Lady*, een niet ongebruikelijke vriendendienst van een *Patron*. Op die manier zou ook het contact tussen hen ontstaan kunnen zijn. In elk geval laat dit gedicht geen twijfel over de geldelijke bijbedoelingen van de *Dark Lady*. Ze heeft de *Patron* geld gekost. Ze nam wat haar toekwam op grond van haar verleidelijkheden, bevoordeelde zichzelf als een woekeraarster en geeft Shakespeare op voor de *Patron*. Shakespeares reactie in regel 12 is *So him I lose through my unkind abuse*. Dit lijkt te betekenen dat Shakespeare zichzelf beschuldigt: 'door wat ik heb misdaan'. Het is ook mogelijk dat *my unkind abuse* juist slaat op wat Shakespeare was aangedaan. In dat geval zou de vertaling moeten luiden: 'door wat mij is misdaan'.

De conclusie van het gedicht is dat de *Patron* zijn schuld heeft voldaan, ongetwijfeld ook in financiële zin, maar dat hij daardoor niet is vrijgekocht, omdat hij nog steeds aan de *Dark Lady* verslingerd is, al heeft hij niets meer van haar te hopen. Ook de twee slotgedichten van de cyclus (153 en 154), twee variaties op een conventioneel klassiek thema, hebben die teneur. Shakespeare is gaan kuren om van zijn verslaving verlost te worden, maar vergeefs. Overigens zijn die slotgedichten zo licht van toon dat ze kunnen dateren uit een tijd toen de hartstocht voorbij was, bij wijze van coda toegevoegd.

JOHN DONNE (1572-1631) was een acht jaar jongere tijdgenoot van Shakespeare, van wie hij in zijn onbezorgde jonge jaren stellig stukken zal hebben gezien. Qua afkomst behoorde Donne tot de goed gesitueerde burgerij, maar hij zou het grootste deel van zijn leven in geldzorgen verkeren. De familie was katholiek – een ernstige handicap onder Elizabeth. Donne kon om geloofsredenen niet afstuderen in Oxford en een broer van hem stierf in de gevangenis, waar hij was beland wegens het verbergen van een katholiek priester.

Vermoedelijk rond zijn twintigste bekeerde Donne zich tot de *Church of England* en nadien heeft hij op bestelling anti-katholieke pamfletten geschreven. Na zijn bekering leek hij voorbestemd voor een carrière in staatsdienst.

Als *gentleman of adventure* nam Donne in 1596 en 1597 deel aan twee vlootexpedities tegen Spanje onder leiding van de graaf van Essex (ook diens vriend Southampton was van de partij), en in 1598 wordt hij secretaris van een van de machtigste politici van het land, sir Thomas Egerton, Lord Chancellor.

Donne was toen al, in kleine kring, beroemd om zijn satiren en erotische gedichten, die in manuscript circuleerden, en anderzijds ook om zijn eruditie en conversatie. In 1601 werd hij lid van het Parlement. Maar in hetzelfde jaar beging hij een suïcidale misstap, waarvan hij de gevolgen kennelijk verkeerd had ingeschat. Hij trouwde in het geheim met Anne More, nicht en huisgenote van Egerton. Politiek en maatschappelijk was Donne hierdoor, zoals hij zelf schreef, *undone*. Hij verloor zijn positie en zat zelfs enige maanden in de gevangenis. Donnes huwelijk werd later alsnog gesanctioneerd en was liefdevol. Zijn vrouw stierf bij de geboorte van hun twaalfde kind, in 1617.

Van 1601 tot 1615 was Donne afhankelijk van de goedgunstigheid van diverse *Patrons*; de poëzie die hij in deze periode schreef bestaat vooral uit gelegenheidsgedichten, overigens van hoog niveau. Donne achtte het beneden zijn stand om te publiceren (de eerste uitgave van zijn poëzie verscheen postuum in 1633).

Omstreeks 1608 doorleefde Donne een psychische en religieuze crisis en schreef hij zijn apologie van de zelfmoord, *Biathanatos* (evenmin bestemd voor publikatie). Een vriendin, lady Magdalen Herbert, moeder van George Herbert, schijnt hem van zijn depressie genezen te hebben. Zijn maatschappelijke positie verbeterde door een verzoening met zijn schoonvader.

Nadat Donne in 1611 en 1612 in het gevolg van zijn *Patron*, sir Robert Drury, had gereisd door West-Europa en nadat nogmaals duidelijk was geworden dat hij geen functie aan het hof of in de staatsdienst kon verwachten, gaf hij in 1615 gevolg aan een wenk van koning James en werd anglicaans geestelijke. Hierna heeft Donne nog maar weinig poëzie geschreven, maar zijn preken maakten hem beroemd en in 1621 kreeg hij de prestigieuze post van *Dean of St. Paul's*. Hij stierf in 1631 kort nadat hij, reeds doodziek, aan het hof had gepredikt over het thema *Death's Duel*.

De kracht van Donnes poëzie is de combinatie van *wit* (geest, vernuft) en hartstocht. Hij is even intens in de erotische gedichten uit zijn jeugd als in het religieuze werk uit zijn rijpere jaren. Hij stak de draak met de petrarkistische traditie en de idealisering van de liefde. Zijn gekwelde religieuze gedichten doen denken aan het werk van zijn Spaanse tijdgenoten Quevedo en Lope de Vega. Donne kende Spaans. Toch is het niet waarschijnlijk dat hij hun werk kende. Quevedo schreef 19 *Salmos*, Donne 19 *Holy Sonnets* – mogelijk ligt er eenzelfde getallensymboliek aan ten grondslag.

In de achttiende eeuw werd de poëzie van Donne miskend (de achttiende-eeuwse benaming *metaphysical poets* voor Donne, Herbert en anderen was negatief bedoeld), in de negentiende eeuw werd hij herontdekt, maar pas in de twintigste eeuw weer op waarde geschat.

Het hier vertaalde sonnet is het zesde, volgens een andere indeling het tiende, van de *Holy Sonnets*, vermoedelijk het beroemdste en zeker het meest geanthologiseerde. Het besluit een reeks van zes sonnetten over het thema Dood en Laatste Oordeel en is geïnspireerd op Paulus' 'Dood, waar is uw prikkel...' Uit Donnes *Sermons* is bekend hoe letterlijk hij de

'Vreze Gods' nam. De slotregel van het negentiende *Holy Sonnet* luidt bijv. *Those are my best days, when I shake with fear.* Vroomheid kwam voort uit de vrees voor Gods straf, de verdoemenis. De vrees voor de dood is daarbij vergeleken niet serieus te nemen. Die gedachte werkt Donne uit in dit sonnet. Hij personifieert de dood en voert hem op als een wat ridicule figuur die zich heel wat verbeeldt. Het echte einde is namelijk het laatste oordeel. De dood is niet meer dan een verhevigd slapen, en omdat de slaap ons goed doet, moet dat des te meer voor de dood gelden. Dat Donne de dood tutoyeert, versterkt de directheid van het gedicht.

In de terzinen beschrijft Donne dat de dood ook niet zelf zijn slachtoffers kan kiezen; hij is maar een werktuig van de abstracte krachten Kans en Lot, uitvoerder van de wil van koningen en desperado's. Wat de dood vermag is ook te bereiken met de papaver (de oude naam 'heulbloem' herinnert aan de tijd dat opium als panacee werd gebruikt) of met magische middelen. De *stroke* uit regel 12 is de doodsklap, de schok van de dood, maar ook meer specifiek de hartaanval of hersenbloeding. De weergave 'stuipen' bedoelt concreet aan die tweede betekenis te refereren en impliciet aan de eerste ('stuipen' als stuiptrekkingen). De dood wordt definitief ontmaskerd in de twee slotregels: de mens wacht eeuwigheid na het Laatste Oordeel. Er is dan geen dood meer, dus is de dood ten prooi gevallen aan zichzelf.

In de vertaling van het octaaf zijn twee rijmslagen toegevoegd; ook is gebruik gemaakt van onzuiver rijm.

GEORGE HERBERT (1593-1633) kwam uit een aristocratische familie, verwant aan de Herbert, Earl of Pembroke, aan wie de folio-editie van Shakespeares stukken uit 1623 was opgedragen. Zijn moeder Magdalen Herbert was bevriend met Donne. Herbert kende Donnes werk en er is een duidelijke verwantschap tussen beide dichters. Maar Herbert sloeg Donnes sensuele fase over en schreef alleen religieuze, althans meditatieve poëzie. (Hij schreef ook gedichten in het Latijn.)

Net als Donne streefde Herbert aanvankelijk een politieke carrière na en hij zat twee jaar in het Parlement. Net als Donne kwam hij tot de slotsom dat 'de wereld' geen emplooi voor hem had en werd anglicaans geestelijke. *The Temple*, de bundeling van zijn gedichten, verscheen kort na zijn dood in 1633 (hetzelfde jaar als de eerste uitgave van Donnes poëzie).

De gedichten komen voort uit diepe vroomheid, gepaard aan grote intellectuele kracht. Herbert hield van bijzondere metrische en typografische effecten, zoals gedichten in de vorm van een altaar. Herbert bespeelde de luit en heeft eigen gedichten op muziek gezet. Er zijn gedichten van hem opgenomen in het anglicaanse gezangenboek.

Het hier vertaalde gedicht is een van Herberts meest wereldse. Met de aanhef *Oh, what a thing is man! how farre from power,/From settled peace and rest!* lijkt Herbert te reageren op Hamlets beroemde alleenspraak, met name op *What a piece of work is man. How noble in reason. How infinite in faculty.*

Geen twee zielen schuilen er in de borst van Herberts mens, maar wel twintig, nee, twintig per uur. Dit soort hyperbool of grootscheepse overdrijving behoorde tot de *conceits*, al is dat element zeldzaam bij Herbert, wiens taalgebruik en beeldspraak doorgaans eenvoudig zijn – dit in tegenstelling tot zijn prosodie die in vrijwel elk gedicht anders is.

In het vijfde couplet wordt een *Dolphins skinne* genoemd, waaraan de roerselen van het dier af te lezen zouden zijn. Het gaat hier niet om wat in het Nederlands een dolfijn heet (*Delphinus delphis*), maar om de *Coryphaena hippurus: The common dolphin* (C. hippurus) *becomes about six feet long, and is noted for the brilliant and changing colors assumed when it is taken out of the water and dying* (Webster). Deze vis heet in het Nederlands goudmakreel of dorade, al is de vis die verkocht wordt onder die naam doorgaans een veel kleinere variëteit.

In de vertaling hebben alle versregels een voet meer.

ANDREW MARVELL (1621-1678) was de zoon van een puriteins predikant in Hull en studeerde oude talen in Cambridge. In de eerste jaren van de burgeroorlog (tussen – grofweg – aristocraten en royalisten enerzijds, de parlementspartij en de puriteinen anderzijds) reisde Marvell door West-Europa, waarschijnlijk als *tutor* of gouverneur bij een adellijke familie. Hij zou in die tijd Frans, Spaans, Italiaans en zelfs Nederlands hebben geleerd. Rond 1650 (het jaar waarin Cromwell de dictatuur aanvaardde) probeerde Milton – juist blind geworden – hem te laten benoemen tot zijn assistent. Milton zat als *Latin Secretary* (diplomatieke correspondentie werd in het Latijn gevoerd) in de Staatsraad. Maar Cromwell benoemde Marvell tot gouverneur van zijn pleegzoon William Dutton, met wie Marvell in 1656 enige tijd verbleef in Saumur, centrum van het Franse calvinisme. In 1657 werd Marvell naast Milton als *Latin Secretary* aangesteld. Na de *Restoration* en de kroning van Karel II is Marvell niet, zoals Milton en Dryden, in ongenade gevallen, wat moet getuigen van groot diplomatiek talent. Marvell was in 1659 parlementslid geworden, voor Hull, en bleef dat tot zijn dood.

Voor een zo publieke figuur is er verbazend weinig over zijn leven bekend. Hij bleef vrijgezel, maar drie jaar na zijn dood werden zijn *Miscellaneous Poems* gepubliceerd door een vrouw die claimde zijn weduwe te zijn. De claim is dubieus, maar dat Marvells poëzie niet verloren is gegaan, lijkt aan haar te danken.

Die poëzie is zeer heterogeen. Naast veel gelegenheidsgedichten schreef Marvell geïnspireerde natuurlyriek (hij was een enthousiast tuinier), leerdichten en politieke satires. Hij had vrienden onder royalisten en puriteinen, hij stelde de Verenigde Nederlanden ten voorbeeld aan zijn eigen land, maar betitelde de Republiek ook als *This indigested vomit of the sea*. Als zoveel tijdgenoten schreef Marvell ook poëzie in het Latijn.

Marvells beroemdste gedicht is ongetwijfeld *To his Coy Mistress*. Het is niet bekend aan wie dit gedicht gericht was. Er zijn aanwijzingen dat het dateert uit de tijd van Marvells huisleraarschap bij lord Fairfax. Dat Marvell het toekomstig graf van zijn aanbedene aanduidt als *marble vault* zou erop kunnen wijzen dat ze van hoge geboorte was. Uit andere gedichten blijkt dat hij Mary Fairfax adoreerde. Is het denkbaar dat hij zich in het gedicht tot haar richtte? De sociale kloof tussen hen was onoverkomelijk; Mary Fairfax trouwde in 1657 met de hertog van Buckingham. In *The Definition of Love* zegt Marvell over zijn liefde: *It was begotten by Despair/Upon Impossibility* en *Their union would her ruin be*.

Anderzijds is het mogelijk dat Marvell *To his Coy Mistress* niet heeft geschreven met een bestaande vrouw in gedachten. Het is bijvoorbeeld opvallend dat het gedicht niets meedeelt over haar uiterlijk. Marvell kan zichzelf tot taak hebben gesteld een gedicht te schrijven *to end all poems* in het genre. Want Marvells gedicht is de bekroning van het elegante *Carpe diem*-genre dat teruggaat tot de oudheid.

In commentaren is erop gewezen dat de *conversion of the Jews* omstreeks 1650 een belangrijk religieus thema vormde. Bepaalde theologen hadden becijferd dat de Zondvloed 1657 jaar na de schepping had plaatsgehad. Dus moest er circa 1657 jaar na de geboorte van Christus iets van vergelijkbare importantie plaatsvinden. Het Eind der Tijden lag voor de hand. Maar het Eind der Tijden was pas te verwachten na de bekering der joden, volgens bepaalde bijbelteksten. Misschien vormt dit een verklaring voor de keuze van Marvells beeldspraak. Maar de lezing van *Flood* als 'Zondvloed', symbolisch opgevat als Eindtijd (zie ook *last age* in regel 18) lijkt niet goed te passen in Marvells betoog. In elk geval is de primaire betekenis dat Marvells *Mistress* recht zou hebben gehad op haar *Coyness* als ze allebei wel een half miljoen jaar te leven zouden hebben, omdat het wachten op de vloed aan de monding van de Humber (waar Hull ligt) al tien jaar zou duren. In zo'n situatie zou Marvell wel dertigduizend jaar willen uittrekken voor het bezingen van al haar aantrekkelijkheden. Maar omdat de tijd ons met zijn verslindende kaken op de hielen zit, is de enige remedie om zelf even roofzuchtig te genieten van het nu: *our time devour*. In de extase staat de tijd stil. De tijd wordt verslagen op zijn eigen wapen.

De keuze van *one ball* in regel 42 is misschien te verklaren als een verwijzing naar de liefdesopvatting van Aristofanes in Plato's *Symposium* (wederhelften die samen een rond lichaam vormen); de bolvorm is überhaupt een symbool van volmaaktheid. Hoe dat ook zij, Marvell had dit beeld nodig voor het vervolg: de bal moet 'door de ijzeren poorten van het leven' rollen om het gezochte genot te kunnen geven. Over die *iron gates* is veel gespeculeerd. In de meest recente uitgave van Marvells poëzie (Penguin; ed. E. Story Donno) is *gates* veranderd in *grates*, op grond van een manuscript dat in 1944 boven water is gekomen; maar enerzijds lijkt *gates of life* een begrijpelijke variant op het bijbelse *gates of death* (Job 38: 17 en elders), en anderzijds zijn het *gates*, geen *grates*, waar bij bepaalde Engelse balspelen de bal doorheen moet rollen. De voorlaatste regel is een verwijzing naar Jozua 10: 12. Over de slotregel is opgemerkt dat deze kan refereren aan psalm 19: 5, waar van de zon wordt gezegd: *which is as a bridegroom coming out of his chamber and rejoiceth as a strong man to run a race*. Maar *make him run* betekent mijns inziens vooral dat de zon op de vlucht wordt gejaagd (zodat de nacht voortduurt, de tijd stilstaat).

Uit annotaties bij diverse uitgaven blijkt verder dat *state* (regel 19) hier de betekenis heeft van *elaborate style or condition befitting a person of rank and wealth* (Webster) en dat *quaint* (regel 29) een woordspeling is van zeer antipuriteins gehalte, want *quaint* is een verouderd substantief voor *The pudendum* (Webster); de dubbelzinnigheid is in de vertaling zo goed mogelijk nagevolgd (Zie 'preut' in Van Dale).

Over het rijm in de regels 33/34 is veel te doen geweest. De uitgave van 1681 geeft *hew* (= *hue*) en *glew* (dat een variant kan zijn van *glow*); in het eerder genoemde manuscript schijnt te staan in regel 33 *glew*, gevolgd door *hew*. De gangbare praktijk van de *editors* is geweest om in regel 33 *hew* of *hue* te geven en het rijmwoord in regel 34 te emenderen tot *dew*, een clichéwoord dat geheel in strijd lijkt met de *instant fires* uit regel 36, waarop *glew* (glow) anticipeert. In de genoemde Penguin-uitgave wordt een mijns inziens bizarre lezing gegeven: *youthful glue* (jeugdige lijm!), gevolgd door *morning dew*.

Het gedicht van Marvell is geschreven in jambische viervoeten, de vertaling is in jambische vijfvoeten, afwisselend staand en slepend.

In Marvells tijd begon het onderscheid tussen het formele *you* en het informele *thou* te vervagen (in dit gedicht gebruikt hij beide vormen door elkaar). Omdat de geliefde formeel wordt toegesproken als *Lady* leek de u-vorm in het Nederlands het meest geschikt.

WILLIAM BLAKE (1757-1827) geldt als de eerste romantische dichter in de Engelse literatuur, maar is in feite niet zo gemakkelijk te rubriceren. Behalve dichter was hij schilder en graveur, en bovenal een groot en origineel denker.

Hij was de zoon van een kousenhandelaar, leerde lezen en schrijven van zijn moeder (hijzelf leerde dat later aan zijn vrouw), ging op zijn tiende naar een tekenschool, kwam daarna in de leer bij een graveur en leerde van hem het vak waarmee hij in zijn levensonderhoud zou voorzien en dat hij ook dienstbaar maakte aan zijn literaire werk, want aan Blakes boeken kwam geen uitgever te pas. Hij graveerde ze zelf, tekst zowel als illustraties, die hij naderhand inkleurde. De oplagen waren uiterst beperkt.

Blake was een gedreven autodidact die zich grondig verdiepte in de Engelse literatuur, vooral Chaucer, Spenser, Shakespeare, Milton en de King James-bijbel, maar die ook alles las wat uit de wereldliteratuur in het Engels was vertaald. Rond zijn twintigste kwam hij in aanraking met een groep artistieke vrienden met radicale opvattingen over godsdienst, onderwijs en politiek, en met sympathie voor de nieuwe staatkundige grondslagen van de Verenigde Staten die zich juist van Engeland hadden afgescheiden. Blake begon mystici als Swedenborg, filosofen als Lavater en Joseph Priestley te lezen. Overigens kreeg Blake zijn ideeën ook ingefluisterd door profeten en historische figuren die in hallucinaties aan hem verschenen en aan wier werkelijkheid hij nooit getwijfeld heeft. De visioenen en verschijningen die Blake zijn leven lang gezien heeft, zouden de gedetailleerde levensechtheid van hologrammen hebben gehad.

Tussen 1789 en 1794 schreef en graveerde hij zijn *Songs of Innocence & Songs of Experience*, een tweeluik met simpele, bijna naïef te noemen lyriek, ten onrechte het bekendste van Blakes werk. Ongeveer gelijktijdig, tussen 1790 en 1793 werkte hij aan een boek in proza, dat de neerslag is van zijn gerijpte ideeën, van zijn heftige reacties op de uiterst repressieve samenleving in zijn tijd, en van het optimistisch geloof in verandering van de wereld ten gevolge van de Franse Revolutie. Dit boek, *The Marriage of Heaven and Hell*, is een van Blakes belangrijkste en ook toegankelijkste werken. Het bestaat uit zevenentwintig bladen grafiek en vormt een geïllustreerde tekst bestaande uit korte stukken die men (met meer recht dan wat daar meestal voor doorgaat) prozagedichten kan noemen, aangevuld met een serie aforismen, de 'Spreekwoorden uit de Hel'.

De titel is een reactie op Swedenborgs *A Treatise Concerning Heaven and Hell and of the wonderful Things Therein* (1784). (Swedenborgs werk werd uit het Latijn in het Engels vertaald en zijn aanhangers hadden in 1788 in Londen het Swedenborgiaanse kerkgenootschap *New Jerusalem* opgericht.)

De bevrijdingsfilosofie die Blake in zijn *Marriage* uiteenzet, is zo gedurfd dat echte boekpublikatie hem vermoedelijk in het gevang of het gekkenhuis zou hebben gebracht. De kern van het betoog is dat ziel en lichaam één zijn, en gevoed worden door een Energie die van goddelijke oorsprong is. Dit stond lijnrecht tegenover de heersende opvatting dat de ziel iets goddelijks was, dat werd gekerkerd en gedegradeerd door het zondige lichaam. In de impulsen van het lichaam zag Blake niets zondigs, ze kwamen voort uit de levenbrengende Energie. Ook de subversieve en seksuele component van die Energie was positief. Blake beschouwde de Rede als de antithese van de Energie, hoogstens nodig om de Energie binnen de perken te houden, maar funest door haar invloed op de ordening van Kerk en Staat. Maar de antithesen (Energie en Rede, Liefde en Haat, Goed en Kwaad) kunnen niet buiten elkaar. Voor Blake behoorde de rede tot het kwaad, maar er was een huwelijk nodig tussen goed en kwaad, hemel en hel. Omdat het kwaad traditioneel werd gekoppeld aan wat Blake Energie noemde, moest hij de conventionele moraal wel op zijn kop zetten. Hij ziet de duivels als vrije geesten, de engelen als kwezels of leiders van de georganiseerde religie, inclusief Swedenborg. Satan is de eigenlijke Messias, de hel is een ideale plaats. De negatieve krachten van het kwaad dienen ter vervolmaking van het goede. Het uiteindelijke doel was dat de mens, bevrijd van valse moraal en zondebesef, zou terugkeren in het paradijs. Dit is een zeer summiere samenvatting, het dunne boekje staat te vol met ideeën om er in kort bestek een goed beeld van te kunnen geven.

In zijn latere werken, geschreven in onregelmatige vrije verzen, *The Book of Urizen* (1794), *The Book of Ahania* (1795) en *The Book of Los* (die samen de *Bible of Hell* vormen), schijnt Blake zijn filosofie onder invloed van de desillusie van het Schrikbewind in Frankrijk te hebben gewijzigd, maar men moet zich lang verdiepen in Blakes eigen mythologie en symboliek om ze te begrijpen. Blake schreef nog de epische gedichten *Vala*, *Milton* en *Jerusalem*. De voltooiing van die boeken (naast zijn commerciële werk als graveur/illustrator) kostte hem steeds vele jaren (zestien jaar in het geval van *Jerusalem*). Ze ademen in wezen dezelfde geest: vrijheidsdrang en afkeer van gezag, moraal, conventie en religie.

De invloed van Blake tijdens zijn leven is vrijwel nihil geweest, maar omstreeks 1818 vormde zich een groepje bewonderaars om hem heen. Na zijn dood duurde het nog een halve eeuw voor hij in ruimere kring bekend werd. Blake heeft grote invloed gehad op Shaw, Yeats en D.H. Lawrence.

Het hier vertaalde fragment uit de *Marriage* is de tekst van PLATE *14*. Het is interessant dat Blake hierin het bedrijf van de Hel vergelijkt met het maken van prenten. Aldous Huxley koos Blakes formulering 'de deuren van inzicht' als titel voor het boek over zijn psychedelische ervaringen.

De grot, aan het eind van dit fragment, verwijst naar Plato's grot, die de menselijke zintuigen in duisternis gevangen houdt, zodat de ideële werkelijkheid, Blakes goddelijke oneindigheid, verborgen blijft. Blakes mystieke visie is dat de mens zijn grot kan verlaten.

WILLIAM WORDSWORTH (1770-1850), de zoon van een rentmeester, was de eerste echte romantische dichter in Engeland. Hij werd geboren in het Noordengelse *Lake District* en bracht daar ook het grootste deel van zijn leven door. Hij studeerde als bursaal theologie in Cambridge en werd tijdens twee bezoeken aan Frankrijk (1790 en 1792) aangestoken door de heersende geest van vrijheidsliefde en revolutionaire vernieuwing. Hij had een verhouding in Parijs, kreeg een dochter en ging om met Girondijnen. Terug in Engeland las Wordsworth de opstandige geschriften van William Godwin, Shelleys latere schoonvader.

In 1795 raakte hij bevriend met Coleridge, de dichter van *The Ancient Mariner* en *Kubla Khan*, en samen publiceerden ze in 1798, aanvankelijk anoniem, de *Lyrical Ballads*. De directheid en, naar toenmalige maatstaven, eenvoud van de taal sloegen betrekkelijk snel aan en de Romantic Movement was geboren. De nieuwe poëzie onderscheidde zich van het achttiende-eeuwse classicisme vooral door introspectie en het belang van de natuur als inspiratiebron. Landschap had tevoren nauwelijks een rol gespeeld, behalve als kunstmatig pastoraal decor. De stemmingen en de persoonlijkheid van de dichter vormden van nu af aan de thema's van de poëzie, de dichter was zijn eigen onderwerp geworden.

Wordsworth' leven is niet enerverend geweest. Hij trouwde in 1802, maar zijn zuster Dorothy bleef levenslang zijn grootste vertrouwelinge. In de tien jaar tussen 1796 en 1806 schreef hij bijna al zijn beste werk, waaronder het grote autobiografische gedicht *The Prelude* (dat hij tijdens zijn leven niet heeft willen publiceren). Hem trof het lot van meer romantici die niet jong doodgaan: hij schreef niet veel van waarde meer in de tweede helft van zijn leven. De jongere dichters, als Shelley, namen hem kwalijk dat hij zijn vroegere revolutionaire gezindheid had afgezworen en inderdaad werd hij mettertijd een steunpilaar van het establishment. Vanaf 1813 was zijn financiële situatie solide door een goedbetaalde sinecure als fiscaal ambtenaar. In 1843 werd hij benoemd tot *Poet Laureate*.

Wordsworth' natuurlyriek heeft een religieuze inslag. De natuur kan door de zuivere vreugde die ze te bieden heeft een reinigende, verheffende invloed op de mens hebben, en hem door haar kringloop verzoenen met zijn verval en sterfelijkheid.

In 1802 begon Wordsworth aan wat waarschijnlijk zijn beroemdste gedicht is, zijn ode *Intimations of Immortality from Recollections of Early Childhood* ('Voorafschaduwingen van onsterfelijkheid door herinneringen aan de kindertijd'). In de eerste vier strofen evoceert hij de toverachtige uitwerking van de natuur op zijn kinderziel en uit hij de klacht dat hij het vermogen om te *zien*, zoals hij dat ooit kon, verloren heeft. In de overige zeven strofen (twee jaar later geschreven) belijdt Wordsworth zijn geloof in een hemels bestaan van de ziel vóór de geboorte, waar de kindertijd nog vonken van laat zien die doven bij het opgroeien, al kan men eraan herinnerd worden door de natuur en *Nature's Priest* blijven.

Graag had ik dit gedicht vertaald, en de eerste strofe lukte aardig:

Er was een tijd dat bos, rivier en wei,
De aarde, ieder dagelijks tafereel,
Zich voordeden aan mij
Bekleed met hemels licht, met heel
De zuivere, gave kracht van dromerij.
Verloren ging voor mij die oude kracht; –
Waarheen ik mij ook keer,
Bij dag of nacht,
De dingen die ik zag, ik zie ze nu niet meer.

Helaas liep ik vast in de tweede strofe. Maar het korte gedicht *My heart leaps up*... wordt wel de kiemcel van de ode genoemd, het bevat Wordsworth' spreekwoordelijkste regel (*The Child is father of the Man*) en de drie slotregels dienden de ode tot motto. Bovendien is het grondidee van Wordsworth' poëzie, dat het religieuze gevoel ontspringt aan de natuur, in dit gedicht voor het eerst tot uitdrukking gebracht.

De korte regels zijn in de vertaling een voet langer dan in het origineel; ook staan ze niet op dezelfde plaats. Het rijmschema is gewijzigd.

PERCY BYSSHE SHELLEY (1792-1822) was de zoon van een rijke landedelman, wiens vader het familiefortuin had vergaard door tot tweemaal toe een erfgename te schaken en te trouwen. Shelley ging naar Eton en in 1810 naar Oxford, maar werd van de universiteit verwijderd na de publikatie van het pamflet *The Necessity of Atheism*, de neerslag van wat Shelley geleerd had van de Franse rationalisten. Hij bleef zijn leven lang een radicale vrijdenker, en aanvankelijk interesseerde hij zich meer voor politiek dan voor poëzie. Het pamflet veroorzaakte een breuk met zijn familie en een ernstige beperking van zijn financiële middelen. De verwijdering werd nog groter toen hij in 1811 de zestienjarige Harriet Westbrook meevoerde naar Schotland en daar met haar trouwde. Drie jaar later – ze was zwanger van een tweede kind – verliet hij haar voor Mary Godwin, dochter van de utopistische filosoof William Godwin en de eerste Engelse feministe, Mary Wollstonecraft, en vertrok met haar en haar halfzuster Claire naar het vasteland dat door de Napoleontische oorlogen jarenlang ontoegankelijk was geweest. Harriet pleegde zelfmoord in 1816, waarna Shelley met Mary trouwde. Ze kregen vier kinderen, van wie er drie heel jong stierven. Shelley had intussen gekozen voor de poëzie. In 1816 publiceert hij op eigen kosten zijn eerste serieuze bundel, naar het titelgedicht *Alastor* geheten, en in 1818 het ambitieuze kleine epos in twaalf Canto's *The Revolt of Islam*. Mary schrijft intussen haar beroemde horrorstory *Frankenstein*.

In 1818 reist Shelley, die meent aan TBC te lijden, naar Italië, met Mary, Claire, drie baby's (Byron heeft intussen bij Claire een kind verwekt) en twee *maids*. In de vier jaar die hij nog zal leven, schrijft hij het grootste deel van zijn œuvre, maar hij oogst er weinig roem mee, ten dele ongetwijfeld door de revolutionaire teneur die de Engelse lezer afschrok. In 1822 verdronk Shelley, toen hij met zijn zeilboot op weg van Livorno naar Lerici in een storm terechtkwam, negenentwintig jaar oud.

Shelley was een man vol tegenstrijdigheden. Hij had de bevlogenheid en verbeeldingskracht van de romanticus en tegelijk de logica van de rationalist; zijn ideeën waren sereen, zijn leven was een chaos, hij was tegelijk engel en godloochenaar. Robert Southey beschreef Shelley en Byron als *the Satanic School*. Hij geloofde niet in God maar – Byron wees hem op de inconsequentie – wel in spoken. Zijn hulpvaardigheid en beminnelijkheid waren ongelooflijk, zijn werkkracht was fenomenaal. Byron zei over hem: *Everyone else seemed a beast compared to Shelley*.

Zijn reputatie is controversieel gebleven. Browning, Shaw en Yeats vereerden hem, Eliot en Auden keken op hem neer. Een aantal van zijn korte gedichten behoort tot de hoogtepunten van de Engelse lyriek.

Het onregelmatige sonnet *Ozymandias* stamt uit 1817. Ozymandias is een andere naam voor Ramses II, de Grote, die zevenenzestig jaar regeerde (1304-1237) en talloze tempels en monumenten liet oprichten. Hij is de Farao voor wie de joden zoveel tichelstenen moesten bakken, ter wille van de bouw van Raämses (Exodus 1:11), voordat Mozes hen uitgeleidde uit Egypteland. De Encyclopaedia Britannica vermeldt de *many colossal statues of him found all over Egypt*. Het is aannemelijk dat Shelley zijn gedicht heeft gebaseerd op een publikatie over de restanten van een dergelijk beeld die juist te voorschijn waren gekomen uit het woestijnzand. Er bestaat een sonnet over hetzelfde onderwerp van de vergeten dichter Horace Smith (enige jaren later gepubliceerd, blijkbaar als een reactie op Shelleys gedicht). Het heet ook *Ozymandias* en heeft de ondertitel *On a Stupendous Leg of Granite, discovered standing by itself in the Desert of Egypt, with the inscription inserted below*. Die inscriptie is in het gedicht opgenomen, net als bij Shelley, en luidt: *I am great Ozymandias, the King of Kings: this mighty city shows the wonders of my hand*. Die tekst zou wel eens historischer kunnen zijn dan de weergave bij Shelley, maar door de overdrijving wist Shelley zijn *Ozymandias*, als prototype van de tiran wiens ijdele megalomanie door de historie ontmaskerd wordt, grote dramatische kracht te geven.

De regels 6 tot 8 van het gedicht zijn niet helemaal duidelijk. Letterlijk vertaald staat er: '... las de passies goed/Die toch nog voortbestaan (hun stempel hebben gedrukt op de levenloze dingen),/De hand die hen hoonde en het hart dat (hen) voedde', dus de restanten van het beeld getuigden van de passies van hand en hart. Er is verondersteld dat *mock* hier gebruikt is in de betekenis van 'imiteren' zoals bij Shakespeare (*Sleep mocked death*), maar mogelijk zijn *those passions* ruimer op te vatten, als de hartstochten die ooit werden losgemaakt door Ozymandias' bewind, waarvoor Ozymandias' hand alleen maar hoon zou hebben uitgedrukt.

Het was een genoegen in de vertaling het werkwoord 'dispereren', in onbruik geraakt sinds Jan Pieterszoon Coen, te kunnen inpassen. (Zoals steeds heb ik hier, in overeenstemming met het courante gebruik van het Nederlands, de meervouds-t van de imperatief laten vervallen.)

JOHN KEATS (1795-1821) werd geboren in Londen. Zijn vader was een welvarend stalhouder, maar stierf toen Keats acht was. Hij volgde een medische opleiding, was eerst leerling van een chirurgijn, werkte toen in een ziekenhuis en behaalde zijn licentiaat in 1816, maar een onvermogen tot opereren bracht hem ertoe zich af te wenden van de geneeskunde. Hij publiceerde in 1816 zijn eerste gedichten, de bundel *Poems* verscheen het jaar daarop. Keats was intussen opgenomen in een groep dichters rond Leigh Hunt (redacteur van het blad *The Examiner*), waartoe ook Shelley behoorde. Vanaf 1818 wist Keats dat hij leed aan TBC, de ziekte waaraan zijn moeder was gestorven en waaraan datzelfde jaar zijn broer Tom overleed. Al eerder schreef hij een sonnet met de beginregels *When I ha-*

ve fears that I may cease to be/Before my pen has glean'd my teeming brain. Keats verloofde zich met Fanny Brawne, maar die liefde werd uitzichtloos toen zijn ziekte verergerde. In 1818 verscheen Keats' ambitieuze kleine epos *Endymion*, classicistisch van thematiek. Het effect op Keats van de afbrekende recensies die volgden wordt in de hedendaagse kritiek gerelativeerd, maar is funest geweest volgens het getuigenis van zijn tijdgenoten. Grievend was met name dat hij in het blad *Blackwood's Magazine* werd ingedeeld bij de *Cockney School of Poetry*. Er is zelfs een duel geweest tussen een verdediger van Keats en een vertegenwoordiger van de hoofdredacteur, waarbij de eerste het leven verloor. In 1819 begon Keats aan een nieuw epos *Hyperion*, dat onvoltooid bleef; ook schreef hij zijn beroemdste Oden en de ballade *La Belle Dame Sans Merci*.

In september 1820 ging hij scheep naar Italië, in de hoop op een wonderbaarlijke genezing dank zij een gunstig klimaat, en ook in de hoop zijn vrienden Hunt en Shelley terug te zien, maar eenmaal in Rome aangekomen kon hij zijn bed niet meer verlaten. De behandelende arts (aldus was de stand van de wetenschap) beantwoordde iedere bloedspuwing met een aderlating. Keats overleed in februari 1821. Shelley schreef zijn elegie *Adonais* over Keats' dood, met een voorwoord waarin hij Keats' critici voor zijn dood aansprakelijk stelde. Byrons commentaar (*Don Juan*, boek XI, 60) was: *Strange that the mind, that fiery particle,/Should let itself be snuffed out by an article*. Keats' grafsteen op het protestantse kerkhof van Rome vermeldt dat hij vanwege *the Bitterness of his Heart at the Malicious Power of his Enemies* de volgende inscriptie had verlangd op zijn graf: *Here Lies One Whose Name was Writ in Water*.

La Belle Dame Sans Merci is een romantisch gedicht bij uitstek. Het is geïnspireerd door Spensers *Fairy Queen*, een allegorisch epos over het Elizabethaanse Engeland, gesitueerd in de riddertijd, een van Keats' lievelingsboeken. De titel is ontleend aan de vertaling (in Keats' tijd toegeschreven aan Chaucer) van een gedicht van Alain Chartier (secretaris van Karel VII, de koning die door Jeanne d'Arc in Reims was gekroond), over het conventionele thema van de afgewezen aanbidder.

Keats zal niet vermoed hebben dat *La Belle Dame* zijn populairste gedicht zou worden. Hij merkte schertsend op, in een brief, dat hij had overwogen zijn ridder geen *kisses four* maar *a score* (een twintigtal) te laten geven, maar dat zijn kritische zin had gewonnen van zijn fantasie: een viertal moest ruimschoots voldoende zijn. Ook *And made sweet moan* (regel 20) is, lijkt mij, niet zonder humor.

De charme van het gedicht schuilt in het mysterieuze ervan. In de eerste drie strofen wordt de ridder gevraagd waarom hij—het is al herfst—buiten rondzwerft. Het vervolg bevat zijn antwoord. Hij is in de ban geraakt van een elfenkind toen het nog zomer was. Hij heeft bloemkransen voor haar gevlochten, de liefde leek wederzijds, hij reed met haar op zijn paard, zij vond ongewoon voedsel voor hem (vooral die 'mannadauw' geeft te denken), en al sprak ze een vreemde taal, hij meende een liefdesverklaring te beluisteren. Maar dan, in haar grot, na vier kussen op haar wilde ogen, valt hij in slaap en heeft een nachtmerrie. Gestorven riddervolk laat hem weten dat ook hij tot slaaf is gemaakt door de fee die *La Belle Dame Sans Merci* heet (De Genadeloze Schoonheid). Hij ontwaakt, het is een seizoen later, zij is verdwenen en hij blijft dolen. De ballade is 'archetypisch' genoemd. In elk geval liggen er Keltische mythen aan ten grondslag, over de noodlottige macht van magische verleidsters uit de andere wereld, wier gunst met de dood moest worden bekocht. Vrij gangbaar is de opvatting dat Keats in het gedicht een 'gesublimeerde expressie [gaf] van zijn liefde voor Fanny Brawne' (Winkler Prins), maar het lijkt mij onaannemelijk dat hij haar zo dubieus gesymboliseerd zou hebben. Ook de puriteinse implicatie (liefde wordt gestraft) lijkt vreemd aan Keats' gedachtenwereld. Volgens Robert Graves staat *La Belle Dame Sans Merci* zowel voor de Liefde, voor de Dood als voor de Poëzie. Wat de tekstuitlegkunde betreft biedt het gedicht duidelijk voor elk wat wils.

De *sedge* in de derde en voorlaatste regel is, in strikte zin, 'zegge' (*Carex*), in ruimere zin worden er ook diverse soorten bies (*Scirpus*) onder verstaan.

ROBERT BROWNING (1812-1889) was de zoon van een Londens bankier, een gecultiveerd man met een eersterangs bibliotheek die zijn zoon onderwijs aan huis liet geven. Browning raakte als jongen bezeten van Shelley, onder wiens invloed hij brak met het geloof, al conformeerde hij zich weldra onder druk van zijn moeder. Hij publiceerde zijn eerste uitgaven in eigen beheer en vond enige erkenning voor zijn *Sordello* (1840), een historische romance vermengd met persoonlijke bespiegelingen, geschreven na een eerste reis door Italië en grondige studie van de Italiaanse renaissance. Geschrokken van bepaalde recensies heeft Browning zich nadien altijd verre gehouden van elke romantische exploitatie van zijn eigen zieleven. In 1842 publiceerde hij *Dramatic Lyrics*, waarmee hij een overtuigende eigen vorm vond, de lyrisch-dramatische monoloog. Browning schreef ook versdrama's, maar kwam tot de conclusie dat hij meer talent had voor *action in character* dan voor *character in action*. Zijn monologen vormen psychologische portretten uit diverse landen en tijden. Steeds is een personage aan het woord dat zichzelf ontmaskert, compleet met innerlijke tegenstrijdigheden en uitingen van gekte, waarbij tegelijk een hele periode uit de geschiedenis tot leven komt.

Vanaf 1845 correspondeerde Browning met de dichteres Elizabeth Barrett, die zes jaar ouder was dan hij en al zeven jaar aan bed was gekluisterd, maar wier invaliditeit vermoedelijk een hysterische grondslag had. In 1846 ontvoerde Browning haar uit het ouderlijk huis, waar ze door een jaloerse vader bewaakt werd. Ze vertrokken naar Italië en woonden in Pisa en Florence, tot 1861, toen Elizabeth stierf en Browning terugkeerde naar Engeland, waar hij als gevierd Victoriaans dichter nog lang produktief bleef. Hij stierf in Venetië, waar hun zoon zich gevestigd had.

My Last Duchess is een van Brownings eerste en beroemdste dramatische monologen en vormt een studie van de typische Italiaanse renaissancepotentaat, die de trots van een Romeinse keizer paart aan koelbloedige gewetenloosheid; getuige de ondertitel is hij hertog van Ferrara. Hij wordt sprekend ingevoerd. Zijn toehoorder is een gezant die blijkbaar is gestuurd om namens zijn meester te onderhandelen over een eventueel nieuw huwelijk, aangezien de hertog weduwnaar is geworden. De hertog toont hem een mooi portret van zijn vorige hertogin en maakt met groot cynisme duidelijk dat hij haar heeft laten doden, omdat haar levensblijheid niet exclusief gericht was op haar echtgenoot, zodat ook anderen zich konden verheugen in haar glimlach of haar blos; meer misdreven had ze niet – een impliciete waarschuwing aan het adres van een volgende bruid.

Hoewel Browning duidelijk een prototype heeft geportretteerd, gaat zijn gedicht terug op historische feiten (zoals in 1936 aan het licht is gebracht door John Rea). De hertog van Ferrara die model heeft gestaan voor Brownings protagonist is Alfonso II (1533-1597), een kleinzoon van Lucrezia Borgia. Deze potentaat, die nog geprobeerd heeft koning van Polen te worden, komt in de meeste naslagwerken alleen nog ter sprake in verband met Torquato Tasso, die hij tot zijn hofdichter benoemde maar die hij ook op grond van vermeende krankzinnigheid zes jaar liet opsluiten.

Bij de geboorte van Alfonso had Nostradamus voorspeld dat hij driemaal zou trouwen en dat pas zijn derde vrouw hem een erfgenaam zou baren. In 1558 trouwde hij met de veertienjarige Lucrezia dei Medici, maar prompt na zijn huwelijk vertrok hij naar Frankrijk. Twee jaar later kwam hij terug om zijn vader op te volgen. Lucrezia stierf in 1561 en algemeen werd aangenomen dat ze op bevel van haar man vergiftigd was. In 1564 opende Alfonso onderhandelingen met de Habsburgse graaf van Tirol, voogd van prinses Barbara (de dochter van wijlen Ferdinand I, die zijn broer Karel V in 1556 was opgevolgd als Duits keizer). De graaf hield hof in Innsbruck, wat de verwijzing verklaart naar Claus van Innsbruck, die overigens (evenals Fra Pandolf) een fictieve figuur is.

Het is ironisch dat Alfonso II de laatste hertog van Ferrara is geweest. Hij had bastaards, maar ondanks drie huwelijken was er geen wettige erfgenaam. Ferrara was ooit een pauselijk leen geweest en na Alfonso's dood verviel Ferrara aan de kerkelijke staat.

EMILY BRONTË (1818-1849) was een van de zes kinderen van Patrick Brontë, die zich vanuit het Ierse proletariaat had opgewerkt tot schoolmeester, toen met geld van Methodisten in de gelegenheid was gesteld te studeren (in Cambridge) en dominee werd. Hij schreef ook poëzie. Kort na Emily's geboorte werd hij benoemd in Haworth in het noordelijke, dunbevolkte heideland van Yorkshire. Op de twee oudste kinderen, die jong stierven, volgden Charlotte en Branwell. Na Emily werd nog Ann geboren. Een jaar later stierf de moeder.

De kinderen Brontë hadden vrijwel geen contacten buitenshuis, kregen onderwijs van hun vader, lazen gretig en veel, en begonnen al vroeg met het schrijven van verhalen en gedichten over een fantasiewereld van mythische koninkrijken, die ze bundelden tot miniatuurboekjes. De familie was zeer kunstzinnig en muzikaal, Branwell was enige tijd portretschilder, Emily tekende meer dan verdienstelijk en was een goed pianiste.

Het enige beroep dat openstond voor ontwikkelde vrouwen die in hun eigen onderhoud moesten voorzien, was dat van lerares of gouvernante en alle drie de dochters hebben les gegeven en ook de ambitie gehad zelf een school te beginnen, waar niets van gekomen is. Toen Charlotte in 1845 een schrift met gedichten van Emily in handen kreeg, was ze voldoende onder de indruk om een uitgave van Emily's gedichten, aangevuld met werk van haarzelf en Ann, te bekostigen. Een aantal gedichten die hun inspiratie hadden gevonden in de fabelrijken *Angria* en *Gondal*, werden daartoe omgewerkt. De bundel verscheen onder de naam *Poems by Currer, Ellis and Acton Bell*, omdat de zusters geen vertrouwen hadden in de kritiek als men zou weten dat het poëzie van vrouwen betrof. Al werden maar weinig exemplaren verkocht, er verschenen enkele welwillende recensies en de drie zusters voelden zich daardoor voldoende aangemoedigd om het met proza te proberen. In '47 en '48 verschenen *Jane Eyre* van Charlotte, *Wuthering Heights* van Emily en *Agnes Grey* van Ann. Maar in september '48 stierf Branwell, in december van dat jaar Emily, en Ann in mei '49, alle drie aan TBC. (Charlotte trouwde in '54 met de hulppredikant van haar vader en stierf negen maanden later.) Het lijdt weinig twijfel dat de uiterst negatieve ontvangst van *Wuthering Heights* Emily's einde heeft verhaast.

De kolossale postume reputatie van vooral Emily heeft geleid tot publikatie van alles wat er van de vier Brontës bewaard is gebleven, en er bestaan pocketuitgaven met *Selected Poems*. Die geven de indruk dat de reputatie van de Brontës als dichters terecht niet groot is, maar dat Emily enkele gedichten heeft geschreven die ver uitstijgen boven de conventionele versificatie van haar overige poëzie – met name *To Imagination* en het vervolg daarop *Plead for me*, beide uit 1844. Het eerste gedicht is een hymne aan de Verbeelding, die een uitweg biedt uit de monotone treurigheid van het bestaan en waarmee men zich de onbetwiste gebieder kan maken van een eigen wereld. In *Plead for me* stelt ze de Verbeelding tegenover de Rede die haar aanklaagt en bespot. De Verbeelding moet haar pleitbezorger zijn in dit geding, want ter wille van die 'stralende engel', die 'God van Beelden' heeft ze zich op een weg begeven die maatschappelijk succes lijkt uit te sluiten en zal leiden tot kluizenaarschap. De Verbeelding neemt drie gestalten aan, die van slaaf, van kameraad en van koning, en is tegelijk haar Liefste Pijn, waarmee deze godheid mystieke proporties krijgt: de verzengende wond die ze toebrengt doet denken aan de cauteriserende vlam waarmee San Juan de la Cruz Gods liefde vergelijkt.

De viervoetige regels van het origineel zijn in de vertaling door vijfvoeten vervangen, terwijl de beide slotregels van elke strofe een slepend einde hebben gekregen.

THOMAS HARDY (1840-1928) werd geboren in het Zuidengelse Dorchester en keerde na een verblijf in Londen voorgoed terug naar zijn geboortestreek, die het decor vormde van zijn romans. Hardy was overigens opgeleid tot architect en had zich gespecialiseerd in de restauratie van kerken. Pas na zijn huwelijk met Emma Gifford (ontmoet in Cornwall, toen hij daar een kerk moest opknappen) in 1874, wijdde hij zich geheel aan het schrijven van zijn pessimistische, door het noodlot beheerste romans. Maar Hardy schreef ook poëzie, die hij hoger waardeerde dan zijn fictie, en na de hypocriete ontvangst door de Victoriaanse kritiek van *Jude the Obscure*, waarin hij een overspelig paar met te veel sympathie zou hebben beschreven, besloot hij alleen nog poëzie te schrijven. In 1889 verschenen zijn *Wessex Poems*, in het decennium daarna de drie delen van *The Dynasts*, een gigantisch versdrama over de Napoleontische oorlogen; daarna nog een vijftal bundels met zowel verhalende als satirische en dramatisch-lyrische gedichten.

Het huwelijk met zijn vrouw duurde achtendertig jaar, tot haar dood, en het was – zeker in de tweede helft ervan – geen goed huwelijk. Toen ze stierf waren ze geheel van elkaar vervreemd. Maar na haar dood begonnen de herinneringen Hardy te obsederen en hij schreef over haar zijn mooiste reeks gedichten, waar hij de afstandelijke naam *Veteris Vestigiae Flammae* ('Sporen van de oude vlam') aan gaf.

The Voice, van 1913, is het hoogtepunt van deze reeks, een van de weemoedigste gedichten in de Engelse taal. Hardy meent in de wind haar geest te horen die hem roept. Hij denkt terug aan de tijd toen hij haar pas kende en 's zondags te paard kwam opzoeken. Ze stond dan aan de rand van het stadje op hem te wachten, gekleed in haar *air-blue gown*, wat geen 'hemelsblauwe jurk' betekent (dat zou *sky-blue* zijn geweest; *air-blue* is een neologisme, in de vertaling weergegeven met 'lazuren', liever dan 'luchtblauwe' dat door te veel medeklinkers weinig welluidend is en voor een drukfout zou worden aangezien). Het gedicht bevat nog enkele voorbeelden van Hardy's regionale en soms archaïserende woordgebruik, zoals *mead* in plaats van *meadow*, *wistlessness* (een oud woord voor 'onbewust-heid') en *oozing*, gezegd van de wind (weergegeven als 'leekte'). Bij het vertalen ging het er vooral om de bezwerende zangerigheid van het origineel, die het dankt aan de dactylische cadans van de meeste regels, en de rijke dubbelrijmen te behouden.

WILLIAM BUTLER YEATS (1865-1939) was de zoon van protestantse Ieren in Dublin, maar woonde van zijn tweede tot zijn vijftiende jaar in Engeland. In 1880 keerde het gezin terug naar Dublin waar Yeats de kunstacademie bezocht (zijn vader en broer waren schilders), gefascineerd raakte door de Keltische traditie, en gewonnen werd voor de theosofie en het Ierse patriottisme, al was zijn positie lange tijd ambigu door zijn religieuze achtergrond. In 1892 verzorgde Yeats de eerste serieuze editie van het werk van Blake. Yeats debuteerde met *Poems* uit 1895, hij schreef ook dichterlijk proza en toneel. Als president van de *Irish National Drama Society* opende hij in 1904 het *Abbey Theatre* in Dublin. In 1911 leerde Yeats de twintig jaar jongere Ezra Pound kennen die een duidelijke invloed zou hebben op zijn werk. Pas in 1914, 1917 en 1922 verschenen de bundels *Responsibilities, The Wild Swans at Coole*, en *Later Poems* waaraan Yeats zijn immense reputatie dankt. Direct na de stichting van de Ierse Vrijstaat, in 1922, werd Yeats senator. In 1923 kreeg hij de Nobelprijs. In 1938 verhuisde hij naar Zuid-Frankrijk, waar hij in 1939 stierf.

Het irrationalisme in al zijn vormen appelleerde aan Yeats' romantische instelling. De Keltische mythologie fascineerde hem, maar hij hield zich ook intensief bezig met occultisme, spiritisme, hermetisme, kabbalisme, astrologie en alchemie. Ook voor Mussolini's fascisme had hij enige waardering.

Yeats was een doemdenker voor wie de christelijke beschaving ten einde liep. In zijn gedicht *The Second Coming* voorspelt hij de komst van een soort antichrist, symbool van verwoesting, die een nieuw tijdvak zou inluiden.

Ook de bevruchting van Leda door Zeus, in de gedaante van een zwaan, had een eind gemaakt aan een tijdperk, want Leda baarde Clytaemnestra en Helena, wat zou leiden tot de val van Troje en de dood van Agamemnon. Er is in *Leda and the Swan* een soort annunciatie te zien, een parallel met Maria, ook een stervelinge die door een God werd bevrucht. De vraag die in de laatste twee regels wordt gesteld is: ontving Leda niet alleen Zeus' kracht (teelkracht), maar ook zijn voorwetenschap van wat komen zou?

De wending *white rush* (regel 7) duidt op de heftige beweging van de zwaan, maar impliceert tegelijk heftige emotie; met 'witte drift' is geprobeerd beide aspecten recht te doen.

Being so caught up (regel 11) is moeilijk vertaalbaar, omdat de formulering twee elementen combineert: 'gegrepen/gevangen door' maar ook 'opgepakt': Leda is door de snavel van de zwaan iets omhooggetild, anders kon hij haar niet laten vallen in de slotregel.

De onverwachte keuze van het werkwoord *put on* in regel 13 kan, gezien de thematiek van het gedicht, een verwijzing zijn naar de bijbeltekst (Kol. 3:9-10) die handelt over de nieuwe mens van het christendom (*...that ye have put off the old man with his deeds. And have put on the new man which is renewed in knowledge*). In de bijbelvertaling van het NBG staat 'de nieuwe mens aangedaan heeft'. Deze mogelijke verwijzing is in mijn vertaling niet overgebracht.

T.S. ELIOT (1888-1965) was afkomstig uit het zuiden van de Verenigde Staten (St. Louis, Missouri), maar wel uit een enclave aldaar die de tradities van New England in ere hield. Hij studeerde aan Harvard, daarna in Parijs en Oxford, bleef in Engeland, nam in 1927 de Britse nationaliteit aan en trad toe tot de anglicaanse kerk. Hij werkte eerst bij een bank, later bij de uitgeverij Faber and Faber. Van 1922 tot 1936 redigeerde hij het literaire blad *The Criterion*. Zijn debuut *Prufrock and Other Observations* (1917) vestigde zijn roem als dichter. Hij werd de onbetwiste woordvoerder van een nieuwe beweging in de poëzie, die internationaal georiënteerd was, die grote belangstelling had voor de klassieken en de renaissance- en barokliteratuur, die ook uitgesproken antiromantisch was, ironisch en erudiet. Eliot maakt zijn eruditie tot een inherent bestanddeel van zijn poëzie, die zonder notenapparaat maar heel gedeeltelijk te volgen is. (Bij zijn beroemdste gedicht *The Waste Land* (1922) leverde Eliot zelf de nodige noten.) Eliots poëzie kan tot op zekere hoogte gekenschetst worden als een intellectueel spel, bewust gespeeld met stemmingen, associaties, toespelingen en citaten, die te zamen een compact bouwsel van symbolen vormen, waarbij eenduidige betekenis wordt gemeden. De gedichten zijn fragmentarisch van structuur, meestal in ritmische regels van ongelijke lengte. Eliot was niet alleen wars van de persoonlijke ontboezeming in een gedicht, maar van elke direct uitgesproken emotie die volgens hem geëvoceerd moest worden door middel van associatie. Eliot was bevriend met Pound, die eenzelfde literaire koers volgde, maar een veel impulsiever dichter was. Eliot schreef ook versdrama's en invloedrijke essays. Zijn kleine œuvre heeft een literaire schokgolf teweeggebracht en zijn reputatie blijft onaantastbaar (al stak Nabokov in

Pale Fire de draak met zijn liefde voor gezochte woorden). De bij Ambo verschenen bloemlezing met vertalingen en commentaren *T.S. Eliot—Gedichten* vormt een voorbeeldige introductie tot zijn poëzie.

Eliots korte gedicht *Journey of the Magi* onderscheidt zich van veel van zijn werk doordat het een directe verhaallijn heeft. Eigenlijk vormt het de dramatische monoloog van een der Wijzen uit het Oosten, die in zijn ouderdom terugdenkt aan de ondernomen reis om de Ster te volgen, en aan de Geboorte die voor hem een soort geestelijke dood betekende, omdat zijn eigen 'leer' niet langer stand kon houden. De eerste vijf regels zijn een (bekort) citaat uit een kerstpreek (1623) van Lancelot Andrewes (1555-1626), bijbelvertaler en beroemd collega van Donne als (hof)-predikant, maar de eerste regel luidt bij Andrewes *A cold coming they had of it* en in het gedicht is *they we* geworden. Gezien de geprononceerde neiging tot ambiguïteit van Engelse auteurs uit Andrewes' periode, zou *coming* de bijbetekenis van 'adventstijd' kunnen hebben: de vier weken voor Kerstmis, het feest van de eerste komst van Christus (de Wederkomst wordt *the Second Coming* genoemd). Andrewes zou dan, bewust anachronistisch, hebben gezegd dat de Drie Wijzen met hun tocht een barre adventstijd hadden gehad. In een eerder gepubliceerde versie van mijn vertaling luidt de eerste regel daarom: 'Een koude advent was het zeker'. Maar ik ben hiervan teruggekomen, omdat Eliot in zijn essay over Andrewes (dat vooral ingaat op de genoemde kerstpreek) niets zegt over het eventueel ambigue gebruik van *coming*, tevens omdat het anachronisme in de wij-vorm onlogisch wordt, en vooral omdat de drie koningen volgens de traditie pas twaalf dagen na Christus' geboorte aankwamen.

Belangrijke elementen in het gedicht zijn de zakelijke toon, het understatement, gecombineerd met een gedreven ritme. De *three trees* (regel 24) en *pieces of silver* (regel 27) kunnen geduid worden als verwijzingen naar Golgotha en Judas' zilverlingen, terwijl *a white horse* (regel 25) mogelijk zinspeelt op het witte paard in de Openbaringen, waar het een symbool is van Christus.

VLADIMIR NABOKOV (1899-1977) is een Russische, sinds 1940 Engelstalige, in 1945 tot Amerikaan genaturaliseerde schrijver. Misschien is het geforceerd om een gedicht van hem tot de Westeuropese literatuur te willen rekenen. Maar ten eerste schreef hij al gedichten in het Engels tijdens zijn studie in Cambridge (1919-1922), nadat hij de taal op zijn derde had geleerd van een Engelse kinderjuf, ten tweede heeft Nabokov de roman waarin het Russische origineel van het gedicht verscheen (*Dar*) in Berlijn en aan de Franse Rivièra geschreven, ten derde heeft Nabokov het gedicht zelf in het Engels vertaald toen hij weer in Europa woonde (in Montreux). Russische tijdgenoten beschouwden Nabokov bovendien als een halve Engelsman.

Nakobov is een van de zeldzame aristocraten in de twintigste-eeuwse literatuur. Zijn vader was rechtsgeleerde en liberaal politicus. De familie emigreerde na de revolutie naar Berlijn, waar Nabokovs vader werd vermoord door een rechtse extremist (die het op een ander had voorzien: een thema in Nabokovs werk). Nabokov wist in 1937 uit te wijken naar Frankrijk en in 1940 naar Amerika, waar hij aanvankelijk werkte als vlinderkundige, daarna als professor Russische (en Westeuropese) literatuur, totdat het succes van de Putnam-editie (1958) van *Lolita* hem in staat stelde alleen nog te schrijven. In 1959 keerde Nabokov met vrouw en zoon naar Europa terug.

Nabokovs laatste Russische roman *Dar* verscheen in 1937/38 als feuilleton in Parijs. De Engelse versie (*The Gift*) verscheen in 1963 en was vertaald door Dmitri Nabokov en Michael Scammell, maar Nabokov zelf vertaalde de talrijke gedichten in de roman.

'De oude brug' gaat terug op een van de vele gedichten die Nabokov in 1916 heeft geschreven voor zijn eerste liefde, Tamara in zijn autobiografie *Speak Memory*, die model heeft gestaan voor Masjenka (*Mary*) uit de gelijknamige roman.

De locatie van het gedicht is een van de bruggen over de Oredezj, de rivier die het ouderlijk landgoed scheidde van dat van Nabokovs oom. In de fraaie bundel met vertalingen van Russische lyriek *De meisjes van Zanzibar* (vertaling Werkgroep Slavistiek Leiden, onder auspiciën van Karel van het Reve) is een vertaling opgenomen, gebaseerd op het Russische origineel, die de prosodie van het gedicht meer recht doet.

WYSTAN HUGH AUDEN (1907-1973) was de zoon van een arts met belangstelling voor oudheidkunde, wat Auden er onder meer toe bracht Oudengels te studeren bij professor Tolkien (later befaamd door zijn *In de ban van de ring*). Hij ging naar kostscholen en werd in Oxford het middelpunt van een groep jonge dichters wier wereldbeeld sterk beïnvloed was door marxisme, psycho-analyse en de poëzie van T.S. Eliot. Na zijn studie verbleef hij een jaar in Berlijn. Terug in Engeland werd hij leraar en debuteerde als dichter met *Poems* (1930). Met zijn volgende bundels en versdrama's groeide Auden uit tot de exponent van een generatie linkse auteurs, waartoe ook zijn vrienden Spender en Isherwood behoorden. Hij was in opstand tegen zijn land ('Wat vinden jullie van Engeland, dat land van ons waar niemand zich goed voelt?' vraagt hij in de *The Orators*, 1932) en tegen het politieke bestel dat voor hem een verlengstuk was van het kostschoolsysteem ('De beste reden die ik heb om tegen het fascisme te zijn, is dat ik op school heb geleefd in een fascistische staat,' schreef hij in 1934).

Hij trouwde in 1935 met Erika Mann (om haar een paspoort te bezorgen), reisde met Isherwood in 1938 door China, verscheurd door burgeroorlog, en maakte ook iets mee van de Spaanse burgeroorlog, waarna de politiek van radicaal links haar bekoring voor hem verloor.

In 1939 vestigde Auden zich in New York. In hetzelfde jaar leerde hij Chester Kallman kennen, die een groot deel van Audens leven zou delen en met wie hij samen een aantal opera-libretti schreef, onder meer voor Strawinsky en Nicholas Nabokov. Audens vertrek naar Amerika werd in Engeland bijna als desertie beschouwd en het Britse literaire establishment kantte zich tegen hem. Auden distantieerde zich van een deel van zijn vroegere werk en keerde onder invloed van Kierkegaards theologie terug tot het christelijk geloof. *Another Time* (1940), Audens eerste in Amerika gepubliceerde bundel, bevat al religieuze elementen. Ook in zijn radicale tijd was hij trouwens gevoelig voor mystiek. In zijn essay *The Protestant Mystics* heeft hij in dit verband een ervaring beschreven uit de tijd dat hij leraar was: 'Op een mooie zomeravond in 1933 zat ik na het eten op een grasveld met drie collega's, twee vrouwen en een man. We mochten elkaar graag, maar waren bepaald geen intieme vrienden en ook was geen van ons seksueel geïnteresseerd in een van de anderen. We hadden tussen twee haakjes geen alcohol gedronken. We zaten zomaar wat te praten over gewone dingen, toen er heel plotseling en onverwacht iets gebeurde. Ik voelde een kracht in mij varen waar ik weliswaar aan toegaf, maar die ook niet was te weerstaan en die zeker niet van mij was. Voor het eerst van mijn leven wist ik precies wat het betekent om je naaste lief te hebben als jezelf—omdat ik het dank zij die kracht dééd. Ik was er ook zeker van dat mijn drie collega's dezelfde ervaring hadden, al bleef de conversatie heel alledaags. (Bij een van hen heb ik dit later kunnen verifiëren.) Mijn persoonlijke gevoelens tegenover hen waren onveranderd—het waren nog steeds collega's, geen intieme vrienden—maar hun hoogstpersoonlijk bestaan vond ik van oneindige waarde en een reden tot vreugde.'

Toen Auden in 1946 Amerikaans staatsburger werd, had hij in omgekeerde richting dezelfde weg afgelegd als Eliot. Zijn poëzie werd klassieker, meditatiever, en hij ging meer belang hechten aan verstaanbaarheid. Sinds 1948 woonde hij een deel van het jaar in Ischia, vanaf 1957 in het Oostenrijkse Kirchstetten. De band met Engeland werd hersteld toen Auden in 1956 werd benoemd tot *Professor of Poetry* in Oxford, wat hij vijf jaar bleef (tijdens de *summer terms*). In 1972 zocht hij opnieuw zijn toevlucht in Oxford, toen hij zich in zijn Newyorkse wijk (Lower East Side) niet meer veilig voelde. Hij stierf in de zomer van 1973 aan een hartaanval in het Oostenrijkse Jozefplatz, waar hij de avond tevoren nog had gelezen uit eigen werk.

De opvallendste trek van Audens poëzie is de enorme diversiteit, zowel in thematiek als prosodie. Auden is een ideeëndichter die zijn gedachten verpakte in briljant geformuleerde beelden, toespelingen, waarnemingen, sprekende details. In zijn beste gedichten gaat een heel lyrische toon samen met intellectuele diepgang, maar algemener bij Auden is de afwisseling van dagelijkse omgangstaal met verbale acrobatiek. De toon kan omslaan van barok naar burlesk, en lyriek wordt afgewisseld met je reinste *light verse*. Zoals zijn biograaf Humphrey Carpenter zegt: 'Zijn doel was altijd om uit zulk heterogeen materiaal een volledige compositie of synthese van ideeën op te bouwen—om intellectuele orde te scheppen uit heel het terrein van de menselijke ervaring.' (*W.H. Auden*, p. 327)

Musée des Beaux Arts dateert van half december 1938, toen Auden in Brussel logeerde bij Isherwood. Het was een soort afscheid van Europa, want ruim een maand later vertrokken ze allebei naar de VS, om zich daar te vestigen.

De versvorm is in dit gedicht heel vrij: de regels zijn van zeer ongelijke lengte, er is geen rijmschema, al is er onregelmatig verdeeld rijm, wat bij het vertalen meer vrijheid geeft. In het eerste deel van het gedicht roept Auden indrukken op die het zien van enkele schilderijen van Pieter Brueghel de Oudere in het Brusselse museum bij hem nagelaten had. Als

Leitmotif in die schilderijen (zoals 'De Volkstelling in Bethlehem') ziet Auden het lijden, dat zozeer vast onderdeel was van het bestaan dat het niet opviel, niet dramatisch was, genegeerd werd.

In het veel lyrischer deel na de witregel wordt deze gedachte toegespitst op Brueghels 'De val van Icarus', een schilderij waarop een ploegende boer bijna alle ruimte inneemt, terwijl op de achtergrond een galjoen te bespeuren is dat de baai uitzeilt, en in een hoekje het verdwijnend stel benen van de man die getuige de titel van het schilderij Icarus moet zijn. Het grote drama van de overmoedige die te veel wilde en met de dood wordt gestraft, trekt niemands aandacht. Iedereen had wel iets beters te doen. Icarus' falen deed de boer niet veel, en het schip moest ergens heen. Het is deze bedrieglijk laconieke woordkeus die het gedicht zijn navrante kracht geeft en die zoveel mogelijk behouden moest blijven in de vertaling.

The Model uit 1942, beschrijft een tachtigjarige dame die poseert voor een schilderij. Auden weet niets van haar af en kan haar sociaal niet plaatsen, maar is getroffen door het morele gezag dat ze uitstraalt, en het ontbreken van enig grein van egoïsme of zelfbeklag. Ze is niet door het leven geschonden, ze is erdoor gewórden (het lijkt een bewust germanisme om *became*, regel 18, op deze wijze zonder object te gebruiken). Het is daarom van geen belang in wat voor omgeving de schilder haar situeert: of het nu een aristocratische ambiance is, een rijstveld of een achterbuurt, elke achtergrond zal door de kracht van haar persoonlijkheid een mystiek extra krijgen – niet door een goddelijke aanwezigheid, maar doordat zij hun 'wezenlijke, menselijke kant' tot uiting brengt. Het gedicht gaat niet over schilderkunst, want het model zelf is het kunstwerk. De meest pregnante regel in het gedicht is *She will compose them all*. Het werkwoord heeft de betekenis 'tot rust/op orde brengen', zoals in *compose your thoughts*, maar ook 'tot compositie/tot eenheid maken, doen harmoniëren'; de parafrase met 'eenheid, duur' kan dit alles maar ten dele overbrengen.

Technisch heeft het gedicht een gebonden vorm, bestaande uit de opeenvolging van een lange, halflange, korte, halflange, korte en lange regel per couplet, met het rijmschema a-b-a-c-c-b, maar het aantal lettergrepen en klemtonen is min of meer variabel.

In Schrafft's dateert van 1947 en beschrijft ook een vorm van mystiek in een alledaagse setting, maar nu meer religieus getint. Het gaat over het zien van een op het eerste gezicht heel gewone vrouw in de prozaïsche entourage van een niet-chic restaurant (er waren in New York tweeëndertig filialen van Schrafft's). Als de vrouw opkijkt, ziet Auden met een schok dat ze 'verlicht' is, dat ze afgaande op haar glimlach het ideaal van onthechting heeft bereikt. Het wereldnieuws, zoals aangeduid in het tweede couplet, bestaat niet voor haar. (Enkele verbale elementen zijn hier onverwacht, zoals *globular* in regel 8 dat naar de aardbol verwijst, maar eventueel ook naar ronde projectielen; *rout*, in regel 9, is 'panische vlucht, nederlaag, ondergang', maar ook 'rotzooi, chaos' en is in de vertaling vrij geparafraseerd tot 'afgrond'.) In het derde couplet is de syntaxis ongewoon. Eigenlijk staat er: haar glimlach leek er niet zeker van te zijn wélke hemel (van de zeven) verantwoordelijk was voor haar onthechte staat, maar wel kon je eraan zien dat ze was bezocht door een god 'voor wie het goed knielen is'. Het woord 'tabernacle' in de slotregel is een archaïsme voor 'ergens tijdelijk verblijven' (er is verwantschap met *taberna*, taveerne, et cetera), maar doet meteen denken aan de tabernakel uit Exodus, de tent der tenten bewoond door Gods geest, waarna het woord de ruimere betekenis kreeg van 'tempel, heiligdom'.

Het rijmschema laat de eerste en vierde regel van elk couplet vrij, terwijl de regels 2 en 3 rijmen op 5 en 6. De cadans is vrij, maar leunt aan tegen dactylisch/anapestisch, wat aan het gedicht iets liedjesachtigs geeft. Daardoor, en misschien ook door het relativerende effect van de *seven heavens* heeft Auden de ernst en de emotionele schok van de in dit gedicht beschreven ervaring wat geneutraliseerd.

Lines to Dr. Walter Birk dateert uit 1970 en is een gelegenheidsgedicht voor Audens huisarts in Kirchstetten, die zijn praktijk neerlegde. Auden was zozeer een vakman dat zijn gelegenheidsgedichten zelden onderdoen voor zijn overige poëzie. De vorm van dit gedicht is door Auden vaak gebruikt, alleen al zeven keer in zijn laatste zelf-geredigeerde bundel *Epistle to a Godson*, waar ook *Lines to Dr. Walter Birk* uit afkomstig is, namelijk een aangepaste sapfische strofe. De klassieke sapfische strofe bestaat uit drie regels van steeds twee trocheeën, een dactylus en weer twee trocheeën, gevolgd door een vierde regel van een dactylus en een trochee. Bij Auden hebben de lange regels in principe elf lettergrepen en de korte slotregels vijf, maar hij neemt het er niet zo nauw mee en trekt zich ook metrisch weinig aan van het klassieke voorbeeld. Wel hebben de lange regels drie of vier accenten en de korte twee, terwijl alle regels eindigen op een onbeklemtoonde lettergreep. Het resultaat is ook hier een zangerige cadans, die mooi contrasteert met de spreektalige toon van het gedicht, al is die bedriegelijk, want het gedicht staat vol formele en archaïsche elementen. Behoud van de zangerigheid en het intact laten van de signaalfunctie van onverwachte woorden en verwijzingen leek noodzakelijk, evenals een consequente trouw aan de diverse registers (formeel/informeel; emotioneel/afstandelijk; expressief/alledaags) die in dit gedicht bijzondere combinaties aangaan. Per couplet som ik de punten op die aandacht verdienen:

1 Of Auden zijn Oostenrijkse huisarts getutoyeerd heeft, weet ik niet. Als de voertaal Duits was vermoedelijk niet. Maar ze waren wel zo vertrouwelijk met elkaar dat ze elkaar in Nederlandse verhoudingen zouden hebben getutoyeerd.

Birk was vijfenveertig jaar huisarts geweest in Kirchstetten, *first* in de openingsregel betekent niet 'de eerste keer' maar 'nog maar pas'.

2 De *horse-and-buggy* is een klein rijtuigje voor privégebruik, het gangbare dokterskoetsje uit de periode voor de auto gemeengoed werd, maar het woord heeft een extra associatie in het Engels, die van provinciaals/ouderwets (*How very horse-and-buggy*).

3 Audens gebruik van *regret* zonder object is ongewoon en daardoor nadrukkelijk. Een extra formele wending in het Nederlands kan dat effect benaderen. Ook het transitief gebruikte werkwoord *faith* is zeer zeldzaam in het Engels (bij Shakespeare zijn er wat voorbeelden van te vinden). Het lijdt geen twijfel dat Auden, cryptogramliefhebber als hij was, het woord welbewust heeft gecombineerd met *healer*, zodat de term *faith healer* erin doorklinkt. Volgens Audens Freudiaanse visie was alle ziekte van psychische aard en als gevolg van die opvatting vervult elke goede arts de rol van *faith healer*. Bovendien is een *healer* meer dan een dokter: een arts probeert te genezen, een *healer* ís een genezer. Ik heb voor het werkwoord 'op wie ik betrouw' gekozen, vanwege de associaties met 'op God betrouwen'.

4 *Misconster* is een ongebruikelijke variant van *misconstrue* die Auden nodig had, omdat alle regels slepend eindigen. Het Nederlandse 'misduiden' is vergelijkbaar incourant, terwijl de eventuele associaties met psychoanalyse in dit verband niet misplaatst lijken.

6 Het werkwoord *plump (to make plump, fill out)* is nogal archaïsch. De *Oxford English Dictionary* geeft het voorbeeld: *her cheeks had plumped out*. De regel *phip in the eaves of the patulous chestnut* is dubbel archaïserend: *phip* is een in onbruik geraakte onomatopee, vergelijkbaar

met het Nederlandse 'tjiepen' (combinatie van tjilpen en piepen) dat men onder andere bij Gezelle kan vinden ('Gij vogels die tjiept en tureluit/Gij die tatert en kwettert'). Met *eaves* wordt hier de overhangende kruin van de kastanjeboom aangeduid, en *patulous* is een incourant woord met de betekenis 'wijduitstaand', ontleend aan het Latijnse *patulus*. De Leopold-reminiscentie bij 'oude woonhuis' is een toevalligheid, waar ik niet de nadruk op wilde leggen door de 'e' van 'oude' te schrappen. Het gaat hier trouwens niet om de leeftijd van het huis, het gaat erom dat dit huis volgend jaar het voormalige huis van Dr. Birk zal zijn.

7 *beasts* verwijst naar de bijbel. Waar in de King James-Bible wordt gesproken van *beasts of the earth* en *beasts of the fields* (Genesis 1:24 en 2:19) heeft de Nederlandse vertaling (van het NBG) 'gedierte'. Een *sense of occasion* is: gevoel voor wat hoort bij een bepaalde gelegenheid of, zoals hier, voor wat iets tot een gelegenheid maakt.

9 De betekenis van *flare* is 'opvlammen'. Er bestaat een homoniem met de betekenis 'uitbollen', maar gezien de 'gesloten' bloei van de crocusachtige herfsttijloos lijkt die betekenis niet geïmpliceerd.

10 Auden heeft na publikatie één revisie aangebracht in het gedicht (opgenomen in de postume *Collected Poems*): hij heeft de *o* van *once* gekapitaliseerd, waardoor het archaïsme nog meer nadruk krijgt. In de vertaling is dit benaderd met 'de Eenmalige'. *Public Realm* is geen gangbare term, maar een eigen wending van Auden om 'de openbaarheid' aan te duiden.

11 Het werkwoord *to private* is sinds de Elizabethaanse tijd niet meer gebruikt; met de ongewone wending 'privater bestaan' is geprobeerd het effect te benaderen; *snudge in a quiet* is een citaat uit George Herberts *Giddinesse* (zie hiervoor). Het werkwoord *snudge* wordt door de woordenboeken omschreven als *to remain snug and quiet, to nestle*. De weergave 'genoeglijke rust' is een echo van 'rust genoegelijk' uit de vertaling van *Giddinesse*. Men kan er ook nog een toespeling in zien op het 'genoeglijk leven' van Poots 'gerusten landmans'.

Ik heb er geen verklaring voor waarom Auden in dit gedicht zoveel gearchaïseerd heeft. Misschien was Birk een kenner van de oudere Engelse literatuur, met name Shakespeare, zodat de toespelingen aan hem besteed waren. Misschien ook is het alleen maar een ironische onderstreping van hun beider bejaardheid.

FRANS

PIERRE DE RONSARD (1524-1585) was de toonaangevende figuur van de Franse Pléiade, een groep van zeven dichters (in navolging van zeven Griekse dichters uit de derde eeuw in Alexandrië) die in literair opzicht de Franse renaissance hebben ingeluid. Ronsard was een jongere zoon van een edelman uit de Vendôme. Hij kwam als twaalfjarige aan het hof, als page, en zou stellig een militaire of diplomatieke carrière hebben gevolgd als hij niet op jeugdige leeftijd doof was geworden. Hij begon de klassieken te bestuderen en nam de lagere wijdingen aan, waardoor hij in aanmerking kon komen voor lucratieve prebendes: de revenuen van kerkelijke goederen.

Hij was een heel vruchtbaar dichter. Aanvankelijk volgde hij met zijn *Odes* (1550) Horatius na. Vervolgens werd hij de exponent van het Franse petrarkisme met *Les Amours* (1552), gericht aan een geliefde die hij overigens amper kende (een dichter kon het niet zonder zijn Dame stellen, desnoods verzon hij er een). Zijn latere liefdesgedichten, onder meer gericht aan Marie, een meisje van nederige komaf, maar van vlees en bloed, zijn veel aardser.

Ronsard was een gunsteling van Karel IX (en de favoriete dichter van Mary, *Queen of Scots*); onder Karels opvolger verloor hij zijn bevoorrechte positie. Ronsard verzorgde zelf de uitgave van zijn *Oeuvres* (1578), waarin voor het eerst de *Sonnets pour Hélène* verschenen, ongetwijfeld de persoonlijkste en meest geïnspireerde gedichten die hij geschreven heeft.

Vreemd genoeg verbleekte Ronsards ster in de zeventiende en achttiende eeuw. Voltaire noemde hem een barbaar (een compliment als men bedenkt dat hij ook Shakespeare zo betitelde). Pas de criticus Sainte-Beuve gaf Ronsard (in 1829) zijn plaats terug in de Franse literatuurgeschiedenis—als een soort voorloper van de romantiek.

Omdat Ronsard de dichter is die de alexandrijn tot hét voertuig van de Franse poëzie heeft gemaakt (althans tot aan het begin van deze eeuw), kan het van nut zijn iets meer te zeggen over deze versvorm—en het vertalen ervan. De Franse alexandrijn is een regel van twaalf of dertien lettergrepen, met een verplichte pauze of cesuur na de zesde lettergreep, maar met een vrij ritme. Toen de alexandrijn in de zeventiende eeuw door Nederlandse dichters werd nagevolgd, hield men zich niet alleen strikt aan de cesuur na de zesde lettergreep, maar paste ook een streng jambisch metrum toe. Door dat misverstand ontstond de dreun die veel Nederlandse poëzie van de zeventiende tot de negentiende eeuw weinig genietbaar maakt. Het misverstand bestaat nog steeds, getuige de definitie van de alexandrijn in de Winkler Prins ('alexandrijnen zijn verzen van 12 of 13 lettergrepen, tellende 6 jambische voeten met een cesuur in het midden'). Ook Buddingh' zegt in zijn boek over prosodie en versvormen, *Synopsis*, over de alexandrijn dat deze 'uit zes jamben (twaalf lettergrepen)' bestaat, maar zelfs het voorbeeld dat hij geeft (van de strenge prosodist Boileau): *Que toujours, dans vos vers, le sens, coupant les mots* is allesbehalve jambisch.

Ook aan het hier vertaalde sonnet van Ronsard laat zich goed demonstreren dat er geen sprake is van een jambische versmaat. Metrisch gezien bestaat de eerste regel uit vier anapesten, en ook de eerste helft van de regels 2, 8 en 9 is anapestisch. Bij het vertalen van de alexandrijn in het Nederlands kan men òf de jambische versvoet aanhouden (de natuurlijkste metrische vorm in Nederlandse poëzie) en zich niét storen aan de cesuur, of zich houden aan de cesuur in het midden, maar dan – net als in het Frans – géén metrische beperkingen stellen. Beide procedés vermijden de dreun, en ze laten zich mijns inziens ook goed combineren.

Het vertaalde gedicht is een variatie op het petrarkistische motief van de geliefde als (onbereikbare) godin, maar het is heel origineel uitgewerkt – even geraffineerd als speels – en culmineert in een slotregel die spreekwoordelijk mag heten, maar die merkwaardigerwijze in de Franse citatenbijbels en spreekwoordenboeken (waarin Ronsard zeer ondervertegenwoordigd is) niet voorkomt.

In de vertaling van het octaaf zijn twee rijmslagen toegevoegd.

JEAN DE SPONDE (1557-1595) was een protestantse humanist en hellenist, opgegroeid in het Franse Navarre (grofweg hetzelfde gebied als Frans Baskenland), beschermeling van de protestantse koning van Navarre die in 1589 koning van Frankrijk werd (of eigenlijk koning van Frankrijk én Navarre, zoals de officiële titel tot de Franse Revolutie bleef luiden),

Henri IV, de man van *Paris vaut bien une messe*, die zich dan ook in 1593 tot het katholicisme bekeerde, maar die ook godsdienstvrijheid garandeerde aan de Hugenoten (met het Edict van Nantes, 1598, in 1685 herroepen door zijn kleinzoon Louis XIV).

Sponde studeerde onder meer in Bazel, waar hij in 1583 een Homerusvertaling publiceerde (let wel, in het Latijn; Sponde dacht ten onrechte dat hij daarmee de eerste was) en waar hij ook bekendheid genoot als alchemist (Sponde geloofde dat hij erin was geslaagd goud uit zilver te maken).

De troonsbestijging van Henri IV leidde aanvankelijk tot een burgeroorlog en Sponde werd benoemd tot luitenant-generaal van het protestantse bolwerk La Rochelle, al zal zijn militaire ervaring gering zijn geweest. Hij slaagde er niet in die semi-zelfstandige stad tot loyaliteit te bewegen en verkocht (!) zijn ambt na twee jaar, in 1592. Tijdens zijn verblijf in La Rochelle vertaalde hij Hesiodus in Latijnse hexameters.

Sponde bekeerde zich enkele maanden na de koning tot het katholicisme, terwijl hij niet zo lang daarvoor in een aan de koning opgedragen geschrift had uiteengezet dat het voor de koning eerloos zou zijn om zich af te wenden van het protestantisme. Toch is het niet waarschijnlijk dat hij het katholieke geloof uit opportunisme omhelsde. Hij was na langdurige discussies bekeerd door kardinaal Du Perron, de grootste Franse prediker van zijn tijd, die ook een aanzienlijke faam genoot als dichter. In elk geval raakte hij door zijn bekering vervreemd van de koning, met het gevolg dat hij zijn staatkundige aspiraties kon vergeten. Sponde werd het mikpunt van een pamflettencampagne van de zijde der Hugenoten. Hij verweerde zich door de geschiedenis van zijn bekering te beschrijven. Toen dit alles niet hielp, zette hij zich aan het schrijven van een groot werk, bedoeld om de hele calvinistische theologie te ondergraven. Hij stierf (werd volgens sommigen vermoord) voor hij dit werk kon voltooien, maar het manuscript werd gepubliceerd als *Response au Traicté des Marques de L'Eglise*, en telde, onvoltooid, ruim achthonderd bladzijden.

Hoewel Sponde in 1588 zijn nu beroemde *Sonnets de la Mort* had gepubliceerd, als aanhangsel bij zijn *Méditations sur les Psaumes*, genoot hij in zijn tijd als dichter geen bekendheid, want er is bij zijn tijdgenoten geen woord van lof of kritiek over zijn poëzie te vinden. De publikatie uit 1588 werd overigens pas in 1951 teruggevonden; de Winkler Prins stelt nog abusievelijk dat Spondes sonnetten over de dood postuum zijn verschenen, in 1599, het jaar waarin een min of meer complete uitgave van Spondes poëzie het licht zag.

De dichter Sponde is pas in deze eeuw ontdekt, door Alan Boase, die voor het eerst de – internationale – aandacht op hem vestigde in 1931, in Eliots blad *The Criterion*, en hem vergeleek met de *metaphysical poets*. Spondes reputatie is sindsdien alleen maar gegroeid. Hij geldt nu als een van de grootste Franse barokdichters, die zich onderscheidde door de vurigheid van zijn temperament, de felheid van zijn overtuiging, de heftigheid van zijn gevoel – en daarnaast het raffinement van zijn expressie.

Het hier vertaalde, tweede sonnet over de dood is een variatie op een bekend thema: de kortheid en ongewisheid van het sterfelijk leven, maar geen ander (behalve misschien John Donne) zou zo subliem met de deur in huis gevallen zijn. In het octaaf geeft Sponde een reeks emblemen van de vergankelijkheid. In het eerste terzet gaat het om de gevaarvolle onzekerheid van het bestaan. Het tweede terzet herneemt het thema van het octaaf: zoals alles in zijn tegendeel kan verkeren, zo verkeert leven in dood. In het slot klinkt navrant sarcasme door – al kan men er ook een oproep in zien het leven ten volle te leven, zolang men de dood maar in gedachten houdt.

De volgorde van de regels 5, 6 en 7 is in de vertaling 6, 7, 5 geworden. In het tweede kwatrijn zijn nieuwe rijmen gebruikt. In regel 6 staat *le verd de la cire* voor 'het einde van de was' – de betekenis 'einde' is ontleend aan het Italiaanse *verde* (zie al bij Petrarca: Canzoniere XXXIII, r.9).

PIERRE DE MARBEUF (1596-1645) behoort tot de vrijwel vergeten Franse barokdichters. Het hier vertaalde gedicht vond ik in de *Anthologie des poètes baroques français* (ed. Jean Rousset) en ik werd getroffen door de volmaakte manier waarop de dichter de elementen *mère*, *mer* en *amer* heeft weten te combineren. Dat is sindsdien vaker gedaan, maar nooit zo elegant. Het is trouwens opmerkelijk dat *amer* vanwege de klankverwantschap een stereotiepe kwalificatie is geworden van de zee in de Franse poëzie. Het woord betekent in feite gewoon 'bitter', en niet 'zilt', zoals de vertaalwoordenboeken in arren moede maar zijn gaan beweren.

De genoemde anthologie gaf als informatie over Marbeuf alleen zijn jaartallen en de titel *Recueil des vers du Sieur de Marbeuf* (Rouen, 1628), welke bundel voor de plaatselijke bibliofielen werd heruitgegeven in 1897, weer te Rouen, ter viering – een jaar te laat – van Marbeufs driehonderdste geboortejaar, kennelijk een initiatief geboren uit regionaal chauvinisme.

Men moet diep in de naslagwerken duiken om meer over hem te weten te komen: Marbeuf ging school op het Normandische jezuïetencollege *De la Flèche*, waar hij een medeleerling was van Descartes, en studeerde daarna rechten in Orléans. Als dichter debuteerde hij in 1618 met *Psaltérion Chrétien*. Hij was Sieur d'Ymare et de Sahurs en bracht het tot Maître des Eaux et Forêts van het departement Eure.

In 1638 schreef hij een ode bij de geboorte van kroonprins Louis Dieudonné. Zoals die tweede voornaam doet vermoeden, was al niet meer gerekend op deze stamhouder, want het huwelijk van Lodewijk XIII en Maria van Oostenrijk, gesloten in 1615, was al heel lang kinderloos. Het opmerkelijke is nu dat de koningin na de blijde geboorte een wijgeschenk van tachtig mark zilver (ca. 20 kilo) heeft gestuurd naar de (nog bestaande) Chapelle de Notre Dame de la Paix, behorende tot Marbeufs voorvaderlijk *manoir* te Sahurs. De koningin moet een reden hebben gehad aan die lokale Lieve Vrouwe uit een Normandisch gehucht speciale dank te brengen voor de geboorte van een kroonprins, de latere Lodewijk XIV.

Een gedicht dat zijn charme voor een groot deel ontleent aan de klankovereenkomst van drie kernwoorden is per definitie onvertaalbaar, als men onder 'onvertaalbaar' wil verstaan: niet zodanig over te brengen dat het verlies binnen de perken blijft. Daar staat tegenover dat de vertaling, ondanks het verlies, toch nog een fraai en illustratief barokgedicht oplevert. De vertaling compenseert het verlies trouwens tot op zekere hoogte door extra (binnen)rijm in het octaaf; in feite is daar maar één eindrijmklank, mét en zonder stomme e.

'De moeder van de Liefde' is natuurlijk de uit de zee geboren Venus, de Liefde zelf is Amor en om die reden is Liefde hier gekapitaliseerd (zie Van Dale: '-7. (dicht., vero.) Amor, de minnegod.') De regels 12 en 13 zijn in de vertaling omgedraaid.

Strikt genomen kan *Ton amour qui me brûle* (r.13) alleen betekenen 'Jouw liefde die mij brandt', maar de petrarkistische traditie maakt het onwaarschijnlijk dat met *Ton amour* niet 'mijn liefde voor jou' is bedoeld, en er zijn Italiaanse voorbeelden te vinden van dit ongewone gebruik van het bezittelijk voornaamwoord.

VICTOR HUGO (1802-1885) was de zoon van een van Napoleons generaals en begon, politiek en literair, zeer behoudend. Zijn eerste bundel *Odes et poésies diverses* (1822) leverde hem een jaargeld op van Lodewijk XVIII, maar hij ontwikkelde zich weldra tot een kampioen van de nieuwe stroming in de kunst, de romantiek. Hugo was uiterst produktief, zowel in proza als in poëzie. Hij schreef ook vele toneelstukken, waaronder *Hernani* dat tumult verwekte omdat Hugo het had gewaagd enjambement toe te passen – gevaarlijke romantische nieuwlichterij volgens de classicisten. Hugo was ook zeer actief als liberaal politicus.

Toen Lodewijk Napoleon in 1851 de macht greep, moest Hugo de wijk nemen naar het kanaaleiland Jersey (later verhuisde hij naar Guernsey), en hij bleef in ballingschap tot de val van Napoleon III in 1870.

Alleen al aan poëzie heeft Hugo zo'n drieduizend pagina's bij elkaar geschreven. Zijn roem als dichter is in Frankrijk onaantastbaar, maar dat zegt meer over de behoudzucht van het Franse onderwijs dan over zijn aanhang onder echte liefhebbers. Gides beroemde antwoord op de vraag wie de grootste dichter van Frankrijk was – *Hugo hélas...* – lijkt mij weinig meer dan een *bon mot*. Hugo schreef te gemakkelijk, te veel en te retorisch, al is er uit zijn poëzie zeker een keuze te maken die van hoog niveau is.

Demain, dès l'aube zou daartoe behoren. Het is een aangrijpend, kort gedicht en het is autobiografisch. Léopoldine, Hugo's oudste dochter (geb. 1824), was in 1843 getrouwd en met haar man gaan wonen in Le Havre. Beiden verdronken bij een zeiltochtje, een half jaar later. Hugo zelf was op reis met Juliette Drouet (die vijftig jaar lang zijn maîtresse was), vernam het nieuws uit de krant en was te laat voor de begrafenis (in Villequier, bij Harfleur). Het duurde drie jaar voor Hugo het opbracht om het graf te bezoeken en pas in oktober 1847 schreef hij het schrijnende, titelloze gedicht dat hier vertaald is. (In de vertaling is de volgorde van de regels binnen elke regelpaar van de eerste twee strofen omgedraaid.)

GÉRARD DE NERVAL (1808-1855), zoon van een chirurgijn die moest dienen in Napoleons Rijnleger, was van jongsafaan bevriend met Théophile Gautier, met wie hij de literaire groep *Jeune France* vormde, en debuteerde in 1826 met *Les Elégies nationales*. Hij vatte een voorliefde op voor Duitsland, leerde Duits, vertaalde Goethes *Faust* en later werk van Heine, met wie hij bevriend was. Nerval schreef ook proza, zoals *Voyage en Orient* (1851) en de droomachtige novelles *Sylvie* (1854) en *Aurélia* (1855). Als zo vele romantici werd hij gefascineerd door het occulte, door alchemie, et cetera.

De jong gestorven actrice Jenny Colon, met wie Nerval enige jaren een verhouding had, werd na haar dood voor hem een middelares tussen de dagelijkse en de bovennatuurlijke wereld. Soms zag hij haar als de gereïncarneerde Maagd Maria. Zijn latere werk stond in het teken van wat hij noemde 'het laten overlopen van de droom in het werkelijke leven'. Hij werd achtmaal als geesteszieke opgenomen, maar zijn vorm van waanzin was ook zijn grote inspiratie. In januari 1855 hing hij zich op, luguber genoeg aan een lantaren in de rue de la Vieille Lanterne.

Zijn roem berust nu vooral op zijn weinige gedichten, met name de cyclus *Les Chimères*, die hem volgens deskundigen tot een voorloper maakt van symbolisten en surrealisten. Volgens de Winkler Prins betreft het hier 'hermetische sonnetten', maar *Vers dorés*, het beroemdste gedicht uit de cyclus, is glashelder.

In dit gedicht valt De Nerval het rationele materialisme aan en stelt, met Pythagoras en de animistische religies, dat alles gevoel heeft of bezield is, en dat de mens op de verkeerde weg is als hij dat niet wil zien, omdat alles invloed op ons uitoefent, het dierlijke (regel 5), het plantaardige (regel 6) en het minerale (regel 7), en omdat zelfs een blinde muur ons ziet. Het ligt voor de hand *un verbe* (regel 10) in verband te brengen met *Dans le commencement il y avait le verbe*, niet het werkwoord, maar het Woord, in de zin van de goddelijke wil. Daarom ook mag de mens geen onheilig gebruik maken van de materie. Zelfs in het nietigste woont een verborgen godheid, in alles groeit—pril als een oog bij de geboorte—de zuivere geest gods, zelfs onder het oppervlak van een steen. Het gedicht is een oproep aan de vrijdenker mens om de levende en ook de (schijnbaar) dode natuur te respecteren, en De Nerval heeft die gedachtengang mooi compact en muzikaal vormgegeven.

Het Pythagoras-motto en de titel 'Gulden verzen' verwijzen naar een fragment van zestig hexameters, bekend onder dezelfde naam en stammend uit de Pythagorische school, een tekst die in de vorige eeuw nog algemeen aan Pythagoras zelf werd toegeschreven.

CHARLES BAUDELAIRE (1821-1867) was bij zijn leven een tamelijk miskend en verbitterd man, zijn wereldfaam als dichter dateert van na zijn dood.

Baudelaires moeder was na de dood van zijn vader hertrouwd met de beroepsmilitair Aupick, die generaal en senator zou worden en voor wie Baudelaire haat en afschuw voelde. Deze stiefvader stuurde hem na zijn schooltijd mee met een schip dat naar Calcutta zeilde. Baudelaire ging in Mauritius van boord en bij de eerste gelegenheid terug naar Frankrijk, maar deze korte kennismaking met de tropen heeft zijn werk sterk beïnvloed. Hij beleefde zijn gelukkigste jaren toen hij op zijn eenentwintigste in het bezit kwam van zijn vaderlijk erfdeel, een bedrag van meer dan een miljoen in hedendaagse munt. Maar toen hij in twee jaar bohémienschap de helft van zijn erfenis erdoor had gejaagd, werd hij door de familie onder curatele gesteld en moest hij voortaan leven van een karig jaargeld. Intussen was hij besmet geraakt met syfilis, de ziekte waaraan hij vermoedelijk is gestorven.

Baudelaire is de man van één bundel, *Les Fleurs du Mal*, gepubliceerd in 1857, die uit de handel moest worden genomen toen Baudelaire veroordeeld werd (enkele gedichten over lesbische liefde werden obsceen gevonden, andere gedichten blasfemisch). In 1861 volgde een vermeerderde herdruk zonder de gewraakte gedichten.

Baudelaires grootheid is, behalve in zijn vakmanschap, gelegen in de romantische gewaagdheid van zijn thematiek: zijn satanisme, decadentie, verering van het afwijkende, de klinische blik waarmee hij het zieke in zichzelf en de rest van de wereld waarnam. Hij was echt een 'gedoemde dichter', maar ook een scherpzinnig kunstcriticus en de vertaler van Edgar Allan Poe. (Baudelaire dankte zijn kennis van het Engels aan zijn moeder, die in Engeland geboren was.) Het *gothic* element in Poe (gruwel en bizarrerie) appelleerde sterk aan zijn gevoel voor melodrama en pathos. Die kant van hem ontsiert naar mijn smaak een deel van zijn poëzie, maar het lijkt buiten kijf dat hij tien of twintig gedichten heeft geschreven die tot de toppunten van de Franse poëzie behoren.

De voornaamste vrouw in Baudelaires leven was Jeanne Duval, een mulattin over wie maar weinig bekend is. Toen Baudelaire haar in 1842 leerde kennen was ze *soubrette*, het pikante dienstmeidentype van het boulevardtoneel, behorend tot de demi-monde. Ze had, blijkens de prachtige tekeningen die Baudelaire van haar heeft gemaakt, een grote bos zwart haar, felle donkere ogen, een matte huid en een smalle taille. Volgens vrienden als de fotograaf Nadar kon ze zeer hautain zijn. Baudelaire leerde haar kennen in zijn rijke tijd, en zolang zijn fortuin duurde, was hij met haar gelukkig. Tegenover sommigen deed hij het voorkomen alsof hij haar van zijn reis naar het Oosten had meegebracht. Voor haar schreef hij de gedichten die wel worden aangeduid met de naam *Pour la Vénus noire*, hartstochtelijke liefdespoëzie, zij het met grimmige accenten. Met de nodige onderbrekingen heeft Baudelaire het met haar uitgehouden tot haar dood, vermoedelijk in 1864. In hetzelfde jaar vertrok Baudelaire naar België, in de mening dat hij daar lucratieve lezingen zou kunnen geven. Baudelaire blijft er vijftien maanden en ontwikkelt zich tot rabiaat Belgenhater. In maart 1866 reist hij opnieuw naar België (hij is er bevriend met Félicien Rops), hij krijgt een soort attaque en raakt aan de rechterzijde verlamd. Twee maanden later wordt hij per trein teruggebracht naar Parijs waar 'hydrotherapie' op hem wordt toegepast. Baudelaire leeft nog ruim een jaar als afatische invalide.

L'Albatros is na de emblematische openingsverzen *Au lecteur* en *Bénédiction* het eerste gedicht uit *Les Fleurs du Mal* en vat het lot, of de romantische beleving, van het dichterschap samen. Vrienden hebben verklaard dat hij het gedicht al reciteerde in 1841 of '42 en dat zijn reis naar Mauritius er de inspiratie voor had geleverd. Toch maakt het geen deel uit van de eerste druk.

Vast staat dat Baudelaire begin '59 een plaquette liet drukken met *L'Albatros*, maar zonder de derde strofe. Zijn vriend Asselineau heeft hem toen de raad gegeven de situatie van de gevangen vogel navranter uit te werken, waarna Baudelaire de huidige derde strofe heeft toegevoegd.

Merkwaardig genoeg bestaat er een gedicht met dezelfde titel van de obscure dichter Polydore Bounin uit Marseille, gepubliceerd in 1838, waarin de vogel ook door matrozen wordt mishandeld en symbool wordt van het dichterschap, zodat Baudelaire zich daardoor misschien wel meer heeft laten inspireren dan door zijn reis.

Er is misschien geen logischer uitgewerkt gedicht dan dit hoogtepunt uit de Romantiek; de symboliek wordt de lezer uitgelegd in de slotstrofe.

L'Albatros is vrij vaak vertaald in het Nederlands, het laatst (zeer verdienstelijk) door Petrus Hoosemans, als een van de vijftien Baudelaire-vertalingen die hij in het herfstnummer 1983 van *De Tweede Ronde* publiceerde. Hoosemans had daarin enige door de redactie voorgestelde wijzigingen aangebracht. In 'De albatros' was zijn weergave van *au milieu des huées* (nl. 'waar bek en vuilbek wonen') veranderd in 'door smaad omringd en honen'. Had Hoosemans het zo gelaten, dan zou ik geen behoefte hebben gevoeld *L'Albatros* zelf te gaan vertalen, maar in de Ambo-uitgave van 1986 (met eenentwintig vertalingen, commentaren van Maarten van Buuren en een Nawoord van Johan Polak) bleek Hoosemans zijn Albatros-versie weer in de oorspronkelijke vorm te hebben teruggebracht. Gevraagd waarom hij zijn vergezochte 'bek en vuilbek' weer van stal had gehaald, liet hij weten op deze wijze twee Groningse dichters te hebben willen treffen door wie hij zich onheus bejegend achtte.

In *Correspondances* stelt Baudelaire aanvankelijk de natuur voor als een tempel waarin al het geschapene tot ons spreekt in een niet goed verstaanbare symbolentaal. Het begrip *correspondances*, waarvan wordt gedacht dat Baudelaire het via Balzac aan Swedenborg heeft ontleend, duidt op de analogieën tussen diverse regionen van de natuur, en vervolgens ook tussen natuur en kunst. De dichter lijkt geëigend om die symbolentaal te duiden of om er de hogere werkelijkheid achter te zien.

In het tweede kwatrijn wordt de gedachte uitgewerkt dat de esthetische sensaties van klank, kleur en geur verwant zijn, een idee dat Baudelaire ontleende aan E.T.A. Hoffmann, die hij in dit verband citeerde in een kunstbeschouwing (*Le Salon de 1846*).

In het sextet geeft Baudelaire als voorbeeld dat bepaalde sensaties zich het best laten beschrijven in termen die betrekking hebben op een andere zintuiglijke waarneming (synesthesie).

De originele wending die Baudelaire aan dit idee geeft, is dat juist de geuren van bederf hem tot de hoogste toppen van vervoering brengen, een vervoering zowel van de geest als van de zinnen. Onder die geuren noemt hij *benjoin*, welke naam was verbasterd uit *luban jawi* of Javaanse wierook: hars van de benzoëboom (*Styrax benzoin*) met een, naar het schijnt, vanille-achtig aroma. Omdat de Nederlandse benamingen ('benzoë' of 'styrax') als te technisch zouden detoneren, heb ik gelukkig mijn toevlucht kunnen nemen tot de term 'maagdenmelk', volgens Van Dale 'een oplossing van benzoëhars in alcohol met water, een vroeger veelgebruikt toiletmiddel'. Voor de moeilijk te vertalen titel heb ik uiteindelijk het enkelvoud 'Samenhang' gekozen, dat als collectivum kan worden gezien en geen meervoud nodig heeft.

L'Homme et la mer getuigt van Baudelaires bijzondere band met de zee. Natuurgedichten heeft hij vrijwel niet geschreven. Hij was een dichter van de stad. Voor zover hij zich bezighield met de natuur, ging het om de animale natuur van zijn Zwarte Venus en enkele andere vrouwen.

De zee ziet hij als spiegel van de menselijke natuur, die even onpeilbaar diep en duister is. De geluiden van de zee kunnen de mens het rumoer in zijn eigen ziel doen vergeten. Maar uiteindelijk zijn mens en zee tegenstanders, jegens elkaar bezield met een zelfde destructieve drift – in zekere zin een profetische visie: tegenwoordig slaagt men er aardig in de oceanen te vergiftigen.

Le Serpent qui danse is een van de twee gedichten op het thema van de dansende slang, beide geïnspireerd door Jeanne Duval. (Nadar had haar gang 'golvend als een slang' genoemd.) Het eerste is een sonnet dat weinig complimenteus eindigt met de regel *La froide majesté de la femme stérile*. Het tweede gedicht (zeven strofen met afwisselend negen en vijf lettergrepen in een vrij ritme) is innig en amoureus. De beeldspraak is gedurfd, origineel, zelfs geestig. Dat geldt bijvoorbeeld voor de vergelijking met een jong olifantje in de zesde strofe. Misschien wist Baudelaire iets van de poëtische traditie in het Oosten, waar de gang van een mooie vrouw graag wordt vergeleken met die van een jonge olifant. In dat geval heeft hij dit voor westerlingen niet zo navoelbare beeld elegant aangepast.

Tout entière is volgens commentatoren en biografen geschreven voor Madame Sabatier, ook wel Baudelaires *Vénus blanche* genoemd. Zij was een voormalig schildersmodel en werd gemainteneerd door de rijke Alfred Mosselman. Door een kleine artistieke vriendenkring rond Théophile Gautier, die 's zondagsavonds bij haar kwam dineren, werd zij *la Présidente* genoemd.

De 'roman' die Baudelaire met Mme Sabatier heeft beleefd, wordt ongeveer als volgt weergegeven: Baudelaire behoorde tot de vriendenschare die regelmatig bij Apollonie Sabatier te gast was, hij liet niet merken dat hij verliefd op haar was geworden, maar stuurde haar bij vier gelegenheden tussen december 1852 en mei 1854 zeven gedichten, vergezeld van brieven in een verdraaid handschrift. In de betreffende gedichten vervult Mme Sabatier duidelijk een Beatrice-rol (*L'Ange gardien, la Muse et la Madone*). Toen *Les Fleurs du Mal* was verschenen, met daarin de aan haar gestuurde gedichten, had Baudelaire zijn anonimiteit prijsgegeven. Hij zond haar een exemplaar met een vurige brief. Zij besloot zich aan hem 'te geven', waartoe een rendez-vous kon worden gearrangeerd, en schreef daarover een vurige brief terug. Het rendez-vous vond inderdaad plaats, waarna de toon van Baudelaires brieven bekoelde. (Zo schreef hij: 'U hebt een mooie ziel, maar uiteindelijk is het de ziel van een vrouw!') De biografen houden het erop dat Baudelaire faalde in bed, al is daar geen aanwijzing voor. (De Engelse specialiste in *poètes maudits* Joanna Richardson gaat zover te beweren dat Baudelaire als maagd gestorven zou zijn.) Baudelaire en Mme Sabatier bleven goede vrienden.

In de brief van 18 augustus 1857, waarin Baudelaire het masker aftrekt, verklaarde hij dat ook *Tout entière* behoorde tot de voor haar geschreven gedichten, en alle commentatoren hebben dit voetstoots aangenomen. Maar in 1978 verscheen een studie van Armand Moss (*Baudelaire et Madame Sabatier*), waarin de auteur mijns inziens overtuigend aantoont, ten eerste, dat Baudelaire nooit tot de vaste gasten ten huize van *la Présidente* had behoord, dat hij haar alleen maar uit de verte kende en pas in 1857 voor het eerst door haar ontvangen werd, en ten tweede dat hij met zijn bekende brief niets anders had beoogd dan dat zij voor hem bij bepaalde personen of instanties zou interveniëren (het proces wegens zedenschennis en godslastering stond voor de deur en Mme Sabatier was niet zonder relaties; Flaubert meende zijn proces inzake de aanstootgevendheid van *Madame Bovary*, kort tevoren, dank zij vergelijkbare interventie te hebben gewonnen).

Volgens Moss rekende Baudelaire *Tout entière* in zijn brief aan Mme Sabatier tot de Blanke Venus-gedichten om haar het hof te maken (wat dus de gewenste uitwerking niet miste), maar de voorbarige intimiteit van het gedicht lijkt met de toeschrijving niet te rijmen. Ook klopt er iets niet in de fysieke attributen: Mme Sabatier was blond. Ik citeer Moss: 'Maar *Tout entière*, dat de schoonheid bezingt van een vrouw die de auteur bezeten heeft en wier lichaam bestaat uit *objets noirs ou roses* kan haar niet 'toebehoren'; het gedicht volgt op een sonnet dat in de eerste editie van de *Fleurs du Mal* gericht is tot Jeanne Duval, *Je te donne ses vers afin que si mon nom*, en besluit de Jeanne-cyclus. Niemand heeft ooit aangenomen dat Baudelaire vóór 1857 de *objets-noirs* — die trouwens goudachtig kastanjebruin waren — had gekend van het "lieflijke" lichaam van de rubensiaanse Présidente.' (p. 82)

Natuurlijk kan Baudelaire zijn verbeelding te hulp geroepen hebben bij het schrijven van dit gedicht, maar het is waar dat *Tout entière* qua toon typisch thuishoort bij de Jeanne Duval-cyclus. Daar komt bij dat

Tout entière een term is uit het liefdesvocabulaire die wil zeggen dat een vrouw zich 'geheel en al' heeft gegeven.

L'Invitation au voyage was geschreven voor Marie Daubrun, na Jeanne Duval en Mme Sabatier de derde vrouw in het leven van Baudelaire, een mooie jonge actrice met roodblond haar en groene ogen. Ze was een tijdlang de maîtresse van Baudelaires vriend Banville. Eind 1854 overwoog Baudelaire, getuige een brief aan zijn moeder, met Marie Daubrun te gaan samenwonen. Uit deze periode dateert *L'Invitation au voyage*, dat Baudelaire in juni 1855 publiceerde. Twee jaar later publiceerde hij onder dezelfde titel een prozagedicht, waaruit blijkt dat het *pays qui te ressemble* Nederland was, een land dat Baudelaire niet uit aanschouwing kende, zodat hij het zich des te mooier voor kon stellen.

Begin 1855 vertrok Marie Daubrun met een toneelgezelschap naar Italië voor een langdurige tournee. Mogelijk was er eerst sprake van een dergelijke tournee door de Lage Landen, waar toen emplooi was voor Franstalig theater, en heeft dát Baudelaire tot het schrijven geïnspireerd.

Uit boeken had Baudelaire zich wel een voorstelling van Nederland gemaakt: een noordelijke, regenachtige wereld, maar een wereld waar alles orde, rust en welvaart ademde; daarbij een maritiem land, een stapelplaats voor al wat met schepen kon worden aangevoerd, met name de schatten van het Oosten – kortom, een gedroomd paradijs.

Behalve literaire beschrijvingen hebben Baudelaire ook schilderijen van Nederlandse landschappen door het hoofd gespeeld, wat blijkt uit het meervoud *ciels* in regel 8 dat alleen wordt gebruikt voor 'schildersluchten' (het gangbare meervoud is *cieux*), én schilderijen van Hollandse interieurs, getuige de beschreven meubels, bloemen, plafonds en spiegels.

Het woord *hyacinthe* aan het eind van de derde strofe slaat niet op het bolgewas, maar op de halfedelsteen hyacint, die volgens Van Dale bruinrood, maar volgens andere bronnen paars of violet is. Ook in zijn gedicht *Ciel brouillé* had Baudelaire Marie Daubrun al vergeleken met een *paysage mouillé/Qu'enflamment les rayons tombant d'un ciel brouillé!*

Qua prosodie lijkt het gedicht op *Le serpent qui danse*, alleen bestaat het refrein uit zevenlettergrepige regels. De korte regels zijn in de vertaling hier en daar langer geworden.

Les litanies de satan kan men zien als een rituele tekst bij een zwarte mis. Duivelsverering was een tamelijk gangbare affectatie onder jonge romantici, en Baudelaire schijnt er in 1846 in groepsverband aan te hebben gedaan. De 'Satanslitanie' zal uit die tijd dateren of althans teruggaan op een oudere versie uit die tijd. Satan is in dit gedicht de grote miskende, de verradene en verslagene, die toch nooit opgeeft. Hij is bovendien – een originele wending – de held van de vernederden en vertrapten, en de kampioen van de fysieke liefde, die ook de ellendigsten troost biedt. Ten slotte is hij de gepersonifieerde geest van opstand tegen het gezag, dank zij wie het buskruit is uitgevonden. Baudelaires Satan heeft bepaald sympathieke trekken.

Baudelaire wist iets van Engelse literatuur. Men heeft geopperd dat hij zich heeft laten inspireren door Miltons Satan, of dat hij Shelleys *Defence of Poetry* zou hebben gelezen, waarin Shelley stelde dat Miltons Satan moreel gesproken superieur was aan God.

Door de verwijzing naar het 'volk der metalen' wordt Satan geassocieerd met de alchemie; de 'onmens Croesus' staat – getuige een verworpen variant van Baudelaire – voor de bankwereld; *quenilles* in regel 38 zijn 'vodden', maar bij uitbreiding ook 'voddebalen, schooiers' (een verworpen variant luidde trouwens: *Un invincible amour des hommes en quenilles*).

In het laatste distichon vat Baudelaire zijn standpunt samen: de duivel is een goede pleegvader voor al wie door God de Vader (misschien ook: de gevestigde orde, het recht van de sterkste) uit het paradijs verdreven zijn. Het afsluitende gebed spreekt de hoop uit dat de, blijkbaar naar de hel overgeplante, Boom der Kennis ooit als een nieuwe Tempel zijn kruin zal spreiden en een tijdperk zal inluiden waarin de mens, verlost van God, rust zal vinden. Het is verleidelijk om een parallel te zien met Blakes *Marriage of Heaven and Hell*, maar dat werk kreeg pas ruimere bekendheid door de editie van Yeats, eind vorige eeuw, zodat Baudelaire het waarschijnlijk niet gekend heeft.

Le Rêve d'un curieux is een van de laatste gedichten uit de *Fleurs du Mal*, behorend bij de afdeling *La mort*, maar de eerste versie ervan heeft Baudelaire al geschreven toen hij tweeëntwintig was. De uiteindelijke versie, uit 1860, droeg Baudelaire op aan Félix Nadar (1820-1910), de fotograaf en ballonvaarder met wie Baudelaire zeer bevriend was.

De originaliteit van het gedicht is gelegen in de voorstelling van het sterven als een soort wachten tot het doek opgaat voor het grote spektakel van het hiernamaals – hoe dat ook uit mag vallen. De ik-figuur in het gedicht is op alles voorbereid en stemt bij voorbaat overal mee in, met een masochistische mengeling van angst en genot, en dan blijkt er na de dood absoluut niets te zijn: de dood ontmaskerd en het atheïsme bewezen.

In dit gedicht richt Baudelaire zich direct tot de lezer, en meer in het bijzonder tot Félix Nadar. Met de kwalificatie *Oh! l'homme singulier*, geparafraseerd tot 'dat je "zonderling" doet' in de vertaling, verwijst Baudelaire natuurlijk naar zichzelf. Ook het woord *curieux* in de titel heeft de bijbetekenis van 'zonderling', maar het nieuwsgierig zijn naar het leven na de dood lijkt primair. Het paradoxale is natuurlijk dat de 'ik' uit het gedicht in feite bewijst dat er wel leven is na de dood—hoe kon hij anders nog constateren dat er niets was?

De hier gepubliceerde vertaling gaat terug op een versie die verscheen in *De Revisor* (oktober 1977), die evenwel in jambische vijfvoeten was gesteld.

STÉPHANE MALLARMÉ (1842-1898) studeerde als jongeman Engels in Londen en werd daarna leraar Engels in de Franse provincie, na 1871 in Parijs. Hij trouwde jong, stichtte een gezin, redigeerde enige tijd een modeblad en schreef ook enkele schoolboeken om zijn beperkte middelen te verruimen. Hij debuteerde, evenals Verlaine, in de *Parnasse Contemporain* van 1866, met een tiental gedichten, waaronder *Brise marine*. Na zijn verhuizing naar Parijs had hij korte tijd veel contact met Verlaine en Rimbaud. Zijn beroemde lange gedicht *L'Après-midi d'un faune* werd geweigerd voor de derde *Parnasse Contemporain*, van 1876, zodat hij het op eigen kosten uitgaf.

Mallarmé schreef moeizaam en zijn verzamelde gedichten, waaronder relatief veel gelegenheidspoëzie van weinig belang, vormen een bescheiden bundel. Mallarmé's bekendheid groeide toen Verlaine in 1883 de eerste versie publiceerde van zijn beschouwing *Les poètes maudits*, over Corbière, Rimbaud en Mallarmé. (Dat ook een zo eerzaam huisvader als Mallarmé *maudit* werd verklaard, bewijst dat Verlaine de term gebruikte in de zin van 'bezeten', veeleer dan 'verdoemd'—*Le Maudit* is ook een naam voor de duivel.)

Een jaar later werd *À rebours* van Huysmans een literaire sensatie en meteen was ook Mallarmé beroemd, want Des Esseintes, de decadente hoofdpersoon van het boek die de held werd van een generatie, dweepte met Mallarmé—en kende hem dank zij Verlaines essay.

Evenals Baudelaire was Mallarmé een groot bewonderaar van Edgar Allan Poe. Hij vertaalde diens gedichten (in proza). De vertaling, gepubliceerd in 1877, geldt in Frankrijk als meesterlijk, maar het is niet duidelijk waarom.

Pas in 1887 verscheen Mallarmé's eerste bundel met vijfendertig gedichten (*Poésies*). Daarna schreef hij nog maar weinig. In de latere gedichten maakte hij het de lezer moeilijk, zodat hij de naam kreeg hermetisch te zijn. De nieuwe stroming van het symbolisme begroette hem als geestelijk vader. In 1893 ging hij met vervroegd pensioen, om zich voortaan geheel te wijden aan zijn *Grand Oeuvre*, ook wel *Le Livre* genoemd, dat uit poëzie én proza zou bestaan en waarvan bij zijn dood maar enkele aanzetjes gevonden zijn.

Brise marine is een van Mallarmé's beroemdste en toegankelijkste gedichten. Hij schreef het in 1865 in het Zuidfranse Tournon, kort nadat zijn vrouw een baby had gekregen. De invloed van Baudelaire, met zijn heimwee naar vreemde kusten, is sterk aanwezig in dit gedicht, dat vooral doet denken aan *Parfum exotique* (Baudelaires *le chant des mariniers* is bij Mallarmé *le chant des matelots*).

Het gedicht is alleen al door de beginregel onvergetelijk. Ook in dit vroege gedicht is al te zien dat Mallarmé de syntaxis op ongewone wijze hanteert: de regels 4 tot en met 8 hangen allemaal af van *Rien* (..) *ne retiendra*, op nogal elliptische wijze. Van regel 7—het 'leeg papier dat door zijn wit verdedigd wordt'—kan men zeggen dat hij zinnebeeldig is voor Mallarmé's schrijversleven.

Het begrip *Ennui*, zeker met een hoofdletter, is moeilijk te vertalen. Het komt dicht in de buurt van *mal de vivre* of levenspijn, maar er zit een ijdel kantje aan: wie aan *ennui* lijdt, is niet de geringste—hij is een beetje te goed voor dit zinloze bestaan.

Het *adieu suprème des mouchoirs* doet lichtelijk banaal aan, maar hierbij speelt misschien een literair-historische achtergrond een rol. Het was nog maar ruim een generatie geleden dat Alfred de Vigny een schandaal veroorzaakte, in 1829, en mede de stoot gaf tot de rebellie van de Franse romantiek, door *Othello* getrouw te vertalen, met inbegrip van de zakdoek van Desdemona die er in eerdere Franse versies van het stuk altijd uit weggecensureerd was—als een object dat te laag-bij-de-gronds was voor het serieuze toneel.

Ongewoon is het gebruik van het adjectief *Perdus* bij *naufrages*—een effect dat ik geprobeerd heb te benaderen met de herhaling van 'Vergaan'. Omdat er—blijkens het commentaar in de Pléiade-uitgave—een manuscript van het gedicht bestaat met een punt na *naufrages* lijkt het heel wel mogelijk dat de versie zonder punt aanvankelijk berustte op een zetfout—en dat Mallarmé die bewust heeft laten staan, omdat de regel er mysterieuzer door werd.

PAUL VERLAINE (1844-1896) was het enig kind van een ouder echtpaar dat omwille van zijn toekomst vanuit Noord-Frankrijk verhuisde naar Parijs. Hij schreef poëzie sinds zijn veertiende. Na zijn eindexamen studeert Verlaine enige tijd rechten, wordt dan klerk bij de gemeentelijke overheid en trekt op met andere jonge dichters die bekend staan als *Parnassiens*, naar *Le Parnasse Contemporain*, een in 1866 opgericht weekblad dat vier maanden heeft bestaan (maar diverse malen tot nieuw leven werd gewekt), waarin ze debuteren. Hetzelfde jaar verschijnt bij dezelfde uitgever (op Verlaines kosten) zijn *Poèmes saturniens* (het adjectief – in het teken van Saturnus – betekent hier ongeveer 'droefgeestig'). In deze bundel zou de invloed van Baudelaire sterk zijn, maar de typisch weemoedige toon van Verlaine en, even belangrijk, zijn lichte, speelse ironie hebben weinig gemeen met de sonore retoriek en het pathos van Baudelaire.

In 1869 verscheen *Fêtes galantes*, geraffineerde miniaturen die de wereld van Watteau en de *commedia dell'arte* oproepen (de Pierrots uit deze bundel hebben Nijhoff beïnvloed). Verlaine is intussen aan de drank geraakt—in dronkenschap is hij gevaarlijk voor zijn moeder (zijn vader is overleden). In 1870 voltooit hij de bundel *La bonne chanson*, bij wijze van huwelijksgeschenk voor Mathilde Mauté, met wie hij in dat jaar trouwt. Maar in '71 verliest hij zijn baan bij de gemeente, vanwege zijn sympathie voor de Commune, en daarmee waren zijn kansen op een geregeld leven er niet beter op geworden. Tot dusver was de bohémien in Verlaine in evenwicht gehouden door de bourgeois.

Toen de zestienjarige Rimbaud hem uit het Noordfranse Charleville gedichten stuurde, ook in 1871, was Verlaine zo enthousiast dat hij hem uitnodigt te komen logeren. Dit gebeurt en luidt het einde in van Verlaines huwelijk. Juli 1872 gaan Verlaine en Rimbaud op reis en wonen een tijd in Brussel, dan in Londen. Na ruzies en een scheiding hervatten ze hun samenleving een half jaar later in Londen, waar Verlaine Franse les geeft. In juli 1873 zijn ze weer in Brussel waar Verlaine een revolver koopt en in de loop van een ruzie enige schoten lost op Rimbaud. Deze is licht gewond. Er komt een rechtszaak van en Verlaine slijt de volgende twee jaar in Belgische gevangenissen. Daar bekeert hij zich tot een devoot katholicisme, waarvan veel gedichten uit de bundel *Sagesse* (1881) getuigen. (Maar dat Verlaine ook in zijn vroomheid zichzelf bleef, blijkt uit regels als *Quoi,* moi, moi *pouvoir* Vous *aimer! Êtes-vous fous,/Père, Fils, Esprit?*) Na zijn gevangenistijd was Verlaine enige jaren leraar in Engeland en Frankrijk. Hij werd verliefd op zijn leerling Lucien Létinois en begon met hem in 1880 een boerderij, die twee jaar later geliquideerd moest worden. In 1883 sterft Lucien Létinois aan tyfus. Hierna heeft Verlaine nauwelijks meer geprobeerd de schijn op te houden. Maar terwijl hij sociaal verder afgleed, begon zijn faam als dichter te groeien. De symbolisten omhelsden ook hem als een voorman en in 1894 kreeg hij, niet veel meer dan een clochard, de eretitel *prince des poètes.* In zijn laatste periode schreef hij nog opmerkelijke pornografische gedichten.

Verlaine is de grootste puur lyrische dichter van Frankrijk. Veel van zijn poëzie is onvertaalbaar, niet eens zozeer vanwege de fameuze taalmuziek, maar omdat hij graag gebruik maakte van korte regels, zodat er weinig mogelijkheden zijn om te schuiven met betekeniselementen (wat bij het vertalen van vormvaste gedichten meestal onvermijdelijk is).

Vœu is het vierde gedicht uit de sectie *Melancholia* van *Poèmes saturniens* (de twee volgende vertalingen zijn no. 5 en 6). Verlaine heeft bij meerdere gelegenheden verklaard, bijvoorbeeld in zijn *Confessions, notes autobiographiques* (1895) en in het nawoord bij de uitgave van *Poèmes saturniens* van 1890, dat hij de meeste gedichten uit zijn omvangrijke debuutbundel op de middelbare school geschreven heeft, tussen zijn zestiende en achttiende jaar. Hieraan wordt doorgaans voorbijgegaan door literair-historici, en toch is er mijns inziens geen reden om aan te nemen dat Verlaine minder vroegrijp was dan Rimbaud, van wie vaststaat dat hij zijn beste gedichten schreef op diezelfde jeugdige leeftijd.

Verlaine was van jongsaf een liefhebber van het bordeel, de inspiratie voor dit gedicht zal hij daar wel hebben opgedaan. De keuze van het curieuze woord *oaristys* is typisch voor de gymnasiast die wil koketteren met zijn vocabulaire: het is een uiterst zeldzame term voor rendez-vous, ontleend aan het Grieks en Verlaine spelde het verkeerd (hij verwisselde de i en de y). Mijn weergave met 'sybaritisch spel' correspondeert in zoverre dat menige lezer ook voor die term naar het woordenboek zal moeten grijpen. Verlaine is vaker archaïserend in deze bundel.

In het sextet kiest Verlaine, verjaagd uit het Eden van zijn eerste bedvriendinnen, voor de zusterlijke liefde—in dit gedicht lijkt dat letterlijk bedoeld: het ligt voor de hand dat hij gedacht heeft aan zijn geliefde nicht Elisa, die de uitgave van de *Poèmes saturniens* financierde en een jaar later stierf. Niemand stond Verlaine zo na in zijn jeugd. In de slotregel heeft Verlaine het idee van de troostende oudere zuster veralgemeend door *vous* te gebruiken; dit effect leek in het Nederlands alleen mogelijk met 'ons', omdat 'je' of 'u' als onderwerp gelezen zou kunnen worden.

In het tweede kwatrijn van de vertaling zijn nieuwe rijmen ingevoerd.

In *Lassitude* beginnen de moeilijkheden met de titel, die op zichzelf goed met 'loomheid' weergegeven zou kunnen worden, maar die hier de bijbetekenis heeft van 'oververzadiging' (*se lasser d'une femme*).

Verlaine dagdroomt in dit gedicht over de weelde van een bedvriendin wier lust zo ongeremd is dat híj die moet betomen, en hij doet dat met de koerende oe-klanken van het driemaal herhaalde *de la douceur*, dat zo mogelijk even muzikaal moet worden weergegeven, maar ook zó dat het klinkt als een plausibele uitroep. In regel 3 is *déduit* een archaïsme voor *jeu amoureux* (Robert); in regel 5 is *langoureuse* moeilijk te vertalen: het Nederlandse 'kwijnend' is te ziekelijk, en 'smachtend' is in tegenspraak met de teneur van het gedicht: het gaat om sensuele loomheid, zoals in *langoureuse comme une chatte*. De *olifant* in regel 10 is een ivoren strijdhoorn en verwijst in het bijzonder naar de hoorn waarmee Roland (uit het *Chanson de Roland*) bij Ronceval, belaagd door de Saracenen, Karel de Grote te hulp riep:

> Nu staat graaf Roeland het bloed op de lippen.
> Zijn hersenen deden zijn slapen springen.
> Met pijn en smart laat hij Olifant klinken.
> Karel hoort het en zijn Fransen niet minder.
>
> (regels 1785-88, vert. Arjaan van Nimwegen)

In de slotregel ging het erom overdreven pathos te vermijden en juist Verlaines ironisch-melancholische toon te treffen. Het Góngora-motto is de slotregel van Góngora's lange gedicht *Soledades 1* en betekent 'Voor de minnestrijd [diene] een strijdperk van dons'.

Ook *Mon rêve familier* stamt vermoedelijk uit Verlaines schooltijd. In dit gedicht is de vrouw voor hem veeleer een droomwezen dan werkelijkheid, althans de vrouw van wie hij kon houden. Het is opvallend dat het gedicht de grens van sentimentaliteit dicht benadert, en toch zo aangrijpend is, misschien door de authentieke toon van droeve berusting die eruit spreekt. Verlaine, die in zijn jeugd erg geleden heeft onder zijn lelijkheid, zal er zeker aan gewanhoopt hebben of er, buiten zijn familie, ooit een vrouw van vlees en bloed van hem zou houden.

Dit is mijn favoriete Franse gedicht en ik wilde het daarom niet weglaten uit deze bundel, al is de vertaling, vooral wat betreft de rijmen in het octaaf, technisch zwak.

Er is een verhaal hoe Verlaine in zijn nadagen wordt gefêteerd door jonge bewonderaars in café *François 1*, waar hij zich aangenaam volgiet met absinth. De jongelui vragen hem dan zijn favoriete eigen gedicht voor te dragen. Met doffe, toonloze stem declameert hij *Mon rêve familier*. Op dat moment verschijnt met veel lawaai in het café, om de beschrijving te citeren: 'een helleveeg en harpij met woeste haren', die naar zijn tafeltje dragondert, daar een karbies op neerplant en de dichter gebiedt de tas op te pakken en mee te komen, hetgeen Verlaine lijdzaam doet. Die vrouw was Marie Krantz, prostituée in ruste en de laatste vrouw met wie Verlaine het leven heeft gedeeld.

Marine behoort tot de afdeling *Eaux-fortes* (etsen) van *Poèmes saturniens*. Het was een van de gedichten waarmee Verlaine in april 1866 debuteerde in *Le Parnasse Contemporain*. Waarschijnlijk heeft hij zich door een gravure of schilderij van een zeegezicht laten inspireren. In elk geval is het bijna zeker dat hij de zee pas een jaar of vijf later voor het eerst zou aanschouwen, toen hij met Rimbaud naar Engeland overstak.

Het gedicht is pure evocatie in klank van een onweer op zee, zonder beeldspraak (afgezien van het oog van de maan) en zonder filosofie. Verlaine zal het met zorg gekozen hebben, want het is een van zijn meest 'parnassische' gedichten. De *Parnassiens* streefden naar een objectieve poëzie zonder gevoelsuitstortingen, zo onpersoonlijk en 'wetenschappelijk' mogelijk, intellectuele poëzie. Met andere woorden, er is nauwelijks een groep dichters te bedenken in de geschiedenis waarbij Verlaine minder thuishoorde, en hij heeft zich na zijn debuut dan ook niets meer van hun opvattingen aangetrokken.

Verlaines vijflettergrepige regels in dit gedicht laten geen ruimte om met elementen te schuiven. Door halfrijm te gebruiken was het mogelijk toch een indruk van het origineel te geven in het Nederlands.

Donc, ce sera... is een van de gedichten (uit *La bonne chanson*) die Verlaine schreef toen hij zich in 1869 verloofde met de zestienjarige Mathilde Mauté. Het gedicht dateert van mei 1870, toen de huwelijksdatum juist was vastgesteld op 29 juni (de dag werd later uitgesteld). In deze periode van hofmakerij moet Verlaine hebben gehoopt dat hij zou kunnen slagen in een ordelijk leven, met baan en gezin, zonder drankzucht en depressies. Verlaine kon zijn vrouw de kleine bundel met eenentwintig gedichten op de trouwdag in drukproef ten geschenke geven—door de politieke troebelen verscheen de bundel pas in 1872, toen de procedure om van tafel en bed te scheiden al in gang was gezet. Maar de gedichten uit 1869 en '70 zijn vol tedere liefde en zonnige vooruitzichten. In het vertaalde gedicht stelt Verlaine zich de huwelijksdag voor—het is haast kuis in zijn onschuld en lyrische zuiverheid. In de vertaling heb ik, om sfeer en inhoud zoveel mogelijk intact te laten, het rijmschema aangepast en gebruik gemaakt van halfrijm.

Les coquillages komt uit *Fêtes galantes*. Verlaine heeft zijn leven lang expliciete, erotische poëzie geschreven, over vrouwen zowel als mannen. Een jaar na zijn debuutbundel verscheen in Brussel al een zestal sonnetten van Verlaine over lesbische liefde, *Les Amies*, onder schuilnaam. In een gedicht met de geparfumeerde titel *Vas unguentatum* uit *Femmes* (anoniem verschenen in 1890) vereert Verlaine het vrouwelijk geslachtsdeel met epitheta als *mon entrée au Paradis de Mahomet, ce spectacle opulent et gai, le dieu des bijoux* en *la gemme en délire*. Maar dit vroege gedicht is even ingetogen als geraffineerd. Alles is impliciet in de slotregel. De weergave 'Maar één was er die me deed blozen' (voor *Mais un, entre autres, me troubla*) is een parafrase die het gedicht mijns inziens een even gelukkige afronding geeft als met een nauwkeurige vertaling mogelijk zou zijn geweest. Victor Hugo schreef over dit gedicht aan Verlaine 'Wat een juweel is die laatste regel!'

Il pleure dans mon coeur is waarschijnlijk Verlaines bekendste gedicht en ook een van zijn meest karakteristieke, door de zangerigheid, het melodieuze rijm en de onbestemde melancholie die eruit spreekt. Het komt uit de bundel *Romances sans paroles* (1874) en dateert van 1872, het jaar waarin Verlaine veel tijd doorbracht met Rimbaud. Het citaat van Rimbaud, gebruikt als motto, is in diens werk niet terug te vinden: het kan ontleend zijn aan hun particuliere conversatie. De echo ervan in regel 2 is opgeofferd in de vertaling.

Het woord *langueur* in regel 3 is weer moeilijk te vertalen. Het correspondeert met *un coeur qui s'ennuie*, hier geparafraseerd als 'mijn landerigheid'. Mij lijkt de omschrijving bij Robert: *Mélancholie douce et rêveuse*, onder verwijzing naar juist deze regel uit Verlaines gedicht, te mild. Het gaat uiteindelijk om *tant de peine*, al blijft de oorzaak van de droefenis mysterieus. Hier lijkt veeleer de ook door Robert gegeven betekenisomschrijving *Sorte d'asthénie due à une fatigue nerveuse, des chagrins* van toepassing. Verlaines woordspel in regel 10 (*cœur qui s'écœure*) is benaderd met 'hart / Dat zichzelf niet kan harden'.

Si tu ne mourrais pas... behoort tot de aan Lucien Létinois gewijde cyclus in *Amour* (1888). In 1877 was Verlaine, na een verblijf van anderhalf jaar in Engeland, teruggekeerd naar Frankrijk en leraar geworden aan het Collège Notre-Dame te Rethel (in de Ardennen). Hij knoopte vriendschap aan met een leerling, Lucien Létinois, en vertrok in 1879 in de hoedanigheid van pleegvader met hem naar Engeland. Vroeger of later is een seksuele verhouding begonnen. In 1880 namen ze een boerenbedrijfje over, Luciens ouders trokken bij hen in.

De In memoriam-gedichten die Verlaine voor Lucien Létinois heeft geschreven, na zijn dood in 1883, behoren tot het ontroerendste van zijn werk. Joanne Richardson suggereert dat Verlaine zich bij het schrijven van de cyclus zou hebben laten inspireren door Tennysons *In Memoriam A.H.H.*, maar dat lijkt vergezocht. Ze stelt het betreffende werk van Tennyson trouwens ver boven dat van Verlaine: 'No one could have drawn comfort or wisdom from it, or found in it the loftiness of spirit, the poetic richness of Tennyson's work.' (Uit haar inleiding bij *Verlaine, Selected Poems*, Penguin Books.) Het is jammer dat Verlaine het in Engeland moet stellen met deze pleitbezorgster.

ARTHUR RIMBAUD (1854-1891) dankt zijn reputatie mede aan de aantrekkingskracht van zijn raadselachtige persoonlijkheid. Het werk dat hem beroemd heeft gemaakt, schreef hij tussen zijn vijftiende en twintigste jaar. Rimbaud kwam, als Verlaine, uit Noordoost-Frankrijk en was, als Verlaine, zoon van een beroepsmilitair. In de chaos van de Frans-Duitse oorlog van 1870 brak hij zijn schoolopleiding af, maakte een paar zwerftochten door het land en trok in september 1871, na een briefwisseling, in bij het jonge echtpaar Verlaine (dat zelf inwoonde bij Verlaines schoonouders). Verlaine en Rimbaud begonnen een verhouding. In 1873 verbleven ze in Brussel, waar de schietpartij plaats had die Verlaine twee jaar gevangenisstraf opleverde. Rimbaud liet intussen zijn cyclus prozagedichten *Une Saison en Enfer* drukken. De uitgave bleef onopgemerkt en Rimbaud verloor zijn belangstelling voor de letteren. Hij ging reizen en voorzag met nederig werk in zijn onderhoud. In mei 1876 kwam hij naar Nederland om dienst te nemen in het KNIL (dat toen buitenlanders ronselde voor de Atjeh-oorlog). In Indië deserteerde Rimbaud onmiddellijk en keerde terug naar Frankrijk. In 1878 was hij enige tijd in Egypte en Cyprus. Vanaf 1880 werkte hij voor een Egyptische koffieëxporteur in Harar (Soedan), later handelde hij in wapens. Vanwege een tumor aan zijn knie keerde Rimbaud in 1891 terug naar Frankrijk, waar hij intussen beroemd was geworden dank zij Verlaines essay *Les poètes maudits* (Rimbaud was daarin ook met gedichten vertegenwoordigd), en doordat Verlaine ervoor had gezorgd dat *Les Illuminations* was uitgegeven. Rimbaud heeft er niet veel plezier meer aan beleefd. Na aankomst in Marseille werd zijn been afgezet. Hij bleek kanker te hebben en stierf nog hetzelfde jaar.

Le dormeur du val, geschreven in 1870, kan op een persoonlijke ervaring berusten, want Rimbaud volgde een tijdlang in het spoor van het Pruisische leger. Rimbaud lijkt in dit gedicht een idyllisch tafereel te schilderen dat in de slotregel wordt ontmaskerd als de gruwel van een oorlog. Een technische noviteit in dit gedicht vormen de gewaagde enjambementen, met maar één woord over het regeleinde heen.

MARIE NIZET (1859-1922) publiceerde op twintigjarige leeftijd haar bundel *România* (vooral natuurlyriek, over Roemenië) en daarna niets meer. Over haar leven heb ik niets weten te achterhalen, maar ze woonde in Brussel. Na haar dood verscheen haar bundel *Pour Axel de Missie*, hartstochtelijke liefdesgedichten, gericht aan een minnaar, van een explicietheid die ongekend was voor een vrouw in de periode van ontstaan (ca. 1890).

De bundel schijnt weinig aandacht te hebben getrokken en is zo compleet vergeten dat Marie Nizet niet eens te vinden is in standaardwerken over Franstalige Belgische auteurs.

Het is mogelijk in haar poëzie de invloed aan te wijzen van Baudelaire, maar dat neemt niet weg dat deze gedichten uiterst persoonlijk zijn, hoogst sensueel, en dat ze getuigen van groot prosodisch vakmanschap. Misschien is ze miskend als gevolg van provinciaals-Waals fatsoen, maar het blijft een raadsel dat ze nog steeds niet is herontdekt. Naar mijn mening zijn haar gedichten zeker zo goed als die van Rodenbach, Maeterlinck en Verhaeren, die allen in Frankrijk een grote reputatie genieten, en beter dan het werk van Franse dichteressen als M. Desbordes-Valmore of de conventionele petrarkiste Louise Labé.

GUILLAUME APOLLINAIRE (1880-1918) werd geboren in Rome, als zoon van een Pools-Russische aristocrate die later in de Franse demi-monde belandde en wier naam (Kostrowitsky) hij droeg. Apollinaire was eigenlijk zijn tweede voornaam. Hij behield ook de Russische nationaliteit, tot hij zich in 1916 tot Fransman liet naturaliseren.

Vanaf zijn achtste tot zijn achttiende volgde Apollinaire streng katholiek onderwijs in Monaco en Nice. In 1899 kwam hij naar Parijs en publiceerde in tijdschriften zijn eerste gedichten. In 1901 reisde hij als huisonderwijzer van het dochtertje van de Vicomtesse de Milhau per auto (een De Dion-Bouton) door het Rijnland, waar hij zijn gedichtencyclus *Rhénanes* schreef. Terug in Parijs voorzag hij in zijn onderhoud als journalist, redacteur en clandestien pornograaf (*Les onze mille verges; Les exploits d'un jeune Don Juan*). Hij raakte bevriend met Picasso, Braque en andere jonge schilders wier woordvoerder hij werd, en had een langdurige liaison met de schilderes Marie Laurencin. In 1910 verscheen zijn eerste bundel met bizarre verhalen *L'Héresiarche et Cie*. Hij maakte naam als kunstcriticus, pleitbezorger van het kubisme, maar ook van naïeve en primitieve kunst. In 1911 werd hij korte tijd verdacht van het stelen van de Mona Lisa uit het Louvre en een week in hechtenis gehouden. Pas in 1913 verscheen Apollinaires eerste bundel *Alcools*, waarin de *Rhénanes* waren opgenomen, een bundel die Apollinaire bij het grote publiek de reputatie bezorgde van de dichter die de interpunctie had afgeschaft, maar die in selectere kring zijn naam vestigde als voorman van het modernisme.

Apollinaire streefde naar een versmelting van kunstvormen en begon gedichten te schrijven die een soort woordtekeningen vormden, alleen als facsimile reproduceerbaar, *Calligrammes* zoals hij ze noemde. *Calli-*

grammes is ook de titel van Apollinaires tweede bundel uit 1918, waarin overigens de niet-getekende gedichten in de meerderheid zijn. Essentieel voor de moderne poëzie noemde hij het element verrassing. Apollinaire schreef in zijn laatste jaren ook een aantal korte toneelstukken, waarvan *Les mamelles de Tirésias* het bekendste is.

Met enig enthousiasme nam Apollinaire in 1914 vrijwillig dienst in het Franse leger, als kanonnier. Omdat hij bij de infanterie betere kansen zag om officier te worden, ging hij naar dat wapen over en werd in de loopgravenoorlog door een granaat aan het hoofd gewond. Hij werd tweemaal getrepaneerd en hield, uit dienst ontslagen, last van hoofdpijn en vermoeidheid. In 1918 trouwde hij met Madeleine Kolb, die zijn verpleegster was geweest in het militaire ziekenhuis. Picasso was zijn getuige bij het huwelijk. Hij stierf hetzelfde jaar aan de Spaanse griep.

Nuit Rhénane, uit 1901, is het eerste gedicht uit de cyclus *Rhénanes*. In *Alcools* is het zonder leestekens afgedrukt, maar voor het overige was het niet een typisch modern gedicht – afgezien misschien van de zeer originele beeldspraak in de laatste regel. Eigenlijk is het gedicht uitgesproken romantisch. Het Rijnland dat Apollinaire in de cyclus beschrijft is nog steeds het pittoreske en fabuleuze land van Lorelei en roofridderburchten dat dominant was in de Franse verbeelding. Ook elfen kwamen er voor. De elfen in dit gedicht zijn groenharig, dus zijn het eigenlijk nixen (maar dat woord had Apollinaire kunnen gebruiken: het bestaat ook in het Frans). Het gedicht is te beschouwen als de beschrijving van een hallucinerende dronkenschap, die de legenden van de streek tot leven wist te wekken.

ITALIAANS

DANTE ALIGHIERI (1265-1321) was afkomstig uit het Florentijnse patriciaat en kreeg een humanistische opleiding. Hij leerde Latijn (Grieks hoorde er nog niet bij), Frans en Occitaans, dat toen een belangrijke cultuurtaal was. Door afkomst en scholing leek hij voorbestemd tot een ambtelijke en politieke carrière in dienst van zijn stad, en die loopbaan volgde hij ook. In 1300 trad hij toe tot het stadsbestuur. Maar in 1302 werd Dantes factie in de burgertwisten die Florence verscheurden (en die te maken hadden met de respectieve invloed van keizer en paus) verslagen en Dante werd verbannen. Elke regerende partij verbande destijds haar tegenstanders; na een nieuwe machtswisseling keerde men dan terug. Maar de stemming jegens Dante bleef in Florence vijandig en niet alleen werd zijn vonnis tot driemaal toe bevestigd, het werd ook nog uitgebreid met de clausule dat hij bij terugkeer in de stad levend zou worden verbrand.

Dante had vanaf circa 1285 poëzie in de volkstaal geschreven, of liever, in de Florentijnse streektaal waaruit het hedendaagse Italiaans zich ontwikkeld heeft. In die tijd bediende men zich voor intellectuele uitwisseling veelal nog van het Latijn, de universele taal van de intelligentsia. Maar in de Romaanse landen was intussen een andere traditie ontstaan. In Frankrijk en met name Occitanië had zich een gilde gevormd van troubadours die hun werk voordroegen aan de hoven, gedichten over hoofse liefde (en ter afwisseling over willige herderinnen), over christelijke deugd en heldenfeiten in oorlogstijd – gedichten in de volkstaal, omdat vorsten en edelen onvoldoende bekend waren met het Latijn. Dit werk circuleerde in manuscript en drong ook door tot Italië, waar het navolging vond bij de dichters van de *Dolce stil nuovo*, van wie Guido Cavalcanti, vriend en stadgenoot van Dante, de eerste exponent was. Dante zelf werd aanvankelijk beïnvloed door de Occitaanse troubadour Arnaut Daniel, door hem in *Purgatorio* XXVI, regel 117 *il miglior fabbro* genoemd, een term die T.S. Eliot later toepaste op Ezra Pound toen hij *The Waste Land* aan hem opdroeg. De hoofse lyriek van deze dichter betrof de vergeestelijkte liefde voor een vrouw, ver verwijderd van alle vleselijke begeerte, in feite een afspiegeling van de liefde voor de moeder Gods.

Ook Dante schreef aanvankelijk volgens dit stramien. De beschrijving van zijn grote liefde voor Beatrice (in *Vita nuova*) volgt een bestaande traditie, al gaf Dante er misschien een grotere diepgang aan.

Belangrijk is dat Dante het tot zijn gewoonte maakte om in de volkstaal te dichten, zodat hij daarmee doorging toen Latijn voor het thema van zijn grote werk misschien meer geëigend leek (hij was er stellig toe in staat geweest zijn hoofdwerk in Latijnse hexameters te schrijven).

Het is niet zeker wanneer Dante aan de *Divina Commedia* (waarvan de 'handeling' zich afspeelt in de paastijd van het jubeljaar 1300) is begonnen, maar in ieder geval heeft hij er tot kort voor zijn dood nog aan gewerkt. Het bevat honderd zangen, verdeeld over drie boeken (Hel, Louteringsberg, Hemel) met elk drieëndertig zangen. (De eerste zang wordt doorgaans tot de Hel gerekend, maar is eigenlijk een Proloog.)

In de eerste zang ontmoet Dante zijn bewonderde voorganger Vergilius, die zijn leidsman wordt bij een bezoek aan hel en vagevuur, waarna Beatrice hem voert door de hemelse sferen van het paradijs. Als een verslaggever in het hiernamaals beschrijft Dante wat hij ziet en vooral wie hij ziet. Hij is daarbij niet vrij te pleiten van partijschap. Zo krijgen Dantes tijdgenoten, de door hem verfoeide pausen Bonifacius VIII en Clemens V, een vreselijk verblijf in de hel toegedacht. Dante kon bestaande, maar ten dele ook door hem ontwikkelde opvattingen over goed en kwaad concreet vertalen in beloning en straf. Het onrecht dat zelfs de rechtvaardigste figuren uit de oudheid in de hel zaten, omdat ze te vroeg geboren waren om christelijk gedoopt te kunnen zijn (eigenlijk gold dat ook voor figuren uit het Oude Testament, maar die waren door Christus zelf opgehaald), verzachtte Dante door hen te plaatsen in het voorgeborchte van de hel, waar de eeuwigheid nog uit te houden was.

Dantes werk is geschreven in de strenge vorm van het *Terza rima* (terzinen met het rijmschema aba, bcb, cdc, et cetera). Zoals in het Italiaans onvermijdelijk is, eindigen alle regels met een onbeklemtoonde lettergreep. Het zou onnatuurlijk zijn dit laatste aspect na te volgen in het Nederlands, dus is het rijm in mijn vertaling van *Canto I* afwisselend staand en slepend. Om de inhoud in essentie te kunnen bewaren, heb ik geregeld genoegen moeten nemen met onzuiver rijm.

Enige noten bij het eerste *Canto* kunnen verhelderend zijn:

Regel 1: Het 'midden van ons levenspad' is het vijfendertigste jaar, uitgaande van de bijbelse spanne van zeventig jaar voor een ten volle geleefd mensenleven (Psalm 90:10). Dante was geboren in 1265, hij laat de *Divina Commedia* dus beginnen in het jaar 1300. De componenten van dat jaartal, 10 en 3, hadden in de middeleeuwen speciale betekenis. Het getal 10 (dus ook 10 maal 10, et cetera) staat voor de volmaaktheid, het getal 3 voor de heilige drieëenheid. Bovendien had 1300 een bijzondere religieuze betekenis als jubeljaar. Bonifacius VIII was de eerste paus die de viering van het eeuwfeest luister bijzette door het verlenen van aflaten op grote schaal. In *Canto* XXI, 112 e.v., staat nog eens expliciet dat de afdaling naar de hel begon op Goede Vrijdag van het jaar 1300.

Regel 17: De ster in kwestie is de zon. In Dantes kosmogonie was de aarde het middelpunt van het heelal en de zon een van de planeten die om haar heen draaiden – vandaar *pianeta* in de Italiaanse tekst. Het aanwijzen van de 'rechte weg' slaat hier op de mogelijkheid uitgaande van de zonnestand je richting te bepalen.

Regel 20: *nel lago del cor* lijkt te betekenen 'in het meer van het hart', maar Dante doelt hier op de oudere betekenis van het Latijnse *lacus*: 'holte' of 'bassin'. Het woord boezem lijkt ideaal, want het betekent zowel 'een van de holtes van het hart' als 'gemoed', en daarnaast ook nog 'uitgestrekt water'.

Regel 34: de panter en de in regel 45 en regel 49 genoemde leeuw en wolvin zijn allegorische dieren. Eigenlijk staat niet helemaal vast welke katachtige met *lonza* werd bedoeld. Als het inderdaad om een 'panter' gaat, dan zou de benaming 'luipaard' misschien juister zijn, omdat die gangbaar is voor de Afrikaanse panter – de enige waar de middeleeuwse wereld weet van had – maar de 'panter' bij Dante is nu eenmaal ingeburgerd. Het dier zou staan voor wellust, terwijl de leeuw hoogmoed en de wolvin hebzucht zouden symboliseren.

Men heeft ook gedacht dat de panter staat voor Florence, de leeuw voor Frankrijk en de wolvin voor het pausdom. Het vele paren van de wolvin duidt dan op de vele allianties die pausen aangingen om hun macht te vergroten.

Regel 63: *parea fioco* – Vergilius' schijnbare stomheid wordt door enkele commentatoren in verband gebracht met het feit dat hij ca. 1300 jaar lang niet gesproken had, maar uit de vierde zang van de Hel blijkt dat de klassieke dichters en filosofen uit het voorgeborchte de tijd kortten met levendige discussies.

Regel 70: '*Sub Julio* geboren, zij het laat' lijkt te betekenen dat Vergilius volgens Dante tijdens Julius Caesars laatste levensjaren geboren is, terwijl Vergilius al vijfentwintig was toen Caesar werd vermoord. Het is mogelijk dat Vergilius' juiste jaartallen niet bekend waren in de middeleeuwen.

Regel 77: De 'heerlijke berg' verwijst naar de Louteringsberg, op de top waarvan zich het aardse paradijs bevindt.

Regel 101: 'voordat de *Veltro*/Verschijnt'; Dante spreekt de hoop uit dat er in Italië een machthebber zal opstaan die orde op zaken stelt. Omdat *Veltro* 'windhond' betekent, wordt aangenomen dat Dante Can Grande (*Can* is 'hond'), heer van Verona op het oog had. Dante heeft in zijn ballingschap meermalen de gastvrijheid genoten van deze vorst. De beide Feltro's in regel 104 staan dan voor de plaatsen Feltro, in de Marca Trivigiano, en Monte Feltro nabij Urbino. Verona hoefde niet eens sterk uit te breiden om de landsgrenzen te verschuiven naar die twee plaatsen. De letterlijke vertaling van *feltro* is 'vilt', en hoewel de pijen van franciscanen naar het schijnt uit vilt werden gemaakt, lijkt dit niet tot enige verklaring te leiden.

Regel 106: *umile Italia* moet een verwijzing zijn naar Vergilius' eigen woorden (in *Aeneïs III*, 522): *Humilemque videmus Italiam*, en hoewel de kwalificatie dáár slaat op de lage ligging van het kustgebied, is *umile* op deze plaats bij Dante duidelijk een commentaar op de laaggezonken status van Italië.

Regel 108: Euryalus en Nisus waren een bekend vriendenpaar uit Aeneas' Trojaanse leger, Camilla en Turnus behoorden tot de inheemse bevolking, maar Dante ziet deze tegenstanders gelijkelijk als de stichters van Italië.

Regel 111: De 'oernijd' (*invidia prima*) is bedoeld als kwalificatie van de duivel.

Regel 119: 'die tevreden zijn/in 't vuur': namelijk de zielen op de Louteringsberg. (Strikt genomen zijn het alleen de wellustelingen die door het vuur moesten worden gelouterd.)

Regel 122: De genoemde ziel is Beatrice.

Regel 124: 'De Imperator' is Christus. Vergilius is strikt genomen niet *ribellante alla sua legge* geweest, omdat hij de christelijke wet niet kon kennen.

FRANCESCO PETRARCA (1304-1374) heeft als dichter en intellectueel vermoedelijk een grotere directe invloed gehad op het geestesleven van zijn tijd en van de drie, vier eeuwen daarna dan wie ook in de geschiedenis. Bij zijn leven was zijn invloed als humanist en grondlegger van de renaissance al enorm. Hij heeft veel kennis verspreid met zijn geschriften in het Latijn (brieven, dialogen, religieuze en filosofische verhandelingen, historische studies). De poëzie die hij in het Latijn schreef (met name zijn epos *Africa*, over de Tweede Punische Oorlog, met Scipio Africanus als held) schijnt voor hem meer geteld te hebben dan zijn poëzie in de volkstaal. Van zijn totale oeuvre is maar zes procent in het Italiaans geschreven.

Als humanist probeerde hij de kennis van de klassieken te vergroten (er waren nog steeds handschriften met klassieke teksten in kloosterbibliotheken te ontdekken) en de laat-klassieke, christelijke cultuur voort te zetten.

Petrarca was van Florentijnse afkomst. Zijn vader, een jurist, was in 1302 tegelijk met Dante verbannen, en toen de paus in 1309 zijn residentie verplaatste naar Avignon, ging ook Petrarca's vader met zijn gezin daarheen. Als kind al kreeg Petrarca onderwijs in het Latijn; op zijn twaalfde jaar ging hij rechten studeren in Montpellier, een studie die hij voltooide in Bologna, maar uit weerzin voor de rechtspraktijk van zijn tijd (waarbij steekpenningen van doorslaggevend belang waren) zag hij af van een juridische carrière. Als student was hij begonnen met het schrijven van (Latijnse) poëzie. Hij nam de lagere wijdingen aan, wat verenigbaar was met een wereldlijke carrière. Omstreeks 1330 trad Petrarca in dienst van de Colonna's, twee broers van wie de één kardinaal was, de ander bisschop. Vanaf 1333 vervulde hij veel diplomatieke missies en zocht overal waar hij kwam naar onbekende manuscripten. Veel werk van Cicero is door Petrarca herontdekt.

Een keerpunt in zijn leven vormde de beklimming, met zijn broer, van de Mont Ventoux in 1336, een onderneming die toen gold als tamelijk buitensporig. Als hij op de top, genietend van Gods weidse natuur, zijn Augustinus opslaat (De *Confessiones* droeg hij altijd mee – een zwaar handschrift op perkament wel te verstaan), stuit hij op een pijnlijke vermaning: de mens moest zich niet bezighouden met bergen, rivieren en zeeën, maar alleen met het eigen zieleheil. Kort hierna trok Petrarca zich terug uit het mondaine Avignon en week uit naar een landhuisje in de Vaucluse. Hij begint daar te werken aan *Africa*, en wat daarvan na enige tijd in handschrift circuleert, brengt hem zoveel roem dat hij (in 1341 te Rome) als een nieuwe Vergilius 'de dichterkroon' van laurierbladen krijgt aangeboden. Van nu af aan verblijft Petrarca veel in Italië, waar hij bevriend raakt met Boccaccio. Deze probeert vergeefs Petrarca te binden aan de juist opgerichte universiteit van Florence. Het is Boccaccio die Petrarca in 1366 kennis laat maken met Homerus, door middel van een juist gereedgekomen vertaling – in het Latijn. Dit moment markeert het begin van de studie van het Grieks in de Italiaanse renaissance.

Petrarca's *Canzoniere*, met 366 gedichten (één ter inleiding, vervolgens voor elke dag van het jaar één), heeft zijn roem bestendigd. De gedichten (naast sonnetten ook canzones, sestines en madrigalen) gaan niet uitsluitend over zijn liefde voor Laura, maar met dat thema heeft Petrarca aan deze 'verspreide rijmen', zoals hij ze in het openingssonnet noemt, eenheid weten te geven. Volgens Petrarca's eigen verklaring was Laura een bestaande vrouw, geen fictief personage. Vrij algemeen wordt aangenomen dat zij Laura de Noves (ca. 1307-1348) is geweest, getrouwd met Hugues, markies de Sade (voorvader van D.A.F. de Sade; diens oom, de abbé – in feite vicaris – de Sade, schreef de eerste moderne biografie over Petrarca, Amsterdam, 1767, als bijlage bij zijn vertalingen van Petrarca's poëzie uit het Italiaans en Latijn).

De gedichten voor Laura behoren tot dezelfde hoofse traditie als Dantes *Vita nuova*. Petrarca beschrijft consequent zijn lijden als gevolg van zijn liefde voor Laura, niet omdat zij een 'schone maar wrede meesteres is' (een petrarkistisch cliché van later tijd), maar omdat zijn liefde onvervulbaar was en meer abstract dan concreet. Hij uit zich als verliefde, maar elke gedachte aan intimiteit met zijn idool is hem verre. Zijn liefde voor Laura is kuis (en toch nog zondig, vond hij in zijn latere jaren, omdat hij in haar het geschapene vereerde in plaats van de Schepper). Net als Dantes liefde voor Beatrice zal Petrarca's liefde voor Laura wel begonnen zijn op het moment dat hij door haar fysieke verschijning betoverd is, maar zijn levenslange liefde was geïdealiseerd en gesublimeerd. Dat zijn passie begon op Goede Vrijdag 1327, toen hij haar zag in een kerk in Avignon, is stellig *pour besoin de la cause* (ook Dantes *Divina Commedia* begint op een Goede Vrijdag). Zijn liefde voor Laura in de *Canzoniere* weerspiegelt het lijden van Christus: dat is althans de lijn die Petrarca erin aanbracht, toen hij de *Rime* in hun definitieve vorm en volgorde ordende.

Wat deze poëzie haar grootheid geeft, is ten eerste dat Petrarca bijna aan het begin stond van een literatuur, zodat hij de lyrische mogelijkheden van het Italiaans als het ware als eerste ontdekte, waardoor alles fris en nieuw was. Maar in de tweede plaats wist hij zijn ervaringen in dienst te stellen van zijn uiterst muzikaal en gevoelig registrerend temperament. In zekere zin heeft Petrarca de lyriek ontdekt, en zijn werk werd voor toekomstige generaties—eerst in Italië, vanaf circa 1500 ook in Frankrijk, Spanje en Engeland—zozeer hét model dat er lange tijd maar weinig dichters zijn geweest bij wie de petrarkistische invloed niet aanwijsbaar is.

Het hier vertaalde sonnet is in zoverre een van de persoonlijkste, minst platonische gedichten over Laura dat Petrarca erin speelt met het idee dat hij haar ooit zijn liefde zal bekennen. Het zal dan wel te laat zijn voor de vervulling van verlangens, maar hij zal troost kunnen ontlenen aan haar 'late zuchten' vol weemoed over wat had kunnen zijn.

In feite stierf Laura in 1348 aan de pest, als moeder van elf kinderen. Petrarca hoorde het nieuws pas in 1350. Het bracht hem tot het besluit nog meer dan voorheen (ook Petrarca had kinderen) een leven van ascese te leiden.

Bij de vertaling heb ik moeten kiezen voor vier in plaats van twee rijmklanken in het octaaf.

MICHELANGELO BUONAROTTI (1475-1564) is befaamd als een van de belangrijkste en veelzijdigste beeldende kunstenaars uit de geschiedenis. Hij was ook dichter. Hij heeft wel eens verklaard dat hij geen dichter was, maar in zijn staartsonnet *I'ho gia fatto un gozzo* verklaart hij ook geen schilder te zijn. Dat hij eindeloos schaafde aan zijn gedichten bewijst hoe serieus hij ze nam. In feite is er nauwelijks een dichter te noemen in zijn tijd, binnen of buiten Italië, die zo indringend en persoonlijk was in zijn poëzie.

Hij werd geboren in de buurt van Arezzo en kwam als dertienjarige onder de hoede van de schilder Domenico Ghirlandajo in Florence. Al heel vroeg trad hij in dienst bij Lorenzo de Medici (in wiens beeldentuin hij de klassieke beeldhouwkunst kon bestuderen). Hij ontvluchtte Florence toen de stad getiranniseerd werd door de kunstvijandige theocraat Savonarola. De rest van zijn leven verdeelde hij zijn tijd tussen Rome en Florence, in dienst van paus of hertog. In 1506 werkte hij in Florence aan fresco's voor een muur van het Palazzo Vecchio, terwijl Da Vinci werkte aan de muur ertegenover. Van 1508 tot 1512 beschilderde Michelangelo de koepel van de Sixtijnse kapel. Hierna wijdde hij zich meer aan het beeldhouwen, waarvoor hij zelf het marmer uitzocht in Carrara, al schilderde hij nog het Laatste Oordeel in de Sixtijnse kapel (vijfentwinig jaar na het beschilderen van de koepel).

Toen de jonge Florentijnse republiek in 1529 werd bedreigd door een gezamenlijke aanval van Karel v en de paus, werd Michelangelo opgenomen in het stadsbestuur, met opdracht de stedelijke fortificaties te versterken. De stad viel overigens en de Medici keerden terug. In 1535 werd Michelangelo hoofdarchitect van de paus en in die functie gaf hij de St. Pieter zijn definitieve vorm.

In 1532 ontmoette hij Tommaso Cavalieri, een jonge edelman met wie Michelangelo tot zijn dood een diepgaande vriendschap onderhield en voor wie hij veel sonnetten heeft geschreven. In 1536 ontmoette hij Vittoria Colonna, markiezin van Pescara en zelf een befaamd dichteres, wier huis in Rome een intellectueel trefpunt was geweest, maar die na de dood van haar man in diverse kloosters verbleef. De liefde die hij voor haar opvatte, moet platonisch zijn geweest, al blijkt dat niet uit de sonnetten die hij aan haar wijdde.

In totaal heeft Michelangelo ruim driehonderd gedichten geschreven – vooral sonnetten, maar ook madrigalen en kwatrijnen (een cyclus van vijftig kwatrijnen ter nagedachtenis aan Cecchino Bracci lijkt tamelijk onplatonisch.)

Michelangelo's gedichten zijn volgens sommigen niet geacheveerd en muzikaal genoeg, maar hun stroefheid, die voortkomt uit de wens veel inhoud in weinig woorden te comprimeren, kan net zo goed als een pluspunt gezien worden. Francesco Berni veroordeelde het maniëristisch petrarkisme van zijn tijdgenoten, vergeleken met Michelangelo's poëzie, met de woorden *Ei dice cose, e voi dite parole* ('Hij zegt iets, jullie praten maar wat'). De intellectuele inhoud stond bij hem voorop, al gaat die samen met sterke emoties. Door de soms epigrammatische compactheid, die ook wel eens leidt tot duisternis, – en door zijn preoccupatie met geloofsvragen en met de dood, doet Michelangelo's poëzie sterk denken aan die van barokdichters als Quevedo en Donne, die een eeuw na Michelangelo geboren werden.

Er is wel gezegd dat de hele ontwikkeling van renaissance naar barok weerspiegeld wordt in Michelangelo's lange leven. Men kan ook stellen dat de barok altijd al besloten was in de renaissance en dat beide perioden eigenlijk niet te scheiden zijn.

In 1545 werkte Michelangelo mee aan een plan van twee vrienden om zijn *Rime* te publiceren, maar toen een van hen kort daarop stierf, zag hij er van af. Pas in 1623 verschenen ze in een editie die geredigeerd was door Michelangelo's achterneef en naamgenoot, die zelf ook dichtte en daarin aanleiding zag het werk van zijn oudoom aan te passen aan zijn eigen smaak. Pas in 1863 verscheen een editie, gebaseerd op de handschriften, en pas in 1960 is de definitieve en complete uitgave verschenen. Het hier vertaalde gedicht behoorde tot de keuze uit zijn werk die Michelangelo voor de drukpers had bestemd.

Het gedicht kan gezien worden als een variatie op het thema *ars longa, vita brevis*, al wordt wat voor het leven geldt in het tweede couplet uitgebreid tot de natuur in het algemeen. Het sextet is een speelse uitweiding, eindigend in een subtiel compliment—en het slot van dit sonnet behoort duidelijk tot Petrarca's erfenis. De schilder kan zijn geliefde en hemzelf een duizendjarig leven bezorgen in verf of steen en al zal hij er, als de traditioneel gekwelde aanbidder, somber uitzien, háár schoonheid zal de toeschouwers in de verre toekomst ervan overtuigen dat het niet dwaas van hem was om van haar te houden.

Als Michelangelo in steen of verf ooit een dubbelportret van Vittoria en hemzelf vervaardigd heeft, dan is dat niet bewaard gebleven. De titel van deze bloemlezing uit de Westeuropese poëzie is ontleend aan regel 6 van dit sonnet, in de vertaling nogal ingrijpend geparafraseerd.

LAURA TERRACINA (1519-ca.1580), een Napolitaanse, publiceerde haar eerste bundel *Rime* in 1548, de bundel beleefde negen drukken. Het jaar daarop verschenen haar *Seconde rime*, en er volgden nog zes omvangrijke bundels, waarvan er twee een soort commentaar in dichtvorm vormden op Ariosto's *Orlando Furioso*. Haar *None rime*, religieus getinte gedichten uit haar laatste levensjaren, zijn in handschrift aanwezig in de Nationale Bibliotheek te Florence.

Er waren relatief veel dichteressen in de Italiaanse zestiende eeuw. Voor een deel waren het aristocratische vrouwen, zoals Vittoria Colonna, markiezin van Pescara (en vriendin van Michelangelo), Lucrezia d'Este, hertogin van Urbino en Veronica Gambara, vorstin van Coreggio; voor een ander deel zogenaamde *cortigiane oneste*, ontwikkelde en aanzienlijke hetaeren, vooral te vinden in Venetië, zoals Gaspara Stampa, Veronica Franco en Tullia d'Aragona. (Zie het commentaar bij Rilkes *Die Kurtisane*), voor wie het schrijven van poëzie een vast bestanddeel vormde van hun beroepsactiviteiten.

Laura Terracina behoorde tot geen van beide categorieën. Haar biografie zit vol leemten (de beste bron is de beroemde Italiaanse criticus en historicus Benedetto Croce, in zijn *Storie e leggende Napoletane*, uit 1919); haar familie behoorde tot de bemiddelde burgerij, ook al had haar vader (die haar op gevorderde leeftijd verwekte) van de Spaanse koning Ferdinand een adellijke rang verkregen. Van haar twee broers was er één abt, de ander oefende het beroep uit van stadsbeul te Napels.

Een paar dingen staan vast. Ze is als dichteres gepousseerd door de Napolitaanse boekhandelaar Marcantonio Passero en ze behoorde tot de plaatselijke *Accademia degli Incogniti*, waar men haar kende als Febea, een naam van Apollo's zuster Artemis. Ze correspondeerde met vele belangrijke auteurs. Ze trouwde laat (met haar neef Polidoro Terracina). Ze behoorde met Vittoria Colonna tot de meest gelezen dichteressen van haar eeuw. Tegen het eind van haar leven heeft ze enige tijd doorgebracht in Rome, daarbuiten heeft ze Napels nooit verlaten.

Laura Terracina was een uitgesproken professioneel dichteres, die zichzelf moeilijke taken stelde. Zo bestond haar eerste boek, met poëtisch commentaar op *Orlando Furioso*, uit zesenveertig secties van steeds zeven coupletten in *ottava rima*, waarvan de slotregels waren ontleend aan de beginstrofen van de zesenveertig boeken van *Orlando*. (Deze uitgave beleefde ten minste twaalf drukken.) Haar onderwerp-keuze getuigt ook van een vakmatige benadering. Zo gaan haar *Settime rime*, uit 1561, over 'alle weduwvrouwen van onze stad Napels, met of zonder titel'. In een slotgedicht bij deze uitgave excuseert ze zich voor het feit dat een flink aantal van de bezongen weduwen intussen overleden of hertrouwd was. Dit bracht vermoedelijk financieel nadeel met zich mee. Croce noemt Terracina een beroepslofdichteres en wijst plaatsen aan in haar werk waar ze zich beklaagt over ondankbaren die haar niet hadden beloond voor een lofgedicht.

Het lijkt me niet reëel om haar op grond van een dergelijke commerciële instelling te diskwalificeren. De meeste renaissance-dichters schreven poëzie om in het gevlei te komen bij de machtigen en rijken, en om daar zo mogelijk munt uit te slaan. Dichten werd gezien als een vak dat niet principieel verschilde van ander ambachtelijk werk. Maar misschien vormde Laura Terracina's dichterschap een uitzondering door, zeg maar, haar *marketing*. Het is aannemelijk dat men bij haar een gedicht kon bestellen om een evenement luister bij te zetten, bijvoorbeeld om een geliefde persoon te verrassen.

Het hier vertaalde gedicht zal vermoedelijk ook in opdracht van een onbekende geschreven zijn. In de anthologie waarin ik het vond, *Poesia Italiana, il Cinquecento*, ed. Giulio Ferroni, (een editie met een goede keuze uit haar werk ontbreekt tot dusver, ondanks belangstelling van de kant van de 'Vrouwenstudies' in Italië), staat vermeld dat het sonnet gericht was aan 'de zeer doorluchtige en uitnemende vrouwe Erina, prinses van Bisignano'. Zou er verder niets bekend zijn over Laura Terracina, dan zou men het sonnet voor een lesbisch liefdesgedicht kunnen houden. Maar het is duidelijk dat Laura Terracina gedichten schreef vanuit mannelijk gezichtspunt, wanneer de opdracht dat vereiste. Afgezien van dit alles is het gedicht een fraai werkstuk in de petrarkistische traditie. De volgorde van de regels is gewijzigd in de vertaling: de tweede regel van beide kwatrijnen is regel 4 geworden; de sterk geparafraseerde regels 7 en 8 (6 en 7 in de vertaling) vormen een bekend *concetto* dat veel is nagevolgd en waarvan men in het beroemde gedicht 640 van Emily Dickinson nog een echo kan beluisteren.

TOMMASO CAMPANELLA (1568-1639) werd geboren in het Calabrese dorp Stilo als zoon van een analfabete schoenlapper. Hij viel als kind op door zijn intelligentie, leerde lezen en schrijven van de dorpspastoor en werd als veertienjarige noviet bij de dominicanen. Campanella's loopbaan laat zien dat iemand van de nederigste origine zich in zijn tijd op kon werken; doorgaans was dat alleen mogelijk binnen de organisatie van de kerk, maar ook de beroemde libertijn Pietro Aretino was zoon van een schoenlapper.

Calabrië was een wingewest van Spanje, bestuurd door een onderkoning vanuit Napels. De inquisitie vervolgde joden en protestanten. De boeren werden uitgezogen door de plaatselijke landadel. Banditisme en zeeroverij boden soms een uitweg. Delen van Zuid-Italië werden ontvolkt door epidemieën en hongersnood. Het gebied had van oudsher in contact gestaan met de Grieks-Byzantijnse beschaving, en de geleerden Barlaam en Pilato, die de kennis van het Grieks in Italië introduceerden, kwamen er vandaan. Er was een Academie in Cosenza, een brandpunt van het humanisme. De filosoof Bernardino Telesio van Cosenza had er zich verstout de natuurfilosofie van Aristoteles te bestrijden, terwijl die nog altijd een hoeksteen vormde van de officiële katholieke scholastieke traditie. Zijn boek, *De rerum natura*, was verschenen in 1565.

Als Campanella in 1588 voor studie door zijn klooster naar Cosenza wordt gestuurd, komt hij in aanraking met Telesio's werk, dat hij compleet absorbeert. Dit wekt ergernis bij zijn superieuren die hem overplaatsen naar een afgelegen convent. Hij schrijft er zijn *Philosophia sensibus demonstrata*, waarin hij de christelijke leer probeerde te verzoenen met animistische opvattingen die raakten aan magie en occultisme. De wijdverspreide praktijk daarvan kende hij uit zijn dorpse jeugd. Campanella wist uit te wijken naar Napels, waar zijn boek in 1591 werd gepubliceerd en waar hij ook de verloren gegane verhandeling *De sensitiva rerum facultate* schreef (veel later in het Italiaans opnieuw geschreven onder de naam *Del senso delle cose*, Over het gevoel der dingen). Zijn orde beveelt hem zijn boeken te herroepen en terug te keren naar Calabrië, in 1592. Campanella weigert en gaat via Rome en Florence naar Bologna, waar de inquisitie al zijn geschriften in beslag neemt, om er het bewijs van zijn ketterij mee te leveren. In 1593 ontmoet Campanella Galileï in Padua, waar hij in 1594, op verdenking van ketterij en sodomie (?) gekerkerd wordt. Overgebracht naar Rome, en gemarteld, wordt hij in 1595 veroordeeld tot het afzweren van zijn geschriften. Ten bewijze van zijn goede wil schrijft Campanella een tractaat tegen de waanideeën van Luther, Calvijn en anderen. Hij komt vrij, wordt opnieuw van ketterij beschuldigd en deelt zijn kerker met de Florentijnse ketter Francesco Pucci, die in 1597 wordt onthoofd en verbrand (Campanella schreef er een sonnet over). In 1598 wordt hij opnieuw vrijgelaten en teruggestuurd naar Calabrië, naar zijn eerste klooster in Stilo.

Daar begint het verbijsterendste deel van Campanella's leven. Hij heeft zich tussen de bedrijven door in de afgelopen tien jaar verdiept in magie en astrologie, en op grond van astrologische tekenen voorziet hij een grote omwenteling in het jubeljaar 1600. Waarom zou zijn eigen Calabrië daar niet op vooruit kunnen lopen met de stichting van een Republiek? Over de staatsinrichting daarvan heeft Campanella al uitgewerkte ideeën die hij later in de gevangenis op schrift zal stellen in zijn utopie *Civitas solis* ('De zonnestad'), waar in 1988 bij Ambo een uitstekende vertaling van verscheen.

Met messiaanse ijver begint Campanella samen te zweren, enerzijds tegen de Spaanse overheersing, en anderzijds tegen de orthodoxie van de Kerk. Militair gezien zou hij zelfs gerekend hebben op steun van de Turken. Maar de samenzwering wordt verraden en Campanella wordt geketend overgebracht naar Napels en gekerkerd in Castelnuovo.

Hij wordt opnieuw langdurig gemarteld en ter dood veroordeeld, maar het lukt hem zijn rechters ervan te overtuigen dat hij krankzinnig is. Er bestond een canonieke wet tegen het executeren van krankzinnigen, die zich niet voor hun dood door berouw konden verzoenen met de hemel, en zijn vonnis wordt in 1602 veranderd in eeuwige opsluiting.

Campanella heeft hierna nog vierentwintig jaar gevangen gezeten. De eerste anderhalf jaar was zijn gevangenschap dragelijk. Toen werd hij overgebracht naar een andere gevangenis, waar hij, uiterst pijnlijk, werd vastgeketend in een *fossa* (krocht) waar nooit licht doordrong. Dit vormde een continue marteling, bedoeld om de wil van de gevangene te breken – en anders wel een eind te maken aan zijn leven. Campanella heeft het er vier jaar uitgehouden en heeft er, naar men aanneemt, een aantal van zijn aangrijpendste gedichten – zoals *Nel Caucaso* – geconcipieerd. Na een rekest aan de paus, via zijn biechtvader, werd Campanella in 1608 overgebracht naar een gevangenis waar hij mocht schrijven en bezoek ontvangen. In 1613 gaf hij aan een vriend de manuscripten mee van *De sensu rerum*, en van zijn gedichten die gedrukt werden onder de titel *Scelta d'alcune poesie filosofiche* en tegelijk verschenen met zijn *Apologia pro Galileo*, in 1622. Ook begon hij te corresponderen met de wereldlijke en geestelijke leiders van zijn tijd. Hij werd ten slotte vrijgelaten nadat de dominicanen van Calabrië daartoe een petitie hadden ingediend bij de Spaanse koning, in 1626, maar al snel opnieuw gearresteerd door de inquisitie en pas na tussenkomst van paus Urbanus VIII (die sympathie had voor astrologie) in 1629 definitief vrijgesproken.

Ondanks zijn nog steeds precaire positie nam Campanella het op voor Galileï bij diens proces in 1633. Zoals bekend werd Galileï gedwongen zijn ketterse denkbeeld dat de aarde om de zon draait te herroepen. Niet lang daarna gaf paus Urbanus VIII Campanella de raad om uit te wijken naar Frankrijk. In 1635 wordt hij met veel eerbewijzen in Parijs ontvangen door kardinaal Richelieu (de feitelijke machthebber in Frankrijk), en krijgt hij een jaargeld van Lodewijk XIII. Hij sterft vier jaar later.

Het is onbegrijpelijk dat deze grote *metaphysical poet*, wiens poëzie dramatiek paart aan intellectuele kracht en emotionele intensiteit, pas weer in deze eeuw is uitgegeven.

De poëzie van Campanella contrasteert sterk met die van zijn tijdgenoot Marino, die lange tijd van alle Italiaanse barokdichters het meest in een kwade reuk heeft gestaan, als goochelaar met gezochte *concetti*. Marino is elegant en virtuoos en bij hem vergeleken is Campanella stroef (zoals Michelangelo), maar naast Campanella is Marino oppervlakkig.

In het 'Sonnet uit de Kaukasus' (De Kaukasus is een toespeling op Prometheus die, geketend en lijdend op zijn rots in de Kaukasus, vergelijkbaar is met de dichter in zijn *fossa*) wijst Campanella de zelfmoord af, omdat hij niet weet of de dood iets beters brengt; aangezien alles gevoel heeft, dus lijdt – een van zijn filosofische kerngedachten – is zijn pijn niets exclusiefs. Misschien wacht hem als 'ander wezen' na de dood nieuwe strijd. Filips III heeft hem uit zijn dragelijker gevangenschap laten overbrengen naar deze ergere kerker, maar daarmee heeft hij slechts Gods wil gediend.

GIACOMO LEOPARDI (1798-1837) was de zoon van een geletterde graaf (de bibliotheek telde twaalfduizend delen), en bleek zelf een literair en intellectueel wonderkind. Op zijn elfde vertaalde hij een deel van Horatius' *Ars poetica* en schreef een eerste sonnet (over de dood van Hector). Op zijn twaalfde verklaarde de plaatselijke pastoor die diende als huisleraar dat hij hem niets meer te leren had, waarna Leopardi op eigen kracht doorstudeerde en zichzelf Frans, Duits, Engels, Spaans, Grieks en Hebreeuws bijbracht. Op zijn veertiende schreef hij een tragedie (*Pompeo in Egitto*), op zijn vijftiende een geschiedenis van de astronomie, op zijn zestiende vertaalde en becommentarieerde hij in het Latijn Porphyrius' Griekse biografie van Plotinus. Hij dronk de klassieke cultuur in, bekeerde zich tot het atheïsme, voelde zich misplaatst in zijn tijd en in het provinciale milieu van zijn vrome en vrekkige ouders. Door zijn intensieve studies schaadde hij zijn gezichtsvermogen en kreeg hij een vergroeiing aan de ruggegraat (al was er – net als bij Pope, over wie hetzelfde werd gezegd – vermoedelijk rachitis in het spel). Dat hij serieus werd genomen als man van wetenschap mag blijken uit het feit dat hem in 1822 een professoraat in de Griekse filosofie werd aangeboden te Berlijn.

Zijn eerste *Canti* schreef Leopardi op zijn twintigste. Hij had toen al besloten dat hij niets dan ellende van het leven te verwachten had; slechts het lijden was geen illusie. Ondanks zijn afkeer van het ouderlijke huis moest hij er blijven wonen, omdat zijn ouders hem een toelage weigerden. Pas op zijn zevenentwintigste werd hij zelfstandig, toen hij ging werken bij een Milanese uitgeverij, waarvoor hij een Petrarca-editie en een paar bloemlezingen redigeerde. In 1830 vestigde hij zich in Florence, waar hij werd opgenomen in een literaire vriendenkring en waar in '31 de eerste editie van de *Canti* verschijnt (op zijn eigen kosten waren delen ervan al eerder gepubliceerd). In deze tijd beleeft hij de grote liefde van zijn leven, voor de Florentijnse schone Fanny Targioni-Torzetti, die zijn liefde niet beantwoordde. De neerslag daarvan vormt een groep misogyne gedichten, vooral *Aspasia*, dat een weinig vleiend beeld van haar geeft. In '32 wordt hij zeer in verlegenheid gebracht als zijn vader Monaldo Leopardi een bundel religieus getinte *Dialoghetti* publiceert onder de naam Leopardi (zonder meer). De zoon wordt voor de auteur aangezien, zodat men spreekt van een wonderbare bekering. De laatste jaren van zijn leven woont Leopardi in een dorp bij Napels, verpleegd door zijn vriend Antonio Ranieri en diens zuster. Hij schreef of dicteerde er nog een vijftal gedichten, waaronder het beroemde *La ginestra*, over een bremstruik op de Vesuvius, die kort tevoren tot een uitbarsting was gekomen. Leopardi stierf nog vrij onverwachts en liep daardoor de laatste sacramenten mis die zijn verzorgers voor hem hadden besteld. Zijn vriend en eerste biograaf Ranieri kon schrijven dat 'de bloem van zijn maagdelijkheid ongerept met hem het graf inging'.

De complete uitgave van de *Canti*, die Ranieri in 1845 liet verschijnen, bevat eenenveertig gedichten, variërend van 13 tot 317 regels met een gemiddelde lengte van tachtig. Van de gangbare poëtische vormen maakte Leopardi weinig gebruik. De invloed van klassieke voorbeelden is evident, maar de classicistische verwijzingen naar de mythologie ontbreken en Leopardi's thematiek – die van het allersomberste pessimisme – was tamelijk vreemd aan de antieke poëzie.

Leopardi wordt gezien als de grootste romantische dichter van Italië, al kan men erover twisten of zijn poëzie romantisch is. Hij geldt ook als een dichter die veel verliest in vertaling – en dat terwijl zijn verzen technisch geen hoge eisen stellen. Hij gebruikt het rijm spaarzaam. Het is waar dat de kleinste wanklank in het overbrengen van deze gedichten een banaliserend effect heeft. De echtheid van zijn wanhoop, en de bijna klinische beschrijving daarvan, verdragen geen mooischrijverij.

Hoewel Italiaanse verzen vrijwel altijd slepend eindigen, zodat het geen typerend aspect van Leopardi's poëzie kan worden genoemd, geloof ik dat de melancholie van deze poëzie beter tot haar recht komt als zijn zeven- of elflettergrepige versregels ook in vertaling onbeklemtoond eindigen.

Leopardi schreef *L'infinito* in 1819, als een van zijn 'idyllen', een term die hij gebruikte in de klassieke betekenis van 'eenvoudig natuurgedicht'. Met de heuvel is Monte Tabor bedoeld, waarop Leopardi vanuit zijn huis uitkeek, destijds woest en onbewoond. In regel 2 is sprake van een haag (*siepe*), maar in zijn *Pensieri di varia filosofia e di bella letteratura* (1, 290) waarin Leopardi dit gedicht becommentarieert, spreekt hij van een *filare d'alberi* (rij bomen); ik heb daarom *piante* (regel 9) met 'bomen' weergegeven. De rij bomen doet hem, juist doordat ze zijn uitzicht belemmeren, denken aan de oneindigheid van de ruimte, terwijl het ruisend geluid hem herinnert aan de oneindigheid van de tijd. In die dubbele oneindigheid moet het denken wel schipbreuk lijden, maar – het einde is ongewoon positief voor Leopardi – hij voelt zich daar wel bij.

Alla luna – ook van 1819 – had aanvankelijk de naam *Ricordanza* en gaat over herinneringen aan de vorige keer dat Leopardi Monte Tabor bezocht, een jaar tevoren, en daar naar de maan had gekeken, met zijn ogen vol tranen. Het keukenmeisje Teresa Fattorini, op wie Leopardi vanuit zijn studeerkamer verliefd was geweest, was nog geen jaar na haar entree in palazzo Leopardi aan de tering gestorven. Leopardi schatte zijn kansen op het vinden van liefde, gezien zijn slechte gezondheid en misvormde gestalte, zeer laag – wat bepalend is geweest voor zijn leven, al wenste hij zelf geen verband te zien tussen zijn pessimistische filosofie en de uiterlijke omstandigheden van zijn bestaan. Ook dit gedicht eindigt nog met een positief accent.

La quiete dopo la tempesta, van 1829, is een van de gedichten waarmee Leopardi zijn levensbeschouwing heeft willen illustreren. Zijn wereldbeeld gaat uit van de gedachte dat elke vorm van welzijn (dit lijkt nog de beste weergave van *il piacere*, maar het woord moet dan begrepen worden in de zin van welbevinden) een ijdele illusie is. Leopardi illustreert dit met de sensatie die iemand voelt na te zijn ontsnapt aan een groot gevaar. Die sensatie van welbehagen is een direct gevolg van de doorstane angstige spanning. Zelfs wie normaal liever dood zou zijn (Leopardi hield consequent vol dat dat voor hem gold) ontkomt niet aan een dergelijk gevoel, maar daarmee wordt het nog geen werkelijkheid. In de genoemde *Pensieri* VI, 452 verduidelijkt Leopardi zijn opvatting als volgt: 'Het welzijn is niet echt welzijn, het heeft niets positiefs, want het is niets anders dan het ontbreken, of zelfs maar de simpele vermindering, van zijn tegendeel, het onwelzijn.' Dat 'onwelzijn' is voor Leopardi de chronische conditie van het mensdom en soms lijkt hij te impliceren dat het voor dieren ook geldt.

Leopardi doet mij met dit soort redenaties denken aan een blinde die volhoudt dat er geen kleuren bestaan, maar ze geven een ondergrond aan zijn pessimisme die hem heeft behoed voor de valkuil van het zelfbeklag – hij lijdt, maar hij registreert dat met haast wetenschappelijke distantie.

A se stesso, van 1833, is een van de gedichten die Leopardi schreef na zijn debâcle bij Fanny Targioni-Torzzetti. Zij was naar het schijnt niet slechts niet gediend van zijn attenties, maar dreef er ook de spot mee. Leopardi ziet in dat hij – geheel tegen zijn filosofie in – een illusie heeft gekoesterd, een illusie die hij nota bene voor eeuwig hield. Maar nu is zelfs alle begeerte naar nieuwe illusies vervlogen, zodat zijn hart kan ophouden met slaan. Aan het slot van dit gedicht noemt Leopardi de Natuur de boze macht in de wereld, omdat die het leven schept, mét de ziekte en de dood (daaraan inherent), waarmee alles gedegradeerd wordt tot 'mateloze ijdelheid'.

UMBERTO SABA (1883-1957) woonde zijn hele leven in Triëst, afgezien van een periode aan het eind van de oorlog toen hij met hulp van Montale onderdook in Florence. Hij dreef een antiquariaat. Eigenlijk heette hij Poli, maar hij koos het pseudoniem Saba als hommage aan zijn joodse achtergrond (Saba betekent o.m. 'grootvader' in het Hebreeuws). Zijn moeder was joods, zijn vader was al voor zijn geboorte vertrokken.

Saba schreef zijn eerste gedichten omstreeks 1900 en publiceerde vanaf 1911 regelmatig bundels, die hij in verzameluitgaven bijeenbracht onder de steeds opnieuw gebruikte petrarkistische titel *Canzoniere*. Het heeft vrij lang geduurd voor Saba meer dan regionale erkenning vond.

Saba is een dichter van introspectie en van scherpe observaties, een melancholicus die zich bediende van heel dagelijkse taal, met of zonder rijm. Hij achtte zich beïnvloed door Leopardi en Heine.

Saba's *La capra* is een vroeg gedicht, voor het eerst gepubliceerd in 1912 maar veel eerder geschreven. Het is een van zijn ontroerendste gedichten en een typische *anthologists' darling*. Op het eerste gezicht is de vorm heel vrij: de coupletten zijn van ongelijke lengte, de regels ook, de rijmen zijn onregelmatig verdeeld. Er is geen duidelijk metrum, al geven de natuurlijke klemtonen een uitgesproken ritme aan het gedicht – parlando in het eerste couplet, dramatisch versneld in het tweede maar eindigend op een toon van berusting, kalm concluderend in de slotstrofe. Dit correspondeert met het woordgebruik dat in het begin simpel is, maar vanaf het tweede couplet iets formeler. Bij nadere beschouwing blijkt dat Saba in dit gedicht de traditie heeft gevolgd van zeven- en elflettergrepige regels, met een vijflettergrepige slotregel. Dit prosodisch aspect bij een overigens vrije structuur heb ik niet geprobeerd na te volgen in het Nederlands. Wel heb ik geprobeerd ritme, rijm en de afwisseling van korte en langere regels aan te houden.

Saba's *capra* is een geit, geen geitje van het soort dat Jacqueline van der Waals' geitenweitje bevolkt, maar een fors mediterraan exemplaar, niet saai zwart-wit, maar spannend gekleurd, met een trotse kop die ouderwets rabbijns aandoet. Saba zal die associatie niet als eerste of laatste hebben gehad, maar hij wist er een symbool van te maken voor het lijden van 'al het andere dat leeft'.

Het kernwoord *male* in de voorlaatste regel combineert de aspecten 'pijn' en 'kwaad', maar in deze context gaat het primair om pijn, om het wereldleed. Het Italiaanse werkwoord *belare* is natuurlijk, net als het Nederlandse 'blaten', klanknabootsend. Nu kent het Nederlands ook 'mekkeren', voor het herhaalde, stotende èh-geluid van de geit. Er zijn er die menen dat geiten altijd mekkeren, en dat het werkwoord 'blaten' gereserveerd moet blijven voor het schaap. Dit is een misverstand. Geitenhouders noemen het wat klaaglijke, lang aangehouden geluid van de geit wel degelijk blaten. (Het woord 'mekkeren' zou trouwens dodelijk zijn voor dit gedicht.)

Omdat Saba zich door de kritiek miskend voelde, schreef hij in de oorlog een studie over zijn eigen werk die aanvankelijk onder pseudoniem verscheen (bij de boekuitgave werd de mystificatie niet volgehouden). In deze studie, *Storia e cronistoria del Canzoniere*, gaat hij ook in op *La capra*, een vers waar enkele critici geen raad mee hadden geweten – één had er zelfs antisemitisme in menen te bespeuren. Hij stelt dat het gedicht niet meer is dan de visuele evocatie van een ervaring, en dat zijn eigen joodse origine bij het schrijven van dit gedicht geen enkele rol had gespeeld.

GIUSEPPE UNGARETTI (1888-1970) werd geboren in de Italiaanse kolonie van Alexandrië, waar hij tot zijn vierentwintigste bleef wonen—het Egyptische woestijnlandschap bleef een belangrijk element in zijn werk, de solitaire nomade daarin symboliseert de dichter. In 1912 vertrok hij naar Parijs, waar hij colleges liep bij Bergson en vriendschap sloot met Apollinaire. Evenals deze stortte hij zich met enig enthousiasme in de Eerste Wereldoorlog; Ungaretti kwam terecht in een stellingoorlog tegen de Oostenrijkers.

Aan het front hield hij een soort dagboek bij bestaande uit brokkelige, korte gedichten zonder interpunctie (à la Apollinaire), maar met een hoofdletter aan het begin van iedere regel (in latere drukken verdwenen de meeste hoofdletters). Het maakte zoveel indruk op een van zijn superieuren dat deze zorgde voor uitgave—de bundel *Il porto sepolto* ('De verdronken haven'), 1916. De moderne Italiaanse poëzie wordt wel geacht met deze bundel te beginnen. De criticus Papini zei dat Ungaretti hiermee 'de welsprekendheid de nek had omgedraaid'.

Een vermeerderde herdruk, verschenen in 1919 onder de titel *Allegria di naufràgi* (een variant op de slotregel van Leopardi's *L'infinito*), trok door zijn 'revolutionaire frisheid' nog ruimere aandacht. In de volgende bundels, verzameld in *Sentimento del tempo* (1933), zocht Ungaretti aansluiting bij de traditie en ging ook weer interpunctie gebruiken. In 1936 werd hij professor Italiaanse letterkunde in het Braziliaanse São Paolo. In 1942 keerde hij terug en aanvaardde een hoogleraarschap in Rome.

In 1947 verscheen *Il dolore* (de dood van zijn in Brazilië overleden zoontje Antonietto vormt het voornaamste thema), in 1968 *Dialogo* (met liefdeslyriek gewijd aan een Braziliaanse dichteres). Ungaretti heeft ook veel poëzie vertaald, onder meer van Blake, Mallarmé, Góngora en Shakespeare.

Ungaretti schreef *Veglia*, een van de sterkste gedichten uit zijn eerste bundel, op Bergtop Vier van het Alpijnse Front, twee dagen voor Kerstmis 1915 (vandaar de 'brieven vol liefde'). Het beschrijft de verheviging van het levensgevoel juist in het aangezicht van de dood. De *bocca digrignata* van het lijk roept het beeld op van een hondegrimas met ontblote tanden; het woord *congestione* betekent eigenlijk 'verstopping', met het gevolg dat iets (verkeer of bloedsomloop) stagneert.

EUGENIO MONTALE (1896-1981) studeerde aanvankelijk zang in zijn geboortestad Genua (bariton), maar werd opgeroepen voor het front tegen Oostenrijk in de Eerste Wereldoorlog. Na de oorlog verdiepte hij zich door zelfstudie in de taal en literatuur van Frankrijk, Spanje, Engeland en Amerika en werkte aan zijn poëzie-debuut *Ossi di seppia* (1925). In een Nederlands naslagwerk is dat vertaald als 'Beenderen van de inktvis'. Een technisch juiste vertaling zou zijn 'Schilden van de zeekat', maar het gaat om het piepschuimachtige skeletdeel dat aanspoelt uit zee en in dierenwinkels wordt verkocht voor kanaries, onder de naam 'zeeschuim'. De bundel zou aanvankelijk *Rottami* hebben geheten, 'Afval, wrakhout'. De *Ossi di seppia* vormen een soort 'zeedrift', en zijn mogelijk ook een symbool van de vele zomers die Montale met zijn familie doorbracht in Monterosso, aan de Ligurische kust.

In deze bundel brak Montale radicaal met de Italiaanse traditie van welluidendheid en met de geest van d'Annunzio, de dichter-superman die een cultus had gemaakt van zijn romantisch-heroïsch levensgevoel, dat hem er bijvoorbeeld toe bracht de Abessijnse veldtocht te verheerlijken. Na de opkomst van het fascisme en Mussolini's machtsovername domineerde die geest de Italiaanse literatuur. In een essay *Stile e tradizione*, gepubliceerd in *Il Baretti*, het antifascistische tijdschrift van Piero Gobetti dat toen nog bestond, keerde Montale zich in 1925 tegen d'Annunzio en hij tekende Benedetto Croces manifest tegen de fascistische intellectuelen.

Montales poëzie onderscheidde zich door een stroeve woordkeus, spaarzame, onregelmatige rijmen, een stugge vorm. De aard ervan is individualistisch, dwars, gesloten, metafysisch. De beelden zijn van een groot expressief pathos (scherven op een tuinmuur, nagels over glas, een verscheurend geloof, de sidderende schubben van de zee). Montale zocht aansluiting bij de traditie van voor de Romantiek en bij geestverwanten buiten Italië. Al in 1928 verscheen zijn gedicht *Arsenio* in T.S. Eliots blad *The Criterion*.

Montales literaire succes in niet-fascistische kring hielp hem aan werk te komen, onafhankelijk te worden van zijn familie en Genua te verlaten. Hij werkte eerst bij een uitgeverij en beheerde vanaf 1929 de bibliotheek

Gabinetto Vieusseux in Florence, tot hij in 1938 ontslagen werd omdat hij geen lid van de partij wilde worden. Hij leefde toen tot na de oorlog vooral van vertalen (Molière, Cervantes, Shakespeare, Faulkner). In 1939 publiceerde Montale zijn tweede grote bundel *Le Occasioni* (letterlijk 'De gelegenheden': momenten die aanleiding waren tot een gedicht). Na de oorlog verhuisde Montale naar Milaan, om vast medewerker te worden van de *Corriere della Sera*, waarvoor hij onder meer literaire recensies en muziekkritieken schreef. In 1956 publiceerde Montale *La bufera e altro* ('De storm en ander werk'). In 1971 verscheen zijn laatste bundel *Satura* (een oud woord voor 'Mengelwerk', maar ook voor 'Satire'), waarin veel gedichten gaan over Mosca ('Vlieg': Montales bijnaam voor de vrouw die dertig jaar zijn leven deelde en in 1963 overleden was, Drusilla Tanzi). In 1975 kreeg Montale de Nobelprijs, wat hem het commentaar ontlokte dat hij dus vermoedelijk een tweederangs dichter was. Maar Nobelprijsjury's zitten er niet altijd naast.

Montale is een van de grote dichters van deze eeuw, moeilijk uit overtuiging, een bij uitstek modern dichter die op een nieuwe manier klassiek wilde zijn, vol wantrouwen jegens de dagelijkse werkelijkheid van zijn tijd, en ook een dichter van desillusie en vervreemding.

In limine ('Op de drempel') is het mottogedicht van de bundel *Ossi di seppia*. De eerste twee regels lijken idyllisch, maar dan verandert het beeld. De moestuin houdt de dichter vast door de 'dode klit' (of 'wirwar van') herinneringen, die hier verzinkt (of 'zich vasthecht'); de herinneringen worden relieken – dingen die dood zijn, maar in ere moeten worden gehouden. Het geluid van de tuin is niet van een vogel die wegvliegt, maar is het geritsel van wat er allemaal groeit, de 'drift' van de natuur. Het lijkt dat Montale zijn alter ego toespreekt in het laatste couplet: als je voortgaat, stuit jij mischien op het droombeeld dat je redding kan zijn. Hier gebeuren alleen dingen die door later tijd weer ongedaan worden gemaakt, zoek daarom een maas in het net. In de laatste regel is *ruggine* eigenlijk 'roest', maar het woord heeft de figuurlijke betekenis 'wrok'; overigens is de letterlijke betekenis toepasselijk als 'corrosie van het leven'. Aan het eind lijkt een deel van de dichter de vrijheid te hebben gekozen, een zekere harmonie te hebben gevonden.

In *Ossi di seppia 7* stelt Montale het *male di vivere* (*mal de vivre*, levenspijn) tegenover het *bene di vivere*. Bij eerdere publikatie van dit gedicht heb ik geprobeerd dat effect weer te geven met het 'wee' tegenover het 'wel' van het leven. Nu heb ik – hopelijk beter – 'De pijn van leven' tegenover 'Het welzijn' gesteld. De montalist prof. G. Singh meldt dat de tweede regel een verwijzing is naar Dante (*Inferno* VII, 125: *Quest' inno si gorgoglian nella strozza*, over de toornigen en nijdassen die in hun modderpoel alleen nog kunnen gorgelen met hun strot). De stroefheid van Montales woordkeus is goed te illustreren aan dit gedicht met al zijn dubbele en tripele harde medeklinkers.

In het tweede couplet heeft Montale de Onverschilligheid vergoddelijkt of Onverschilligheid gemaakt tot het voornaamste attribuut van de godheid. Strikt genomen is niet zeker of *prodigio* dan wel *Indifferenza* onderwerp is, en ook in de vertaling zijn beide lezingen mogelijk. Maar met Onverschilligheid als onderwerp is de gedachtengang het beste te volgen: God is zo onverschillig dat hij ook wel eens een wonder laat zien, als het ware per ongeluk. De manifestaties van het wonder worden alleen maar aangeduid.

Ossi di seppia 14 beschrijft een ervaring die haast niet te beschrijven is: de plotselinge intense realisatie van leegte, een negatieve mystieke ervaring, een lucide moment van panische vervreemding dat Nabokov zo feilloos heeft opgeroepen in zijn verhaal *Terror* uit *Tyrants Destroyed*, waarvan het Russisch origineel volgens Nabokovs voorwoord geschreven is in 1926. Nabokov besluit dat voorwoord als volgt: 'Het verhaal was Sartres *La Nausée*, waarmee het bepaalde gedachtenuances, maar geen van de noodlottige fouten van die roman, gemeen heeft, dus minstens twaalf jaar voor.' Maar Montale was Nabokov minstens één jaar voor. Het zal stellig toeval zijn, maar de overeenkomst is treffend. Ook bij Nabokov is er de associatie met glas en ook hij noemt speciaal, naast elkaar, huizen en bomen. Ik citeer: 'Door mijn slapeloosheid verkeerde ik in een buitengewoon ontvankelijk mentaal vacuüm. Mijn hoofd leek wel van glas en ook de lichte kramp in mijn kuiten had iets glasachtigs. (...) Welnu, op die verschrikkelijke dag toen ik, gebroken door een slapeloze nacht, naar buiten stapte, in het centrum van een toevallige stad, en huizen, bomen, auto's, mensen zag, weigerde mijn geest plotseling om ze te aanvaarden als "huizen", "bomen", enzovoorts – als iets dat verband hield met het normale menselijke leven. Mijn verbindingslijn met de wereld knapte, het was ik-voor-mij en de wereld-voor-*zich*, en *die* wereld was zonder zin.'

Het slot beschrijft hoe de dichter zijn weg vervolgt, 'met mijn geheim' – omdat vertellen over zulke momenten van schizofrenie (buiten een gedicht) nu eenmaal is af te raden.

Motetti is de centrale groep gedichten uit *Le Occasioni*, waarin Montales liefde voor een Amerikaanse van joodse afkomst, voor hem een symbool van antifascisme, Clizia, centraal staat. De concrete aanleiding was Clizia's terugkeer naar Amerika. Met deze gedichten beoogde Montale de lezer meteen midden in de rauwe emotie te storten en daarmee pure lyriek te krijgen, zoals goed te zien is aan *Motetti* 1. De Amerikaanse professor Jared Becker heeft er in zijn Montale-studie op gewezen dat Montale met *oscura* in regel 5 en *selva* in regel 8 al vooruitwijst naar de referentie aan Dantes *Inferno* in de slotregel. De lokale sfeer is die van Genua, en speciaal het havengebied Sottoripa. Van al zijn gedichten was dit waarschijnlijk de meest directe expressie van zijn pessimisme.

SPAANS

JUAN DE LA CRUZ (1542-1591) was van eenvoudige afkomst, werkte eerst als ziekenverpleger en trad op zijn eenentwintigste toe tot de karmelietenorde. Zijn orde stelde hem in staat te studeren. Onder invloed van Teresia van Ávila (1515-1582), de Spaanse mystica die net als Juan de la Cruz later heilig is verklaard en die doende was de karmelitessenorde te hervormen, wenste Juan ook bij de karmelieten de strenge regel uit de begintijd (armoe, veel vasten, veel zwijgen, barrevoets gaan) in ere te herstellen. Dit stuitte op verzet van de Kerk en Juan werd in een klooster te Toledo in vrijwel volledige afzondering en duisternis opgesloten, wat het begin betekende van zijn mystieke ervaringen (zoals bekend is sensorische deprivatie daar bevorderlijk voor). Hij wist na acht maanden te ontsnappen. De hervormingsgezinden hadden intussen bescherming gekregen van Filips II, waarna de ongeschoeide karmelieten grote aanhang verwierven. Juan vervulde hoge ambten binnen de orde en stichtte nieuwe kloosters. Kort na zijn dood werd de orde van de ongeschoeide karmelieten door een pauselijk besluit zelfstandig.

Zijn poëzie is in 1618 postuum verschenen. Ze bestaat uit tweeëntwintig korte en lange mystieke gedichten, waarvan *Llama de amor viva* een der beroemdste is. Juan heeft zelf een theologisch commentaar geschreven op zijn belangrijkste gedichten; het commentaar op de vier strofen van *Llama de amor viva* bevat bijna 40.000 woorden (en bestaat in twee versies die onderling verschillen).

De mystieke ervaring bij Juan de la Cruz kent drie stadia: *purgatio, illuminatio, unio* (zuivering, verlichting, vereniging). Aan de hand van Juans gedetailleerde commentaar is na te gaan hoe hij deze stadia in zijn gedicht beschreven heeft.

De 'levende vlam van liefde' is God, of meer in het bijzonder de Heilige Geest – een vlam die de diepste kern van de ziel wondt met liefde, zodat de wond mild is. Het 'diepste centrum van de ziel' is niet concreet bedoeld, want de ziel is onmeetbaar, maar betekent de ziel als woonplaats van God. Door de vlam van de goddelijke liefde wordt de ziel verlicht.

In regel 4 betekent *esquiva* 'koel, onverschillig, misprijzend' en uit het commentaar bij die regel blijkt dat die kwalificatie slaat op de vlam van Gods liefde vóórdat de ziel erdoor verlicht werd, toen de goddelijke liefde nog pijn deed—omdat er zoveel onvolmaaktheid moest worden uitgebrand—de parafrase met 'geen pijn meer geeft' vindt daarin enige rechtvaardiging.

In regel 5 duidt *Acaba* op het beëindigen van het proces van vervolmaking, met de bijgedachte dat dit pas in de dood te verwachten is; in de zesde regel wordt dat verder uitgewerkt: het web wordt gevormd door de menselijke natuur, de aandriften, de zintuigen.

In de tweede strofe gaat Juan nader in op de aard van de wond, die op zachte, troostende wijze 'cauteriseert' en *regalada* wordt genoemd: 'mild', 'gevend', met de bijgedachte dat zij haar eigen genezing is. De reinigende vlam is de Heilige Geest, de tedere hand is de Vader, het delicaat beroeren is de Zoon; in regel 6 staat eigenlijk 'dood verwisselde met leven'.

Het derde couplet beschrijft het effect van de goddelijke verlichting op de ziel. Juan geeft in zijn commentaar aan dat onder de 'spelonken' met name geheugen, verstand en wil moeten worden verstaan; het woord *sentido* is niet met één woord weer te geven in het Nederlands. De *Querido* in de slotregel van deze strofe is de Bruidegom van de mystieke eenwording, God.

Het vierde couplet is een nadere beschrijving van de zaligheden van deze vereniging: God is ontwaakt, volledig aanwezig in de ziel, Gods adem inspireert met goddelijke liefde. Met het alleen zijn van God in de ziel wordt bedoeld dat er geen andere, ongoddelijke elementen meer verblijven—de duivel is uitgeschakeld, de mysticus zelf is ontwaakt. In de slotregel staat een tegenwoordige tijd; het rijm heeft hier parafrase nodig gemaakt.

LUIS DE GÓNGORA Y ARGOTE (1561-1627) werd geboren in Córdoba, in een welgesteld aristocratisch milieu. Dank zij protectie van zijn oom, hofkapelaan van Filips II, lag er een prebende—een betaalde sinecure in het kapittel van Córdoba—voor hem in het verschiet, zodat hij werd opgeleid voor de geestelijke stand en daarna werd geïnstalleerd als kanunnik ofwel wereldlijk geestelijke. Pas op zijn vijfenvijftigste liet hij zich tot priester wijden toen hij onder Filips III de positie aan het hof kon verkrijgen die zijn oom destijds had bekleed. Een lang gekoesterde ambitie van Góngora, om aan het hof te verblijven, is dan vervuld. Hij heeft zijn benoeming te danken aan zijn literaire faam—speciaal in hofkringen, hoewel het meeste van zijn werk niet was uitgegeven en alleen in handschrift de ronde deed.

Góngora beoefende alle gangbare poëtische genres, maar dankte zijn reputatie vooral aan enkele lange gedichten, die uitblonken door een gemaniëreerde stijl en zeer complexe metaforen. Van zijn grote gedichten *Polifemo* en *Soledades* verzorgden bewonderaars al bij zijn leven een geannoteerde uitgave, opdat de erudiete verwijzingen minder knappe koppen niet zouden ontgaan.

Góngora's jongere tijdgenoot Quevedo bestreed Góngora en zijn stijl met persiflages en venijnige persoonlijke aanvallen, onder meer op zijn vermeend joodse afkomst. Góngora antwoordde met gelijke munt en stak de draak met Quevedo's mankheid.

Na een hersenbloeding in 1626 keerde Góngora terug naar Córdoba, waar hij in 1627 stierf. In hetzelfde jaar verscheen de eerste uitgave van zijn verzamelde poëzie, onder de titel *Obras en verso del Homero español*. Hoe beroemd hij ook was—getuige die bijnaam—als de meeste grote barokdichters raakte ook Góngora totaal in vergetelheid. Pas in deze eeuw wordt hij weer op zijn waarde geschat. De herdenking van zijn sterfjaar vormde de aanleiding tot het ontstaan van een nieuwe dichtersschool in Spanje: de 'Generatie van 1927'.

Aan de overdadige literaire opsmuk die bekend werd als *gongorismo* (en die lange tijd een stempel drukte op de Spaanse poëzie) is alleen voor specialisten nog genoegen te beleven, maar de meeste korte gedichten van Góngora zijn daar vrij van. Ze zijn van een zelfde expressieve kracht als de filosofische gedichten van zijn grote tegenstander Quevedo. De thema's zijn elementair, zo men wil traditioneel, maar van alle tijden.

De la brevedad engañosa de la vida, uit 1623, vergelijkt het menselijk leven eerst met een afgeschoten pijl, dan met een strijdkar die, bij een klassiek toernooi, snel en geruisloos over de meet gaat: voor onze levensspanne geldt dat nog meer dan voor 'het span dat hardrijdt'. Het is een gelukkig toeval dat in de Nederlandse taal hetzelfde woord 'span', met verschillend woordgeslacht, in twee betekenissen wordt gebruikt—wat, naar het mij lijkt, bij Góngora in de smaak zou zijn gevallen.

De 'komeet' in regel 8 symboliseert dood of rampspoed—en mogelijk gaat het ook om de redeloze onvoorspelbaarheid van de komeet, zo tegengesteld aan de voorspelbare orde van de rest van het firmament. Met andere woorden: wie hier twijfel kent, is veroordeeld tot de chaos.

Carthago in regel 9 is een symbool van de ondergang en door het gebruik van *tú* wordt het sextet tot een nadrukkelijk zelfvermaan. Licio fungeert ook in andere gedichten als Góngora's alter ego.

FRANCISCO DE QUEVEDO Y VILLEGAS (1580-1645) was een zoon van ouders die aan het hof verkeerden, maar werd al jong wees. Hij werd opgevoed door de jezuïeten, studeerde vervolgens in Alcalá en Valladolid (oude talen en theologie), en maakte al vroeg naam als dichter: in de *Flores de poetas ilustres* (1605) waren achttien gedichten van hem opgenomen.

Maar net als de Engelse *metaphysical poets* ambieerde hij een politieke carrière. Hij treedt in dienst bij de hertog van Osuna en volgt deze in 1611 als secretaris naar Sicilië, waar Osuna benoemd is tot onderkoning, en naar Napels, in 1616, als Osuna daar het onderkoningschap waarneemt (in 1618 liet Osuna Campanella overbrengen naar een mildere gevangenis; bemiddeling van Quevedo is aannemelijk).

Quevedo vervulde diplomatieke missies en deed spionagewerk. Een tegenstander aan het hof van Filips III, de latere hertog de Olivares, verzamelt intussen aanklachten wegens wanbestuur tegen Osuna en in 1620 valt deze in ongenade. Quevedo wordt enige tijd onder huisarrest geplaatst, Osuna sterft vier jaar later in de kerker. Quevedo wint het vertrouwen van Olivares en wordt onder Filips IV secretaris aan het hof. In 1634 trouwt hij met een adellijke weduwe, maar door de hevige ruzies met zijn vrouw haalt hij zich de spot van het hof op de hals en de echtgenoten gaan na twee jaar uit elkaar.

In 1639 raakt Quevedo uit de gunst, verdacht van het schrijven van een anoniem pamflet, gericht tegen de koning en zijn gunsteling Olivares. Hij wordt gevangen gezet in een klooster en pas weer vrijgelaten als Olivares op zijn beurt in ongenade valt in 1643. Quevedo's gezondheid is dan ondermijnd en hij sterft ruim een jaar later.

Vanaf zijn studententijd heeft Quevedo naast zijn andere werk onnoemelijk veel geschreven (Spaanse naslagwerken spreken van 'onze grote polygraaf'), en in alle mogelijke genres. Hij schreef zijn beroemde schelmenroman *La Vida del Buscón* in 1604, maar deze werd pas in 1626 gepubliceerd. Een jaar later verscheen zijn *Sueños*, fantastische visioenen over het hiernamaals. In *La política de Dios* (1626), *La cuna y la sepultura* (1634) en *Marcus Brutus* (1644) zette hij zijn politieke en filosofische denkbeelden uiteen.

In tegenstelling tot zijn proza gaf Quevedo zijn poëzie niet uit, al verschenen nog wel zijn 'Psalmen' (*Heráclito Cristiano y Segunda Arpa a imitación de David*) in een anthologie (*Cancionero*) uit 1628. Pas na zijn dood werden twee uitgaven van zijn poëtisch werk gepubliceerd, de *Parnaso español* (1648) en *Tres últimas musas* (1670), maar ongetwijfeld is er veel verloren gegaan. Niettemin omvat Quevedo's dichtwerk vele duizenden pagina's. Het is van een enorme diversiteit en stilistische variatie, zodat Quevedo wel gekenschetst wordt als een 'dichter van contrasten'. Hij schreef enerzijds satirische, polemische en erotische gedichten, waarin hij het platvloerse effect niet schuwde, anderzijds religieuze gedichten van een diepe ernst en devotie. Hij was een virtuoos in het op gloednieuwe wijze gebruiken van aloude thema's en een woordkunstenaar (*el Caudillo de los conceptistas*), die spreektaal wist te combineren met neologismen, en wiens rijmen zelden of nooit een gezochte indruk maken. Zijn beschouwende gedichten zijn van een grote diepgang, zijn lyriek heeft een bijzondere expressieve kracht. Qua veelzijdigheid is Quevedo nog het best met Shakespeare te vergelijken.

Salmo 18 behoort (met 19) tot de gedichten uit de *Heráclito Cristiano*, een titel die programmatisch was voor Quevedo's streven het christendom te verzoenen met het erfgoed van de klassieke beschaving.

In regel 7 en 8 is de metafoor van het leven als troebele rivier die uiteindelijk wordt opgeslokt door de zee in een werkwoordconstructie geparafraseerd.

De gedachte in de slotregel heeft Quevedo ook in zijn *La cuna y la sepultura* uitgewerkt: de dood maakt deel uit van de natuur, dus waarom *afligirse* (eigenlijk 'zich aftobben')?

Salmo 19 besluit de cyclus en zet het thema van 18 voort: de dood, die onmerkbaar zacht nadert, maakt alles gelijk.

In regel 5 en 6 bestormt de dood 'de zwakke aarden wal' – symbool voor het aardse leven, voor het stoffelijk omhulsel van de mens.

In regel 11 heeft *pensión* nog de betekenis van het Latijnse *pensio*: periodieke betaling: door te leven koopt de mens, op afbetaling, zijn dood.

In regel 13 is *ejecución* niet 'executie', maar 'dagvaarding, exploot'.

In de slotregel wordt een oude wijsheid compact samengevat.

Definiendo el amor, een van Quevedo's *sonetos amorosos*, is geënt op de petrarkistische traditie (er zijn duidelijke parallellen met het sextet van Laura Terracina's sonnet); de opeenstapeling van antithesen is een bekend barok-*conceit*.

In regel 11 is *curada* niet zózeer 'genezen' als wel 'nadat er een dokter aan te pas is gekomen'.

In regel 12 is de kwalificatie *niño* bij *amor* ('knaapje') niet vertaald – dat kan ook moeilijk, omdat de liefde in het voorafgaande steeds met 'ze' is weergegeven; *abismo*, eigenlijk 'afgrond', wordt in het Spaans gebruikt als synoniem voor 'hel'.

In dit sonnet lukte het niet het octaaf met maar twee rijmklanken te vertalen.

In het laatste sonnet levert Quevedo pessimistisch commentaar op het wufte leven van zijn eigen stand (*liviana* combineert de noties 'oppervlakkigheid', 'onbeduidendheid' en 'lichtzinnigheid'); in een leven van armoede zou men misschien nog de waarheid kunnen vinden, maar door 'eer' en 'rijkdom', twee leugens, wordt dat onmogelijk gemaakt.

In regel 7 is 'als lusten het verblinden' een parafrase voor *en errado anhelar*, eigenlijk 'in dwalend smachten'; in regel 8 zou *fortuna* ook 'fortuin, rijkdom' kunnen betekenen, maar waarschijnlijker lijkt dat hier de algemene betekenis 'lot' is bedoeld.

In regel 11 is 'eigen levenssap' een parafrase voor *proprio alimento* van de *salud*, eigenlijk: dat wat de gezondheid voedt.

In de beide slotregels is de mooie antithese met *en tierra* .. *caerá la vida* en *en viviendo cayó en tierra* maar heel gedeeltelijk bewaard. Eigenlijk staat er: 'die vreest dat op aarde het leven ten val komt, en niet ziet dat het al tot aarde (stof) vervalt door het enkele feit dat hij leeft'.

JUANA INÉS DE LA CRUZ (1649-1695) geldt als de laatste vertegenwoordiger van de Spaanse Gouden Eeuw. Ze werd geboren en stierf in Nieuw Spanje (Mexico). Haar eigenlijke naam was Juana de Asbaje. Al vroeg werd ontdekt dat ze een intellectueel wonderkind was: ze las vanaf haar derde, schreef poëzie vanaf haar achtste, was zeer muzikaal en ging op haar negende naar Mexico-stad om te studeren. De vraag of een vrouw dat mocht doen was nog niet eerder aan de orde geweest: het werd niet toegestaan, maar Juana leerde Latijn in twintig lessen en verwierf zich een enorme belezenheid in de bibliotheek van haar grootvader. Op haar vijftiende werd ze hofdame van de onderkoningin. Op haar zeventiende onderwierpen de veertig knapste koppen van het land haar op instigatie van de onderkoning aan een soort quiz, waaruit ze glansrijk te voorschijn kwam.

Overigens was Juana om niet opgehelderde redenen – een ongelukkige liefde, is wel gesuggereerd – in 1667 het klooster ingegaan, eerst een streng karmelitessenklooster, daarna een liberaler klooster waar ze volop in de gelegenheid was te schrijven en te studeren. In 1689 en '92 verschenen in Spanje haar gedichten in twee delen, onder de naam *Inundación castálida* (ongeveer: 'Overstromende muzenbron'). Ze bezorgden haar de naam van 'Tiende Muze en Phoenix van Mexico'.

In 1693 kwam er een grote ommekeer in haar leven. Ze verkocht haar bibliotheek om het geld onder de armen te verdelen, ging ascetisch leven en wijdde zich aan het verzorgen van epidemie-slachtoffers. Ze raakte zelf besmet en stierf twee jaar later. Haar ongepubliceerde gedichten verschenen postuum in 1700.

Redondillas is haar bekendste gedicht, misschien opmerkelijker door haar geestige feministische redeneertrant dan door lyrische expressie. De man dingt naar de vrouw en verwijt haar op schrille toon wreedheid als ze hem niet zijn zin geeft, maar doet zij dat wél, dan valt ze aan schande ten prooi en keert ook haar minnaar zich van haar af.

In regel 19/20 staan Thaïs en Lucrecia voor de frivole en de deugdzame vrouw. Thaïs was een Atheense hetaere en metgezellin van Alexander de Grote, Lucrecia pleegde zelfmoord nadat ze was verkracht.

In regel 23 is de spiegel een symbool van ongereptheid; door ontmaagding raakt de spiegel bewasemd.

In regel 51/52 gaat het eigenlijk niet om dure eden zweren, maar om dringend verzoeken, smeken. In het daaropvolgende couplet lijkt Juana Inés haar redenatie uit te breiden tot de smet rustend op de verleide en gemainteneerde vrouw.

In het slotcouplet is *fundo* 'Ik stel (vast)' niet weergegeven; 'duivel, wereld en vlees' zijn de vijanden van de ziel in de katholieke catechismus.

GUSTAVO ADOLFO BÉCQUER (1836-1870) kwam uit een schildersfamilie en werd al vroeg wees. De bibliotheek van zijn peetmoeder bracht hem in contact met de literatuur. Gedurende zijn schooltijd volgde hij schilderlessen bij een oom, maar hij was ook begonnen met gedichten schrijven en vertrok als achttienjarige naar Madrid om literaire roem te verwerven. Na een periode van ziekte en gebrek wist hij aan de slag te komen als journalist; ook maakte hij toneelbewerkingen. Hij trouwde in 1861, maar zijn huwelijk hield niet lang stand. Financieel ging het hem beter toen hij in 1864 censor werd, belast met de controle op romans. Maar hij verloor die controversiële positie door de revolutie van 1868.

Al heeft Bécquer veel proza geschreven, zijn reputatie berust geheel en al op zijn ene bundel *Rimas*, waarvan Bécquer de publikatie volledig had voorbereid toen hij onverwacht stierf. De bundel verscheen in 1871 en geen andere dichtbundel is in Spanje zo vaak herdrukt.

Bécquer was een romantisch dichter, maar brak in zoverre met zijn romantische voorgangers in Spanje dat hij korte, eenvoudige, antiretorische verzen schreef op basis van authentieke emoties, merendeels direct aansprekende melancholische liefdeslyriek. Zijn oeuvre is maar klein; het telt circa tachtig gedichten. Hij was beïnvloed door de Franse romantici Hugo en De Musset. De modernist Juan Ramón Jiménez heeft later verklaard dat de Spaanse poëzie 'van onze tijd' met Bécquer was begonnen.

Het vertaalde gedicht gaat over een paranormale ervaring – een geliefd thema van romantische dichters; maar de hele voorbereiding, de overgang van waken naar slaap en droom (in het Spaans weergegeven met hetzelfde substantief), is zeer expressief verbeeld.

In regel 11 staat eigenlijk 'maar ander licht...'

In regel 14/15 staat dat 'gedruis vaag zwerft' door de kerk.

In regel 22 is *cual piedra* ('als een steen') in de vertaling weggevallen, al zorgt 'storten' in plaats van 'vallen' voor een zekere compensatie.

Prosodisch volgt Bécquer in dit gedicht de Spaanse traditie van assonantie in de even regels. In de Nederlandse weergave is dit nagevolgd, met dien verstande dat het eerste halfrijm in elke strofe staand is, het tweede slepend.

ANTONIO MACHADO (1875-1930) volgde middelbaar onderwijs op het zeer progressieve Institución libre de enseñanza, waar veel vooraanstaande

Spaanse intellectuelen gevormd zijn. Hij studeerde Frans, verbleef enige tijd in Parijs, waar hij Oscar Wilde ontmoette en werkte als vice-consul van Nicaragua, vermoedelijk door bemiddeling van Rubén Darío, de Nicaraguaanse poëzievernieuwer en stichter van het *modernismo*, die na 1890 bijna steeds in Madrid of Parijs woonde en de Spaanse lyriek ingrijpend beïnvloedde. In 1903 verscheen Machado's eerste bundel *Soledades*.

Vanaf 1907 tot kort voor zijn dood doceerde Machado Franse letterkunde aan diverse instellingen. In 1909 trouwde hij met Leonor Izquierdo, die al in 1912 stierf. Hij was voor een geboren Andalusiër ongewoon introvert, een liefhebber van 'sonore eenzaamheid' en een tegenstander van de Spaanse *tertulia*-sfeer (een *tertulia* is een gezellig en doorgaans drankzuchtig intellectueel samenzijn).

Zijn bekendste bundel is *Campos de Castilla* (1912) over de stugge hardheid van Spaanse boeren en hun stenig land. Hij schreef ook epigrammen, de zogenaamde *Proverbios y cantares*, zoals het programmatische:

Kies liever het povere rijm,
de vage assonantie.
Als het vers geen inhoud heeft,
biedt het rijm ook geen garantie.

Vert. E. de Vries-Bovée

Spaanse naslagwerken prijzen zijn 'serene helderheid' en noemen hem een klassiek dichter en een meditatief pessimist. Als republikein week Machado in 1939 met zijn bejaarde moeder uit naar Frankrijk. Beiden stierven binnen een maand.

De titel van het vertaalde gedicht is letterlijk 'Over de weg' (van het leven). Een oude dorpsklok slaat twaalf en het geluid doet denken aan de geluiden van een schop wanneer in de harde grond een graf wordt gedolven. Een ogenblik van doodsangst wordt overwonnen dank zij de kalmerende stilte waarin de dichter troostende woorden hoort: je zult het niet merken als je sterft. De twee slotregels betekenen letterlijk: 'en op een zuivere ochtend zul je je boot aan de andere oever gemeerd vinden'. Het rijmschema (assonantie aan het eind van de even regels) is in deze vertaling niet aangehouden.

JUAN RAMÓN JIMÉNEZ (1881-1958) is de meest geliefde Spaanse dichter van deze eeuw en wordt doorgaans alleen met zijn voornamen aangeduid.

Hij studeerde korte tijd in Sevilla, volgde ook schilderlessen, koos toen voor de literatuur. Al in 1900 verschenen in Madrid onder auspiciën van Ruben Darío zijn twee eerste bundels *Almas de violeta* ('Zielen van violet') en *Ninfeas* ('Waterlelies'), waarvoor Jiménez zich later zo geneerde dat hij elk exemplaar dat hij tegenkwam vernietigde.

Zijn werk (meer dan dertig omvangrijke bundels) is in twee perioden te verdelen. Tot circa 1916 schreef hij vooral natuurlyriek, muzikale, melancholische poëzie die soms zweemt naar het sentimentele. Te beginnen met zijn bundel *Diario de un poeta recién casado* ('Dagboek van een pasgetrouwd dichter': zijn bruid, Zenobia Campubrí, was vertaalster van Tagore) wordt zijn poëzie concreter, directer, persoonlijker, intellectueler (programmatisch zijn de versregels *Inteligencia, dáme/el nombre exacto de las cosas!*: 'Intelligentie, geef mij/ de juiste naam van de dingen!'). Jiménez zei te streven naar *poesía desnuda* (naakte poëzie). Vanaf deze tijd wordt hij door jonge dichters als hun mentor beschouwd.

Ontzet door de burgeroorlog verlaat Jiménez Spanje. Hij wordt eerst cultureel attaché in Washington, dan professor Spaanse letterkunde aan de Universiteit van San Juan, op Puerto Rico, waar hij, met enige onderbrekingen, blijft wonen.

In 1956 kreeg hij de Nobelprijs, kort daarop stierf zijn vrouw aan wie hij verknocht was. Zijn laatste bundel *De ríos que se van* ('Over rivieren die uiteengaan'), 1957, gaat over haar dood.

Tenebrae stamt uit Jiménez' eerste periode en is geschreven in een traditionele vorm, alexandrijnen met assonantie in de even regels, die in de vertaling bewaard is. Jiménez nam het op in de *Segunda antología* poética 1922, met gedichten uit zijn eerste periode die hij handhaafde toen hij besloten had de vroegere bundels niet meer te laten herdrukken.

Met de 'loden aureolen' wordt vermoedelijk gedoeld op de nevelige halo's rond bomen als het geregend heeft; in regel 8 is 'verdoezelend' gebruikt als parafrase voor 'die waarheden verandert'; *una ronda* in regel 11 is het avondlijk gezang, met banjobegeleiding, van Spaanse jongelui; *que deja lagrimas* ('dat tranen achterlaat') suggereert dat de 'ik' in het gedicht niet meteen gemerkt heeft dat hij huilde. In de slotregel is, ter wille van het halfrijm, 'heb ik begrepen' toegevoegd.

JORGE GUILLÉN (1893-1984) studeerde in Madrid en Granada, maar ook in Zwitserland en Duitsland. Hij maakte een academische carrière, doceerde achtereenvolgens Spaanse letteren in Parijs (waar hij Valéry leerde kennen, wiens poëzie-opvatting hem beïnvloedde), in Murcia, Sevilla, Oxford en opnieuw Sevilla. Ten tijde van de burgeroorlog vestigde hij zich in de VS en werd professor aan Wellesley College, in Massachusetts, waar in '41 ook Nabokov kwam doceren (Guillén en Nabokov werden vrienden; Guillén heeft een gedicht aan Nabokov opgedragen).

In 1927 behoort hij tot de groep jonge dichters die de driehonderdste sterfdag van Góngora aangrijpen voor het proclameren van een nieuwe beweging in de poëzie, die bekend zal worden als 'de generatie van '27' en waartoe onder anderen ook Cernuda en Lorca behoren. Zijn eerste bundel verschijnt in 1928 onder de naam *Cántico* ('Lofzang') en bevat aanvankelijk vijfenzeventig gedichten. Maar iedere herdruk wordt vermeerderd en de laatste, uit 1950, telt er 334. De titel wekt associaties met het Hooglied en met Juan de la Cruz' *Cántico espiritual* waar het in zekere zin een wereldse tegenhanger van is. De ondertitel luidt *Fe de la vida* (± 'Attest van leven'). Het zijn vitalistische en heel visuele, lyrische gedichten met een wijsgerige inslag. Guillén probeerde 'het onzegbare van het gevoel' over te brengen, maar wilde het al te subjectief persoonlijke mijden.

De drie bundels die Guillén na '50 schreef, verzamelde hij onder de titel *Clamor* ('Klaagzang'), van *Cántico* het pessimistische pendant, waarin de negatieve kanten van het leven meer aan bod komen. Hierna verschenen nog drie grote bundels, met als laatste *Final* ('Einde'), uit 1981, toen Guillén al hoogbejaard was. In de laatste fase van zijn leven woonde Guillén een deel van het jaar weer in Spanje (Malaga). De verzamelde poëzie van deze *poeta lírico-intelectual* beslaat ruim 2000 pagina's.

Van de hier vertaalde gedichten komen de eerste twee uit *Cántico*, het derde uit *Clamor*, het vierde uit een latere bundel.

Cierro los ojos is een loflied op de nacht. Een meer nauwkeurige weergave van regel 4 zou zijn: 'de luidruchtige achtergrond te zijn van het lot' (*algazara* was oorspronkelijk een Moorse strijdkreet).

In het tweede couplet heten de sterren *los más bellos resplendores* (eigenlijk 'de mooiste schitteringen'), die door de nacht uit haar afgrond te voorschijn worden gebracht en die de dood vijandig zijn.

De 'ik' verdiept de nacht nog door zijn ogen te sluiten, waarna in het sextet een wereld (van de verbeelding) hem verblindt en in staat blijkt uit het duister zelfs een roos (schoonheid) te scheppen.

Perfección is een tienregelig vers (*décima*) met het rijmschema ababccdeed dat in de vertaling zoveel mogelijk gevolgd is (met gebruik van halfrijm). De bol of koepel is symbool van volmaaktheid, en de koepel van het uitspansel – de *redondeamiento del esplendor* is eigenlijk de 'bolvormigheid van de stralende dag' op het middaguur. Zonder het te willen is de roos er het centrum van. In regel 7 is *sujeta* enigszins ambigu. Als het woord hier een adjectief is, zou de betekenis ongeveer zijn 'Blootgesteld aan een zon in het zenit' (geparafraseerd tot 'op 't heetst') maar waarschijnlijk is *sujeta* hier werkwoord. In regel 8 staat eigenlijk 'En het heden geeft zich zozeer'.

Del trascurso is een sonnet uit Guilléns tweede levensfase als hij het vitalisme vaarwel heeft gezegd. Hij ziet terug op de jaren die ver achter hem liggen en vergelijkt ze met beelden die door het perspectief van de terugblik verdiept zijn, maar ook onscherp, bijna niet levend meer. Toch zijn er dingen onveranderd gebleven, zoals de steenzwaluwen die om torens heenwarrelen, zodat dáár zijn (contemplatieve) kindertijd nog voortduurt, al is hij nu zo oud dat zijn 'wijngaard' intussen een goede wijn voortbrengt (hij niet voor niets heeft geleefd). In het eerste terzet zegt Guillén dat hij zijn *afán* (enthousiasme, levensdrang, verlangen) niet op een laag pitje zal zetten, maar in het tweede terzet volgt een contrapunt – het vooruitzicht op de aftakeling, met aan het slot een duidelijke echo van de Spaanse barokdichters zoals Quevedo (bijvoorbeeld de slotregel van *Salmo* 19).

En la televisión dateert uit Guilléns laatste periode en is duidelijk herkenbaar als geschreven ten tijde van de oorlog in Vietnam. Het lijkt me een van de weinige 'geëngageerde' gedichten die de aanleiding tot het schrijven ervan overleven. De inhoud is duidelijk en heeft geen toelichting nodig. De assonanties in de even regels van het origineel zijn niet bewaard in de vertaling.

LUIS CERNUDA (1902-1963) studeerde rechten in Sevilla en was betrokken bij de proclamatie van de dichtersgeneratie van '27. In hetzelfde jaar verscheen zijn eerste bundel *Perfil del aire* ('Luchtprofiel'), die invloeden van het Franse symbolisme zou verraden. Zijn latere bundels zijn veel directer, aardser en getuigen van diep pessimisme. Titels zijn onder andere *Los placeros prohibidos*, 1931, ('De verboden genietingen': Cernuda was homoseksueel of 'uranistisch ingesteld', zoals dat in Spaanse bronnen wordt omschreven), *La realidad y el deseo*, 1940, ('De werkelijkheid en het verlangen'; deze titel gebruikte hij ook voor verzamelbundels die van zijn werk verschenen) en *Vivir sin estar viviendo*, 1949, ('Leven zonder te leven').

Ook Cernuda volgde een academische carrière en doceerde achtereenvolgens in Frankrijk (Toulouse), Engeland (Glasgow, Cambridge, Londen) de Verenigde Staten en Mexico.

In Spanje is Cernuda minder geliefd dan bijvoorbeeld Lorca. Zijn poëzie gaat door voor niet-helemaal-Spaans; hem werd 'koude melancholie' en 'nihilisme' verweten. Maar op de jongste Spaanse dichters heeft hij veel invloed gehad, en er zijn weinig dichters die met zo sobere middelen een zo beklemmend beeld van de wereld weten op te roepen. Een belangrijk thema in zijn werk is de ballingschap. Cernuda stierf in Mexico.

Nocturno Yanqui dateert uit Cernuda's Amerikaanse tijd. Het is een onbarmhartig zelfonderzoek in vrije verzen.

In regel 9 is *Cuerpo en pena*, letterlijk 'Lichaam dat pijn heeft', vertaald met 'verloren lichaam', omdat het een duidelijke variant is op *alma en pena* ('verloren of dolende ziel, ziel in het vagevuur').

In regel 16 betekent *temeroso* zowel 'bang' als 'schrikaanjagend'; daarom is het met 'angstig' weergegeven dat ook de beide aspecten in zich heeft.

In regel 32 en 36 suggereert de plaatsing van *Tiempo* voor het werkwoord dat er volop tijd is.

Het citaat in regel 49/50 betreft een door de jezuïet en filosoof Baltasar Gracián overgeleverde uitspraak van Filips II (of Karel V), die eigenlijk luidde *El tiempo y yo a otros dos* en die in de vertaling van A.A. Fokker (1907) is weergegeven als 'de tijd en ik, wij nemen het tegen twee anderen op'.

In de slotregel is *Mata* (eig. 'Maak dood') ongewoon gebruikt, waarschijnlijk als een bewust amerikanisme, dat het gedicht krachtig afrondt.

INHOUD

ENGELS

FRANS

ITALIAANS

SPAANS

COMMENTAAR

COPYRIGHT

`Een rijk en praktisch samengesteld rijmwoordenboek dat de soortgelijke vroegere Nederlandse uitgaven ver in de schaduw plaatst.'

Paul Waterschoot - Boekengids

`Dit boek nodigt uit tot lezen en herlezen. Een prachtig initiatief dat iedere fijnproever zal weten te waarderen.'

BIB-krant